기출문제로 개념 잡고 **내신만점** 맞자!

숨마쿰라우데 중학수학
실전문제집

KB018984

1-하

이룸이앤비
Education & Books

이 책의 구성과 특징

Part 1 05~111쪽

핵심개념 특강편

핵심 개념 정리

교과서 핵심 내용을 이해하는 것이 수학 공부의 첫걸음이지요. 공부할 내용 중 핵심적인 개념을 모아 정리해 두었습니다. 개념을 공부한 다음 문제로 개념을 확인해 보세요~

핵심유형으로 개념 정복하기

학교 시험 문제를 철저히 분석하여 자주 출제되는 핵심유형들을 모아 놓았습니다.
관련 개념을 링크해 두었으니 유형에 대한 이해가 필요할 시에는 링크된 개념으로 GoGo하세요~~

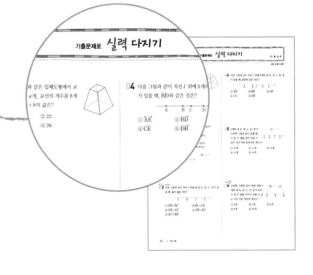

기출문제로 실력 다지기

학교 시험에 출제된 문제들로 구성해 놓았습니다. 앞서 배운 개념 및 핵심유형과 연계하여 문제를 스스로 분석하는 시간을 가져 봅시다.
문제의 이해만이 실력을 완성할 수 있는 길이지요^^

내신만점 도전편

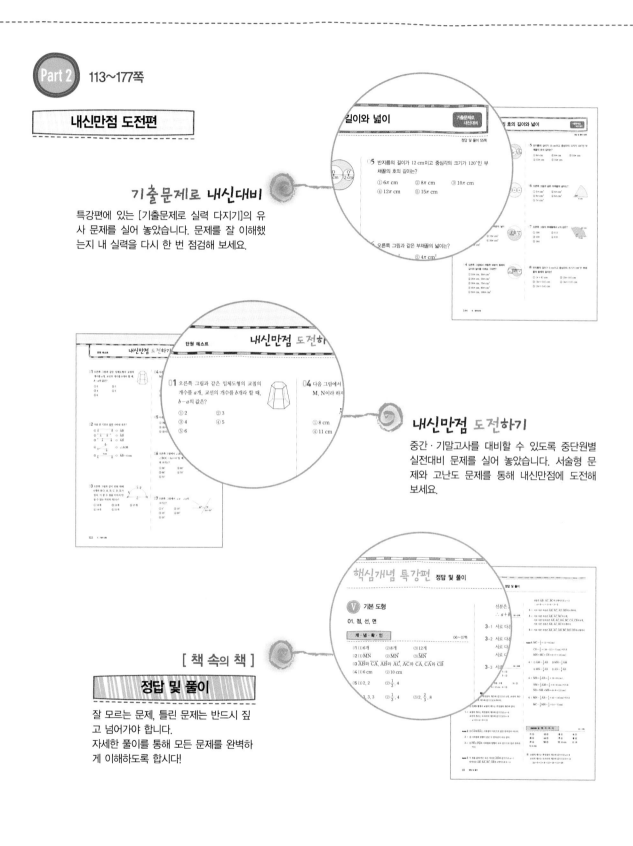

기출문제로 내신대비

특강편에 있는 [기출문제로 실력 다지기]의 유사 문제를 실어 놓았습니다. 문제를 잘 이해했는지 내 실력을 다시 한 번 점검해 보세요.

내신만점 도전하기

중간·기말고사를 대비할 수 있도록 중단원별 실전대비 문제를 실어 놓았습니다. 서술형 문제와 고난도 문제를 통해 내신만점에 도전해 보세요.

[책 속의 책]

정답 및 풀이

잘 모르는 문제, 틀린 문제는 반드시 짚고 넘어가야 합니다.
자세한 풀이를 통해 모든 문제를 완벽하게 이해하도록 합시다!

1-하

01 점, 선, 면

정답 및 풀이 02쪽

개념 ❶ 도형의 기본 요소

(1) 도형의 기본

① 도형의 기본 요소 : 점, 선, 면

② 점이 움직인 자리는 선이 되고, 선이 움직인 자리는 면이 된다.

(2) 교점과 교선

① 교점 : 선과 선 또는 선과 면이 만나서 생기는 점

② 교선 : 면과 면이 만나서 생기는 선

 교점 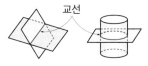 교선

개념 α

▶ 도형의 종류
① 평면도형 : 점, 선으로 이루어진 도형
② 입체도형 : 점, 선, 면으로 이루어진 도형

▶ 입체도형에서
(교점의 개수)
＝(꼭짓점의 개수)
(교선의 개수)
＝(모서리의 개수)

개념확인 01 오른쪽 그림과 같은 직육면체에 대하여 다음을 구하여라.

(1) 면의 개수

(2) 교점의 개수

(3) 교선의 개수

개념 ❷ 직선, 반직선, 선분

(1) 직선 AB($\overleftrightarrow{AB}$) : 서로 다른 두 점 A, B를 지나는 직선

(2) 반직선 AB($\overrightarrow{AB}$) : 직선 AB 위의 점 A에서 시작하여 점 B쪽으로 한없이 뻗은 직선 AB의 부분

(3) 선분 AB($\overline{AB}$) : 직선 AB 위의 점 A에서 점 B까지의 부분

참고 $\overrightarrow{AB}$와 $\overrightarrow{BA}$는 시작점과 방향이 다르므로 서로 다른 반직선이다.

$\overleftrightarrow{AB}$
A —————— B

$\overrightarrow{AB}$
A —————— B

$\overline{AB}$
A —————— B

개념 α

▶ 한 점을 지나는 직선은 무수히 많지만 서로 다른 두 점을 지나는 직선은 오직 하나뿐이다.

개념확인 02 다음 도형을 기호로 나타내어라.

(1) •————• 　(2) •————• 　(3) •————•
　　M　　N　　　　M　　N　　　　M　　N

개념확인 03 오른쪽 그림과 같이 직선 l 위에 세 점 A, B, C가 있다. 다음에서 서로 같은 것끼리 찾아 짝지어라.

———•——•——•——— l
　　A　B　C

$$\overrightarrow{AB}, \quad \overrightarrow{CA}, \quad \overleftrightarrow{AB}, \quad \overline{AC}, \quad \overrightarrow{CA}, \quad \overrightarrow{CB}, \quad \overleftrightarrow{AC}, \quad \overline{CA}$$

개념 ❸   두 점 사이의 거리

(1) **두 점 A, B 사이의 거리** : 두 점 A와 B를 잇는 선 중에서 길이가 가장 짧은 선분 AB의 길이

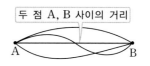

두 점 A, B 사이의 거리

(2) **선분 AB의 중점 M** : 선분 AB 위에 있는 점으로 선분 AB의 길이를 이등분하는 점 M

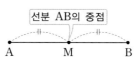

선분 AB의 중점

$$\overline{\mathrm{AM}}=\overline{\mathrm{BM}}=\frac{1}{2}\overline{\mathrm{AB}}$$

개념 α

▸ $\overline{\mathrm{AB}}$는 선분을 나타내기도 하고, 선분 AB의 길이를 나타내기도 한다.

▸ M은 Middle Point(중점)의 첫 글자를 따서 나타낸 것이다.

개념확인 **04** 오른쪽 그림에서 다음을 구하여라.

(1) 두 점 A와 B 사이의 거리

(2) 두 점 B와 C 사이의 거리

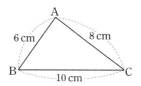

개념확인 **05** 오른쪽 그림에서 점 M이 $\overline{\mathrm{AB}}$의 중점일 때, ☐ 안에 알맞은 수를 써넣어라.

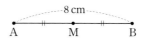

(1) $\overline{\mathrm{AB}}=$☐ $\overline{\mathrm{AM}}=$☐ $\overline{\mathrm{MB}}$

(2) $\overline{\mathrm{AM}}=\overline{\mathrm{MB}}=$☐ $\overline{\mathrm{AB}}=$☐ cm

개념확인 **06** 오른쪽 그림에서 두 점 M, N이 $\overline{\mathrm{XY}}$의 삼등분점일 때, ☐ 안에 알맞은 수를 써넣어라.

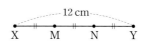

(1) $\overline{\mathrm{XY}}=$☐ $\overline{\mathrm{XM}}=$☐ $\overline{\mathrm{MN}}=$☐ $\overline{\mathrm{NY}}$

(2) $\overline{\mathrm{XM}}=\overline{\mathrm{MN}}=\overline{\mathrm{NY}}=$☐ $\overline{\mathrm{XY}}=$☐ cm

(3) $\overline{\mathrm{XN}}=$☐ $\overline{\mathrm{XM}}=$☐ $\overline{\mathrm{XY}}=$☐ cm

핵심유형 **1**   도형의 기본 요소   개념 ❶

오른쪽 그림과 같은 사각뿔에서 교점과 교선의 개수를 차례로 나열한 것은?

① 4개, 6개   ② 4개, 8개

③ 5개, 6개   ④ 5개, 8개

⑤ 5개, 10개

GUIDE

입체도형에서 교점의 개수는 꼭짓점의 개수, 교선의 개수는 모서리의 개수와 같다.

1-1 다음 설명 중 옳지 <u>않은</u> 것은?

① 입체도형은 점, 선, 면으로 이루어져 있다.

② 선과 선이 만나면 교점이 생긴다.

③ 선이 연속하여 움직인 자리는 면이 된다.

④ 면과 면이 만나면 교선이 생긴다.

⑤ 입체도형에서 교점의 개수는 모서리의 개수와 같다.

1-2 오른쪽 입체도형에서 교점의 개수를 a 개, 교선의 개수를 b개라 할 때, $a+b$의 값을 구하여라.

1-3 오른쪽 그림과 같은 삼각뿔에 대한 설명으로 옳은 것은?

① 교선의 개수는 5개이다.

② 교점의 개수는 3개이다.

③ 두 모서리 BD, BC의 교점은 점 B이다.

④ 두 면 ABC, ACD의 교선은 모서리 CD이다.

⑤ 모서리 AD와 면 BCD의 교점은 점 C이다.

핵심유형 **2**   직선, 반직선, 선분   개념 ❷

오른쪽 그림과 같이 직선 l 위에 세 점 A, B, C가 있을 때, 다음 중 옳지 <u>않은</u> 것은?

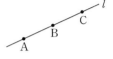

① $\overrightarrow{AB}=\overrightarrow{BC}$ ② $\overrightarrow{AB}=\overrightarrow{AC}$

③ $\overline{AB}=\overline{BA}$ ④ $\overrightarrow{AC}=\overleftarrow{BA}$

⑤ $\overleftrightarrow{CA}=\overleftrightarrow{BA}$

GUIDE

반직선은 시작점과 방향이 모두 같아야 같은 반직선이다.

2-1 다음 설명 중 옳지 <u>않은</u> 것은?

① 선분은 양 끝점을 포함한다.

② 한 점을 지나는 직선은 무수히 많다.

③ 시작점이 같은 두 반직선은 서로 같다.

④ 서로 다른 두 점을 지나는 직선은 오직 하나뿐이다.

⑤ 서로 다른 두 점을 잇는 선 중에서 길이가 가장 짧은 것은 두 점을 잇는 선분이다.

2-2 오른쪽 그림과 같이 직선 l 위에 세 점 P, Q, R가 차례로 있을 때, 다음 중 $\overrightarrow{PQ}$와 같은 것은?

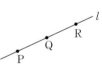

① $\overrightarrow{QP}$ ② $\overrightarrow{RP}$ ③ $\overrightarrow{RQ}$

④ $\overrightarrow{QR}$ ⑤ $\overrightarrow{PR}$

2-3 오른쪽 그림과 같이 직선 l 위에 네 점 A, B, C, D가 차례로 있을 때, $\overrightarrow{BD}$와 $\overrightarrow{CB}$의 공통 부분은?

① $\overrightarrow{BC}$ ② $\overline{BC}$ ③ $\overrightarrow{CB}$

④ $\overline{AC}$ ⑤ $\overrightarrow{BA}$

오른쪽 그림과 같이 직선 l 위에 세 점 A, B, C가 있다. 이 중 두 점을 골라 만들 수 있는 서로 다른 직선의 개수를 a개, 반직선의 개수를 b개, 선분의 개수를 c개라 할 때, $a+b-c$의 값을 구하여라.

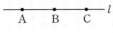

GUIDE

서로 다른 직선, 반직선, 선분의 개수를 셀 때에는 중복해서 세지 않도록 유의한다.

3-1 4개의 점 A, B, C, D가 오른쪽 그림과 같이 있을 때, 이 중 두 점을 골라 만들 수 있는 서로 다른 직선의 개수는?

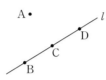

① 2개   ② 3개   ③ 4개

④ 5개   ⑤ 6개

3-2 오른쪽 그림과 같이 어느 세 점도 한 직선 위에 있지 않은 세 점 A, B, C가 있다. 세 점 중 두 점을 지나는 서로 다른 직선, 반직선, 선분의 개수를 각각 구하여라.

3-3 오른쪽 그림과 같이 원 위에 네 점 A, B, C, D가 있다. 네 점 중 두 점을 지나는 서로 다른 직선의 개수는?

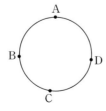

① 4개   ② 5개

③ 6개   ④ 7개

⑤ 8개

다음 그림에서 점 M은 $\overline{AC}$의 중점이고, 점 N은 $\overline{BC}$의 중점이다. $\overline{AB}=26$ cm, $\overline{AC}=12$ cm일 때, $\overline{MN}$의 길이는?

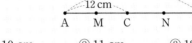

① 10 cm   ② 11 cm   ③ 12 cm

④ 13 cm   ⑤ 14 cm

GUIDE

$\overline{AM}=\overline{MC}$, $\overline{CN}=\overline{NB}$임을 이용하여 $\overline{MN}$의 길이를 구한다.

4-1 오른쪽 그림에서 점 M은 $\overline{AB}$의 중점이고, 점 N은 $\overline{MB}$의 중점일 때, 다음 중 옳은 것은?

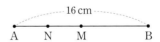

① $\overline{AM}=2\overline{AB}$ ② $\overline{BM}=\dfrac{1}{2}\overline{AB}$

③ $\overline{MN}=\dfrac{1}{3}\overline{AM}$ ④ $\overline{MN}=\dfrac{3}{4}\overline{AB}$

⑤ $\overline{AN}=\dfrac{2}{3}\overline{AB}$

4-2 다음 그림에서 점 M은 $\overline{AB}$의 중점이고, 점 N은 $\overline{AM}$의 중점이다. $\overline{AB}=16$ cm일 때, $\overline{NB}$의 길이를 구하여라.

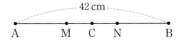

4-3 다음 그림에서 두 점 M, N은 $\overline{AB}$의 삼등분점이고, 점 C는 $\overline{MN}$의 중점이다. $\overline{AB}=42$ cm일 때, $\overline{MC}$의 길이는?

① 5 cm   ② 6 cm   ③ 7 cm

④ 8 cm   ⑤ 9 cm

정답 및 풀이 02쪽

01 오른쪽 그림과 같은 입체도형에서 교점의 개수를 a개, 교선의 개수를 b개라 할 때, $2a+b$의 값은?

① 20 　　　　② 22

③ 24 　　　　④ 26

⑤ 28

02 다음 보기의 설명 중 옳은 것을 모두 고른 것은?

┤ 보기 ├

ㄱ. 선은 무수히 많은 점으로 이루어져 있다.

ㄴ. 방향이 같은 두 반직선은 같다.

ㄷ. 교선은 면과 면이 만나서 생기는 선이다.

ㄹ. 반직선의 길이는 직선의 길이의 반이다.

① ㄱ 　　　　② ㄴ, ㄷ 　　　　③ ㄱ, ㄷ

④ ㄷ, ㄹ 　　　　⑤ ㄴ, ㄷ, ㄹ

03 다음 그림과 같이 직선 l 위에 네 점 A, B, C, D가 있을 때, 옳지 <u>않은</u> 것은?

① $\overrightarrow{AB}=\overrightarrow{BC}$ 　　　　② $\overline{BC}=\overline{CB}$

③ $\overleftrightarrow{AB}=\overleftrightarrow{AC}$ 　　　　④ $\overrightarrow{AB}=\overrightarrow{BA}$

⑤ $\overleftrightarrow{AC}=\overleftrightarrow{BD}$

04 다음 그림과 같이 직선 l 위에 5개의 점 A, B, C, D, E가 있을 때, $\overline{BD}$와 같은 것은?

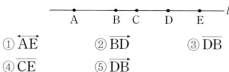

① $\overrightarrow{AE}$ 　　　② $\overrightarrow{BD}$ 　　　③ $\overline{DB}$

④ $\overrightarrow{CE}$ 　　　⑤ $\overrightarrow{DB}$

05 5개의 점 A, B, C, D, E가 오른쪽 그림과 같이 있을 때, 이 중 두 점을 골라 만들 수 있는 서로 다른 반직선의 개수는?

① 10개 　　　② 11개 　　　③ 12개

④ 13개 　　　⑤ 14개

06 오른쪽 그림과 같이 반원 위에 5개의 점 A, B, C, D, E가 있다. 이 중 두 점을 이어서 만들 수 있는 서로 다른 직선의 개수는?

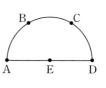

① 6개 　　　② 7개 　　　③ 8개

④ 9개 　　　⑤ 10개

07 오른쪽 그림에서 두 점 A, B 사이의 거리를 a cm, 두 점 B, D 사이의 거리를 b cm, 두 점 A, C 사이의 거리를 c cm라 할 때, $a+b-c$의 값은?

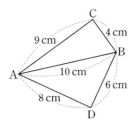

① 4   ② 5   ③ 6
④ 7   ⑤ 8

08 다음 그림에서 두 점 B, C는 $\overline{AD}$를 삼등분하는 점이다. 옳지 <u>않은</u> 것은?

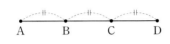

① $\overline{AB}=\overline{BC}$ ② $\overline{AC}=\overline{BD}$

③ $\overline{AD}=3\overline{BC}$ ④ $\overline{AC}=\dfrac{3}{4}\overline{AD}$

⑤ $\overline{AB}=\dfrac{1}{2}\overline{AC}$

 잘나와요
09 다음 그림에서 두 점 M, N은 각각 $\overline{AC}$, $\overline{BC}$의 중점이고 $\overline{MN}=11$ cm일 때, $\overline{AB}$의 길이는?

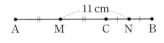

① 16 cm   ② 18 cm   ③ 20 cm
④ 22 cm   ⑤ 24 cm

10 다음 그림에서 점 M은 $\overline{AB}$의 중점이다. $\overline{AM}=2x+4$, $\overline{MB}=3x-2$일 때, $\overline{AB}$의 길이는?

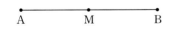

① 26   ② 32   ③ 38
④ 44   ⑤ 50

11 다음 그림에서 $\overline{AB}=5\overline{AP}$이고 점 M은 $\overline{PB}$의 중점이다. $\overline{AB}=25$ cm일 때, $\overline{AM}$의 길이를 구하여라.

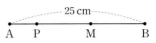

12 오른쪽 그림과 같이 어느 세 점도 한 직선 위에 있지 않은 네 점 A, B, C, D가 있다. 네 점 중 두 점을 지나는 서로 다른 반직선의 개수를 a개, 선분의 개수를 b개라 할 때, $a+b$의 값을 구하여라.

A
•D
B•
C

답 _____

13 한 직선 위에 순서대로 있는 네 점 P, Q, R, S가 다음 조건을 모두 만족할 때, $\overline{QR}$의 길이를 구하여라.

> (가) $\overline{PQ}=\dfrac{1}{3}\overline{PR}$
>
> (나) 점 R는 두 점 Q, S의 중점이다.
>
> (다) $\overline{PS}=10$ cm

답 _____

114쪽 기출문제로 내신대비 로 반복학습하세요!

02 각

정답 및 풀이 03쪽

개념 ❶ 각

(1) **각 AOB** : 한 점 O에서 시작하는 두 반직선 OA, OB로 이루어
진 도형 ⇨ ∠AOB, ∠BOA, ∠O, ∠a

(2) **각 AOB의 크기** : 점 O를 중심으로 $\overrightarrow{OA}$가 $\overrightarrow{OB}$까지 회전한 양

(3) **각의 분류**

① 평각 : 각을 이루는 두 반직선이 한 직선을 이룰 때의 각, 즉
크기가 180°인 각

② 직각 : 평각의 크기의 $\frac{1}{2}$인 각, 즉 각의 크기가 90°인 각

③ 예각 : 0°보다 크고 90°보다 작은 각

④ 둔각 : 90°보다 크고 180°보다 작은 각

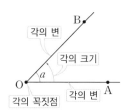

개념 α

▶ 각을 나타낼 때 각의 꼭짓
점은 가운데에 써야 한다.

▶ ∠AOB의 크기를 말할 때
는 보통 크기가 작은 쪽의
각을 말한다.

▶ 각의 분류

개념확인 **01** 다음 각을 예각, 직각, 둔각, 평각으로 구분하여라.

(1) 60°　　　　(2) 120°　　　　(3) 90°　　　　(4) 180°

개념확인 **02** 다음 그림에서 ∠x의 크기를 구하여라.

(1)

(2)

개념 ❷ 맞꼭지각

(1) **교각** : 두 직선이 만나서 생기는 네 개의 각

⇨ ∠a, ∠b, ∠c, ∠d

(2) **맞꼭지각** : 두 직선이 한 점에서 만날 때 서로 마주 보는 각

⇨ ∠a와 ∠c, ∠b와 ∠d

(3) **맞꼭지각의 성질** : 맞꼭지각의 크기는 서로 같다.

⇨ ∠a＝∠c, ∠b＝∠d

참고 서로 다른 n개의 직선이 한 점에서 만날 때 생기는 맞꼭지각의 쌍의 개수는 $n(n-1)$쌍이다.

개념 α

▶

$\angle a+\angle b=180°$,
$\angle b+\angle c=180°$이므로
$\angle a+\angle b=\angle b+\angle c$
∴ $\angle a=\angle c$
같은 방법으로 $\angle b=\angle d$

개념확인 **03** 오른쪽 그림과 같이 세 직선이 한 점에서 만날 때, 다음 각의 맞꼭지각을 구하여라.

(1) ∠AOF (2) ∠BOF

(3) ∠EOD (4) ∠COA

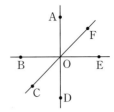

개념확인 **04** 다음 그림에서 ∠a, ∠b의 크기를 각각 구하여라.

(1)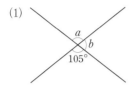

(2)

개념 ③ 수직과 수선

(1) **직교** : 두 선분 AB, CD의 교각이 직각일 때, 이 두 선분은 서로 직교한다고 한다. ▷ $\overline{AB} \perp \overline{CD}$

(2) **수직** : 직교하는 두 직선은 서로 수직이라 한다.

(3) **수선** : 두 직선이 직교할 때, 한 직선을 다른 직선의 수선이라 한다.

(4) **수선의 발** : 직선 l 위에 있지 않은 점 P에서 직선 l에 수선을 그어 생기는 교점 H

(5) **점과 직선 사이의 거리** : 직선 l 위에 있지 않은 점 P에서 직선 l에 내린 수선의 발 H까지의 거리 ▷ $\overline{PH}$의 길이

참고 $\overline{PH}$는 점 P에서 직선 l에 그을 수 있는 선분 중에서 길이가 가장 짧은 선분이다.

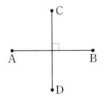

수선의 발

점 P와 직선 l 사이의 거리

개념 α

▶ 선분 AB의 중점 M을 지나고 선분 AB에 수직인 직선 l을 선분 AB의 수직이등분선이라 한다.

▷ $\overline{AM} = \overline{BM}$, $l \perp \overline{AB}$

개념확인 **05** 오른쪽 그림과 같은 사다리꼴 ABCD에서 다음을 구하여라.

(1) $\overline{AD}$와 직교하는 선분

(2) 점 D에서 변 AB에 내린 수선의 발

(3) 점 B와 $\overline{AD}$ 사이의 거리

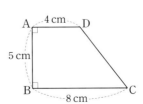

핵심유형 1 각   개념❶

다음 그림에서 ∠x의 크기를 구하여라.

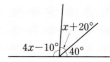

GUIDE
평각의 크기가 180°임을 이용하여 방정식을 세운다.

1-1 오른쪽 그림에서 ∠y − ∠x의 크기는?

① 30°   ② 40°
③ 50°   ④ 60°
⑤ 70°

1-2 오른쪽 그림에서 ∠x의 크기는?

① 10°   ② 20°
③ 30°   ④ 40°
⑤ 50°

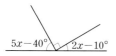

1-3 오른쪽 그림에서
∠a : ∠b : ∠c = 2 : 3 : 4일
때, ∠a의 크기를 구하여라.

1-4 오른쪽 그림에서
∠AOC = ∠COD,
∠DOE = ∠EOB일 때,
∠COE의 크기는?

① 70°   ② 80°   ③ 90°
④ 100°   ⑤ 110°

1-5 오른쪽 그림과 같이 시계가 4시 10분을 가리킬 때, 시침과 분침이 이루는 각 중에서 작은 쪽의 각의 크기를 구하여라.

핵심유형 2 맞꼭지각   개념❷

오른쪽 그림에서 ∠a − ∠b의 크기는?

① 40°   ② 50°
③ 60°   ④ 70°
⑤ 80°

GUIDE
두 직선이 만나서 생기는 맞꼭지각의 크기는 서로 같다.

2-1 오른쪽 그림에서 ∠x의 크기를 구하여라.

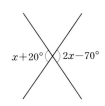

$x+20°$ $2x-70°$

2-2 오른쪽 그림에서 ∠x의 크기는?

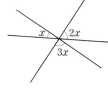

x $2x$ $3x$

① 22°   ② 24°

③ 26°   ④ 28°

⑤ 30°

2-3 오른쪽 그림에서 ∠x의 크기를 구하여라.

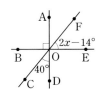

A F $2x-14°$ B O E 40° C D

2-4 오른쪽 그림과 같이 세 직선이 한 점 O에서 만날 때 생기는 맞꼭지각은 모두 몇 쌍인가?

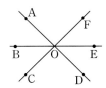

A F B O E C D

① 3쌍   ② 4쌍

③ 5쌍   ④ 6쌍

⑤ 7쌍

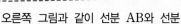

오른쪽 그림과 같이 선분 AB와 선분 DE가 서로 수직으로 만날 때, 다음 중 옳지 <u>않은</u> 것은?

A D C E B

① $\overline{AB}\perp\overline{DE}$

② ∠ACD＝∠ACE

③ 점 B에서 $\overline{DE}$에 내린 수선의 발은 점 C이다.

④ $\overline{DC}$는 $\overline{AB}$의 수선이다.

⑤ 점 A와 $\overline{DE}$ 사이의 거리는 $\overline{AB}$이다.

GUIDE

$l\perp\overline{PH}$일 때,

(1) 점 P에서 직선 l에 내린 수선의 발 : 점 H

(2) 점 P와 직선 l 사이의 거리 : $\overline{PH}$의 길이

P H l

3-1 오른쪽 그림에서 점 P와 직선 l 사이의 거리를 나타내는 것은?

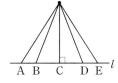

P A B C D E l

① $\overline{PA}$ ② $\overline{PB}$

③ $\overline{PC}$ ④ $\overline{PD}$

⑤ $\overline{PE}$

3-2 오른쪽 좌표평면 위의 점 A, B, C, D, E에 대하여 x축과의 거리가 가장 가까운 점과 y축과의 거리가 가장 먼 점을 차례대로 나열한 것은?

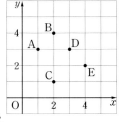

y B A D C E O 2 4 x

① 점 A, 점 B   ② 점 A, 점 C

③ 점 B, 점 E   ④ 점 C, 점 B

⑤ 점 C, 점 E

3-3 오른쪽 그림에서 점 C와 선분 AB 사이의 거리를 a cm, 점 D와 선분 BC 사이의 거리를 b cm라 할 때, $a-b$의 값을 구하여라.

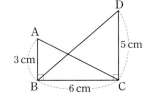

D A 5 cm 3 cm B 6 cm C

정답 및 풀이 04쪽

01 다음 중 각을 크기에 따라 분류한 것으로 옳지 <u>않은</u> 것은?

① 42° : 예각   ② 90° : 직각

③ 124° : 둔각   ④ 180° : 평각

⑤ 92° : 예각

02 오른쪽 그림에서 $\angle x$의 크기는?

① 60°   ② 62°

③ 64°   ④ 66°

⑤ 68°

03 ^{잘나와요} 오른쪽 그림에서 $\overline{OA}\perp\overline{OB}$, $\overline{OC}\perp\overline{OD}$이고 $\angle AOC+\angle BOD=64°$일 때, $\angle COB$의 크기는?

① 56°   ② 58°   ③ 60°

④ 62°   ⑤ 64°

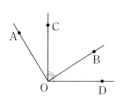

04 ^{내신 up} 오른쪽 그림에서 $\angle COD=\dfrac{2}{5}\angle AOD$, $\angle DOE=\dfrac{2}{5}\angle DOB$일 때, $\angle COE$의 크기는?

① 68°   ② 70°   ③ 72°

④ 74°   ⑤ 76°

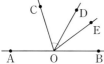

05 오른쪽 그림에서 $\angle a : \angle b : \angle c = 3 : 7 : 5$일 때, $\angle b$의 크기는?

① 72°   ② 76°   ③ 80°

④ 84°   ⑤ 88°

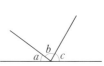

06 오른쪽 그림에서 $\angle a+\angle b=240°$일 때, $\angle x$의 크기는?

① 56°   ② 58°   ③ 60°

④ 62°   ⑤ 64°

07 ^{잘나와요} 오른쪽 그림에서 $\angle x$의 크기는?

① 16°   ② 18°

③ 20°   ④ 22°

⑤ 24°

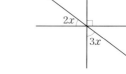

08 오른쪽 그림과 같이 두 직각삼각형이 겹쳐 있을 때, $\angle a+\angle b$의 크기는?

① 50°   ② 55°

③ 60°   ④ 65°

⑤ 70°

09 오른쪽 그림에서 ∠COD의 크기는?

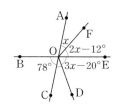

① 25°   ② 28°

③ 32°   ④ 38°

⑤ 45°

10 오른쪽 그림과 같이 네 직선이 한 점 O에서 만날 때 생기는 맞꼭지각은 모두 몇 쌍인가?

① 12쌍   ② 14쌍

③ 16쌍   ④ 18쌍

⑤ 20쌍

11 오른쪽 그림의 사다리꼴 ABCD에 대한 다음 설명 중 옳지 <u>않은</u> 것은?

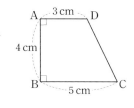

① $\overline{BC}$와 직교하는 선분은 $\overline{AB}$이다.

② 점 C에서 $\overline{AB}$에 내린 수선의 발은 점 B이다.

③ 점 D와 $\overline{AB}$ 사이의 거리는 3 cm이다.

④ 점 B와 $\overline{AD}$ 사이의 거리는 5 cm이다.

⑤ $\overline{AB}$와 수직으로 만나는 선분은 $\overline{AD}$, $\overline{BC}$이다.

12 오른쪽 그림과 같은 평행사변형 ABCD에서 점 A와 선분 CD 사이의 거리를 x cm, 점 A와 선분 BC 사이의 거리를 y cm라 할 때, $x+y$의 값을 구하여라.

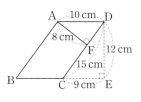

서·술·형·문·제

풀이 과정을 자세히 쓰시오.

13 오른쪽 그림과 같이 시계가 2시 40분을 가리킬 때, 두 바늘이 이루는 각 중에서 작은 쪽의 각의 크기를 구하여라.

[단계] ❶ 시침이 숫자 12와 이루는 각의 크기 구하기

❷ 분침이 숫자 12와 이루는 각의 크기 구하기

❸ 시침과 분침이 이루는 각 중에서 작은 쪽의 각의 크기 구하기

답 _____

14 다음 그림에서 ∠b의 크기를 구하여라.

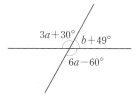

답 _____

------- 116쪽 기출문제로 내신대비 로 반복학습하세요!

03 위치 관계

정답 및 풀이 05쪽

개념 ① 평면에서 두 직선의 위치 관계

(1) 평면에서 두 직선의 위치 관계

① 한 점에서 만난다.   ② 일치한다.   ③ 평행하다. ($l \parallel m$)

교점

참고 (1) 두 직선이 일치하는 경우는 하나의 직선으로 생각한다.

(2) 다음과 같은 경우 하나의 평면이 결정된다. (평면의 결정조건)

한 직선 위에 있지 않은 세 점

한 직선과 그 위에 있지 않은 한 점

한 점에서 만나는 두 직선

서로 평행한 두 직선

개념 α

▶ 평면에서 두 직선이 한 점에서 만나면 교점이 1개, 평행하면 교점이 없고, 일치하면 교점이 무수히 많다.

▶ 한 평면 위의 두 직선이
① 만난다.
⇨ 한 점에서 만나거나 일치한다.
② 만나지 않는다.
⇨ 평행하다.

개념확인 01 오른쪽 그림의 사각형에 대하여 다음을 구하여라.

(1) 변 AD와 만나는 변

(2) 변 AD와 평행한 변

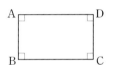

개념 ② 공간에서 두 직선의 위치 관계

(1) 공간에서 두 직선의 위치 관계

① 한 점에서 만난다.   ② 일치한다.   ③ 평행하다. ($l \parallel m$)   ④ 꼬인 위치에 있다.

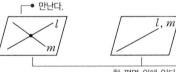
한 평면 위에 있다.

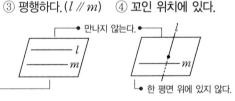
만나지 않는다.
한 평면 위에 있지 않다.

(2) 꼬인 위치 : 공간에서 두 직선이 서로 만나지도 않고 평행하지도 않을 때 두 직선은 꼬인 위치에 있다고 한다. 이때 꼬인 위치에 있는 두 직선은 한 평면 위에 있지 않다.

개념 α

▶ 꼬인 위치는 공간에서 직선과 직선의 위치 관계에만 존재한다.

▶ 공간에서 서로 다른 두 직선이
① 만난다.
⇨ 한 점에서 만난다.
② 만나지 않는다.
⇨ 평행하다.
꼬인 위치에 있다.

개념확인 02 오른쪽 그림의 삼각기둥에 대하여 다음을 구하여라.

(1) 모서리 AB와 만나는 모서리

(2) 모서리 AB와 평행한 모서리

(3) 모서리 AB와 꼬인 위치에 있는 모서리

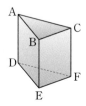

개념 ③ 공간에서 직선과 평면의 위치 관계

(1) 공간에서 직선과 평면의 위치 관계

① 포함된다.

② 한 점에서 만난다.

③ 평행하다. ($l /\!/ P$)

주의 직선과 평면의 위치 관계에는 꼬인 위치가 없다.

(2) 직선과 평면의 수직

직선 l이 평면 P와 한 점 O에서 만나고 점 O를 지나는 평면 P 위의 모든 직선과 수직일 때, 직선 l과 평면 P는 서로 수직이다 또는 직교한다고 한다. $\Rightarrow l \perp P$

참고 직선 l을 평면 P의 수선이라 한다.

개념 α

▶ 점과 평면 사이의 거리
평면 P 위에 있지 않은 점 A에서 평면 P에 내린 수선의 발 O까지의 거리
$\Rightarrow \overline{AO}$의 길이

개념확인 03 오른쪽 그림의 직육면체에 대하여 다음을 구하여라.

(1) 면 ABCD에 포함된 모서리

(2) 면 ABCD와 평행한 모서리

(3) 면 ABCD와 수직인 모서리

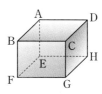

개념 ④ 공간에서 두 평면의 위치 관계

(1) 공간에서 두 평면의 위치 관계

① 한 직선에서 만난다.

② 일치한다. ($P=Q$)

③ 평행하다. ($P /\!/ Q$)

교선

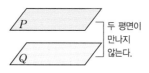

서로 포개어진다.

두 평면이 만나지 않는다.

참고 두 평면이 일치하는 경우는 하나의 평면으로 본다.

개념 α

▶ 두 평면 P와 Q가 만나고, 평면 P가 평면 Q에 수직인 직선 l을 포함할 때, 두 평면은 수직이다라고 한다.

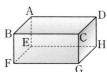

$\Rightarrow P \perp Q$

개념확인 04 오른쪽 그림의 직육면체에 대하여 다음을 구하여라.

(1) 면 ABFE와 만나는 면

(2) 면 ABFE와 평행한 면

(3) 면 ABFE와 수직인 면

핵심유형 1 — **평면에서 두 직선의 위치 관계**　개념 ❶

오른쪽 그림의 직사각형에서 선분 AD와 평행한 선분의 개수를 a개, 한 점에서 만나는 선분의 개수를 b개라 할 때, $a+b$의 값을 구하여라.

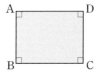

GUIDE
한 평면에서 두 직선은 일치하거나, 한 점에서 만나거나, 평행하다.

1-1 오른쪽 그림의 정육각형에서 직선 AB와 한 점에서 만나는 직선의 개수를 a개, 평행한 직선의 개수를 b개라 할 때, $a-b$의 값을 구하여라.

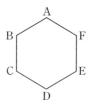

1-2 한 평면 위에 있는 서로 다른 세 직선 l, m, n에 대하여 $l /\!/ m$, $m \perp n$일 때, 두 직선 l, n의 위치 관계는?

① 일치한다.　　　　② 평행하다.
③ 수직으로 만난다.　④ 두 점에서 만난다.
⑤ 꼬인 위치에 있다.

1-3 다음 중 한 평면을 결정하는 조건이 아닌 것은?

① 한 직선 위에 있는 세 점
② 평행한 두 직선
③ 한 점에서 만나는 두 직선
④ 한 직선과 그 직선 위에 있지 않은 한 점
⑤ 수직인 두 직선

핵심유형 2 — **공간에서 두 직선의 위치 관계**　개념 ❷

오른쪽 그림의 직육면체에서 모서리 AB와 평행한 모서리의 개수를 a개, 모서리 EH와 수직으로 만나는 모서리의 개수를 b개, 모서리 BF와 꼬인 위치에 있는 모서리의 개수를 c개라 할 때, $a+b+c$의 값을 구하여라.

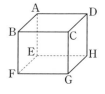

GUIDE
공간에서 서로 다른 두 직선은 한 점에서 만나거나, 평행하거나, 꼬인 위치에 있다. 두 직선이 만나지도 않고 평행하지도 않을 때 꼬인 위치에 있다고 한다.

2-1 오른쪽 그림과 같이 밑면이 정오각형인 오각기둥에서 다음 두 모서리의 위치 관계를 말하여라.

(1) 모서리 AB와 모서리 BG
(2) 모서리 FG와 모서리 DI
(3) 모서리 DE와 모서리 IJ

2-2 오른쪽 그림과 같은 삼각기둥에서 모서리 AB와의 위치 관계가 나머지 넷과 다른 하나는?

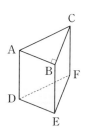

① 모서리 AC　② 모서리 BC
③ 모서리 CF　④ 모서리 AD
⑤ 모서리 BE

2-3 오른쪽 그림의 직육면체에서 선분 AG와 꼬인 위치에 있는 모서리의 개수를 구하여라.

오른쪽 그림과 같은 직육면체에 대한 다음 설명 중 옳지 <u>않은</u> 것은?

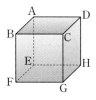

① $\overline{EG}$는 면 ABCD와 평행하다.

② $\overline{CD}$는 면 BFGC와 수직이다.

③ $\overline{AC}$는 면 AEGC에 포함된다.

④ 면 AEGC와 평행한 모서리는 4개이다.

⑤ $\overline{BC}$와 면 ABFE는 수직이다.

GUIDE

공간에서 직선과 평면은 직선이 평면에 포함되거나, 한 점에서 만나거나, 평행하다.

3-1 오른쪽 그림과 같은 직육면체에서 면 AEHD와 평행한 모서리의 개수는?

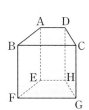

① 4개   ② 5개

③ 6개   ④ 7개

⑤ 8개

3-2 오른쪽 그림과 같은 사각기둥에서 모서리 CG와 평행한 면의 개수를 a개, 수직인 면의 개수를 b개라 할 때, $a+b$의 값을 구하여라.

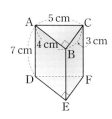

3-3 오른쪽 그림과 같은 삼각기둥에서 점 D와 면 ABC 사이의 거리를 x cm, 점 A와 면 BEFC 사이의 거리를 y cm라 할 때, $x-y$의 값을 구하여라.

오른쪽 그림과 같은 삼각기둥에 대한 다음 설명 중 옳지 <u>않은</u> 것은?

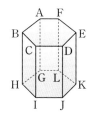

① 면 ABC와 수직인 면은 3개이다.

② 면 DEF와 면 ABC는 평행하다.

③ 모서리 BC와 모서리 DE는 꼬인 위치에 있다.

④ 면 ADFC와 모서리 BE는 평행하다.

⑤ 면 ADEB와 한 직선에서 만나는 면은 2개이다.

GUIDE

공간에서 두 평면은 한 직선에서 만나거나, 평행하거나, 일치한다.

4-1 오른쪽 그림과 같이 밑면이 정육각형 인 육각기둥에서 서로 평행한 두 면은 모두 몇 쌍인지 말하여라.

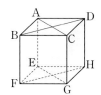

4-2 오른쪽 그림과 같은 직육면체에서 면 AEGC와 수직인 면을 모두 고르 면? (정답 2개)

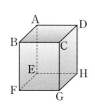

① 면 ABCD   ② 면 BFGC

③ 면 ABFE   ④ 면 CGHD

⑤ 면 EFGH

4-3 오른쪽 그림과 같은 직육면체에서 면 BFGC와 평행한 면의 개수를 a개, 수직인 면의 개수를 b개라 할 때, $a+b$의 값을 구하여라.

01 오른쪽 그림과 같은 정팔각형의 변의 연장선 중에서 $\overleftrightarrow{CD}$와 한 점에서 만나는 직선의 개수는?

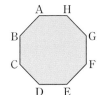

① 3개　　② 4개
③ 5개　　④ 6개
⑤ 7개

02 한 평면 위에 있는 서로 다른 세 직선 l, m, n에 대하여 $l /\!/ m$, $m /\!/ n$일 때, 두 직선 l, n의 위치 관계는?

① 평행하다.　　② 한 점에서 만난다.
③ 일치한다.　　④ 직교한다.
⑤ 꼬인 위치에 있다.

03 오른쪽 그림과 같이 한 평면 위에 세 점 A, B, C가 있고, 이 평면 밖에 점 P가 있다. 이들 4개의 점 중에서 3개의 점으로 결정되는 서로 다른 평면의 개수를 구하여라. (단, 네 점 중 어느 세 점도 한 직선 위에 있지 않다.)

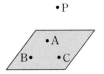

04 잘나와요 오른쪽 그림과 같은 삼각뿔에서 꼬인 위치에 있는 모서리는 모두 몇 쌍인가?

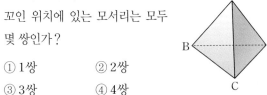

① 1쌍　　② 2쌍
③ 3쌍　　④ 4쌍
⑤ 5쌍

05 오른쪽 그림과 같은 오각기둥에서 모서리 AB와 평행한 모서리는?

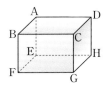

① 모서리 GF　　② 모서리 IJ
③ 모서리 HI　　④ 모서리 CH
⑤ 모서리 DI

06 오른쪽 그림과 같은 직육면체에서 모서리 AD와 평행하면서 모서리 AB와 꼬인 위치에 있는 모서리는 모두 몇 개인가?

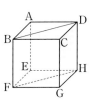

① 2개　　② 3개　　③ 4개
④ 5개　　⑤ 6개

07 오른쪽 그림과 같은 정육면체에서 면 BFHD와의 위치 관계가 나머지 넷과 다른 하나는?

① 모서리 AB　　② 모서리 AD
③ 모서리 CG　　④ 모서리 GH
⑤ 모서리 FG

08 오른쪽 그림의 삼각기둥에 대한 다음 설명 중 옳지 <u>않은</u> 것은?

① 모서리 AB와 평행한 면은 1개이다.

② 모서리 AD와 수직인 면은 2개이다.

③ 면 ABC와 만나는 면은 3개이다.

④ 면 ADEB와 평행한 모서리는 1개이다.

⑤ 모서리 EF와 꼬인 위치에 있는 모서리는 없다.

09 오른쪽 그림은 직육면체에서 삼각기둥을 잘라낸 입체도형이다. 다음을 구하여라.

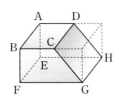

(1) 모서리 GH와 수직인 면의 개수

(2) 모서리 GH와 꼬인 위치에 있는 모서리의 개수

(3) 면 CGHD와 평행한 모서리의 개수

10 오른쪽 그림은 정육면체를 세 꼭짓점 B, C, F를 지나는 평면으로 잘라내고 남은 입체도형이다. 다음 설명 중 옳지 <u>않은</u> 것은?

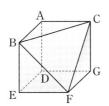

① 모서리 BC는 면 ABC에 포함된다.

② 모서리 AD와 모서리 BC는 꼬인 위치에 있다.

③ 면 BEF와 면 ADGC는 평행하다.

④ 면 BFC와 모서리 AB는 수직이다.

⑤ 모서리 CF와 면 ABED는 평행하다.

11 공간에서의 위치 관계에 대한 다음 설명 중 옳은 것을 모두 고르면? (정답 2개)

① 한 직선에 평행한 두 직선은 평행하다.

② 한 직선에 수직인 두 직선은 평행하다.

③ 한 직선과 꼬인 위치에 있는 서로 다른 두 직선은 꼬인 위치에 있다.

④ 한 평면에 평행한 두 직선은 평행하다.

⑤ 한 평면에 수직인 두 직선은 평행하다.

서·술·형·문·제

풀이 과정을 자세히 쓰시오.

12 오른쪽 그림은 정삼각형 8개로 이루어진 입체도형이다. 모서리 AB와 한 점에서 만나는 모서리의 개수를 a개, 꼬인 위치에 있는 모서리의 개수를 b개라 할 때, $a+b$의 값을 구하여라.

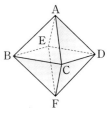

답 _____

13 오른쪽 그림과 같은 전개도를 접어서 정육면체를 만들었을 때 모서리 MN과 평행한 면의 개수를 a개, 면 CDEF와 수직인 모서리의 개수를 b개라 하자. 이때 $a+b$의 값을 구하여라.

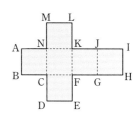

답 _____

-------- 118쪽 **기출문제로 내신대비** 로 반복학습하세요!

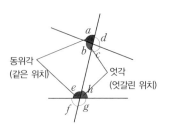 여기서 이미지가 본문 오른쪽에 위치

04 평행선의 성질

정답 및 풀이 07쪽

개념 ❶ 동위각과 엇각

서로 다른 두 직선이 다른 한 직선과 만나서 생기는 각 중에서

(1) **동위각** : 서로 같은 위치에 있는 각

⇨ $\angle a$와 $\angle e$, $\angle b$와 $\angle f$,

$\angle c$와 $\angle g$, $\angle d$와 $\angle h$

(2) **엇각** : 서로 엇갈린 위치에 있는 각

⇨ $\angle b$와 $\angle h$, $\angle c$와 $\angle e$

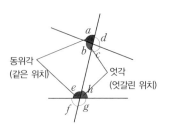

개념 α

▶ 동측내각
서로 다른 두 직선이 다른 한 직선과 만나서 생기는 각 중에서 같은 쪽에 있는 안쪽의 각
⇨ $\angle b$와 $\angle e$, $\angle c$와 $\angle h$

참고 서로 다른 두 직선과 한 직선이 만나면 동위각은 4쌍, 엇각은 2쌍 생긴다.

개념확인 01 오른쪽 그림과 같이 세 직선이 만날 때, 다음을 구하여라.

(1) $\angle a$의 동위각

(2) $\angle g$의 동위각

(3) $\angle b$의 엇각

(4) $\angle e$의 엇각

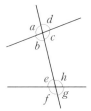

개념확인 02 오른쪽 그림과 같이 세 직선이 만날 때, 다음을 구하여라.

(1) $\angle a$의 동위각의 크기

(2) $\angle e$의 엇각의 크기

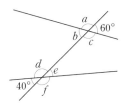

개념확인 03 서로 다른 세 직선이 한 직선과 만나서 생기는 각이 오른쪽 그림과 같을 때, 다음 중 옳은 것에는 ○표, 옳지 않은 것에는 ×표를 하여라.

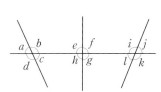

(1) $\angle a$와 $\angle i$는 동위각이다. (   )

(2) $\angle b$와 $\angle g$는 동위각이다. (   )

(3) $\angle c$의 동위각은 $\angle h$와 $\angle l$이다. (   )

(4) 엇각은 모두 6쌍이다. (   )

평행한 두 직선 l, m이 다른 한 직선과 만날 때

① 동위각의 크기는 서로 같다. ⇨ $l /\!/ m$이면 $\angle a = \angle c$

② 엇각의 크기는 서로 같다. ⇨ $l /\!/ m$이면 $\angle b = \angle c$

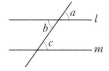

주의 맞꼭지각의 크기는 항상 같지만, 동위각과 엇각의 크기는 두 직선이 평행할 때에만 같다.

개념 α

▶ 평행한 두 직선이 다른 한 직선과 만날 때, 동측내각의 크기의 합은 180°이다.

합이 180°

개념확인 04 다음 그림에서 $l /\!/ m$일 때, $\angle x$의 크기를 구하여라.

(1)
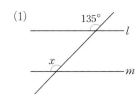

(2)
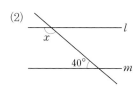

개념확인 05 오른쪽 그림에서 $l /\!/ m$일 때, 다음 각의 크기를 구하여라.

(1) $\angle a$ (2) $\angle b$

(3) $\angle c$ (4) $\angle d$

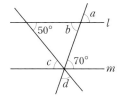

서로 다른 두 직선 l, m이 다른 한 직선과 만날 때

① 동위각의 크기가 같으면 두 직선 l, m은 서로 평행하다.

⇨ $\angle a = \angle c$이면 $l /\!/ m$

② 엇각의 크기가 같으면 두 직선 l, m은 서로 평행하다.

⇨ $\angle b = \angle c$이면 $l /\!/ m$

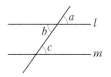

개념 α

▶ 서로 다른 두 직선이 다른 한 직선과 만날 때, 동측내각의 크기의 합이 180°이면 두 직선은 평행하다.

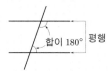

합이 180° 평행

개념확인 06 다음 보기 중 두 직선 l, m이 서로 평행한 것을 모두 골라라.

┤ 보기 ├

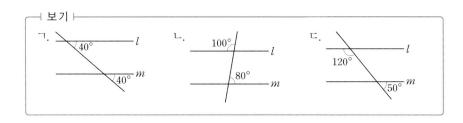

핵심유형 1 동위각과 엇각 개념 ❶

오른쪽 그림에 대한 다음 설명 중 옳지 <u>않은</u> 것은?

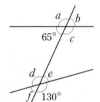

① $\angle d$의 크기는 130°이다.

② $\angle c$와 $\angle d$는 서로 엇각이다.

③ $\angle b$의 동위각의 크기는 50°이다.

④ $\angle e$의 엇각의 크기는 65°이다.

⑤ $\angle a$의 동위각의 크기는 50°이다.

> **GUIDE**
> 서로 다른 두 직선이 다른 한 직선과 만나서 생기는 각 중에서 같은 위치에 있는 각은 동위각이고, 엇갈린 위치에 있는 각은 엇각이다.

1-1 오른쪽 그림에서 $\angle x$의 엇각의 크기를 $a°$, $\angle y$의 동위각의 크기를 $b°$라 할 때, $b-a$의 값은?

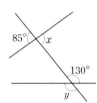

① 35   ② 40

③ 45   ④ 50

⑤ 55

1-2 오른쪽 그림에서 $\angle c$의 동위각을 모두 찾은 것은?

① $\angle h$, $\angle l$ ② $\angle e$, $\angle i$

③ $\angle f$, $\angle j$ ④ $\angle g$, $\angle k$

⑤ $\angle g$, $\angle j$

핵심유형 2 평행선의 성질 개념 ❷

오른쪽 그림에서 $l \parallel m$일 때, $\angle a + \angle b$의 크기는?

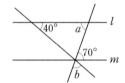

① 130°   ② 140°

③ 150°   ④ 160°

⑤ 170°

> **GUIDE**
> 두 직선이 평행하면 동위각의 크기와 엇각의 크기는 각각 같다.

2-1 오른쪽 그림에서 $l \parallel m$일 때, $\angle x - \angle y$의 크기는?

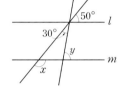

① 40°   ② 50°

③ 60°   ④ 70°

⑤ 80°

2-2 오른쪽 그림에서 $l \parallel m$일 때, $\angle x$의 크기는?

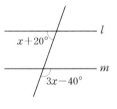

① 30°   ② 40°

③ 50°   ④ 60°

⑤ 70°

2-3 오른쪽 그림에서 $l \parallel m$일 때, $\angle x$의 크기를 구하여라.

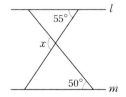

2-4 오른쪽 그림에서 $l /\!/ m$일 때, $\angle x$의 크기는?

① 84°   ② 88°

③ 92°   ④ 96°

⑤ 100°

2-5 오른쪽 그림에서 $l /\!/ m$일 때, $\angle x$의 크기를 구하여라.

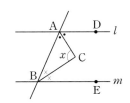

2-6 오른쪽 그림에서 $l /\!/ m$이고 $\angle BAC = \angle CAD$, $\angle ABC = \angle CBE$일 때, $\angle x$의 크기를 구하여라.

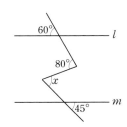

2-7 오른쪽 그림과 같이 직사각형 모양의 종이를 접었을 때, $\angle x$의 크기는?

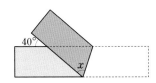

① 50°   ② 55°

③ 60°   ④ 65°

⑤ 70°

핵심유형 **3** **평행선이 되기 위한 조건**   개념 ❸

다음 중 두 직선 l, m이 서로 평행하지 <u>않은</u> 것은?

GUIDE

동위각의 크기가 같거나 엇각의 크기가 같으면 두 직선은 서로 평행하다.

3-1 오른쪽 그림에서 평행한 두 직선을 찾아라.

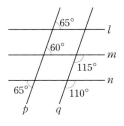

3-2 오른쪽 그림에서 $\angle x$의 크기는?

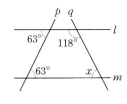

① 62°   ② 66°

③ 70°   ④ 74°

⑤ 78°

정답 및 풀이 08쪽

01 오른쪽 그림에서 동위각, 엇각을 바르게 짝지은 것은?

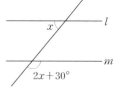

동위각	엇각
① $\angle a$와 $\angle e$	$\angle d$와 $\angle h$
② $\angle b$와 $\angle g$	$\angle d$와 $\angle f$
③ $\angle b$와 $\angle f$	$\angle a$와 $\angle f$
④ $\angle c$와 $\angle g$	$\angle c$와 $\angle e$
⑤ $\angle d$와 $\angle f$	$\angle c$와 $\angle g$

02 오른쪽 그림에서 $\angle x$의 두 엇각의 크기의 합은?

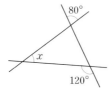

① $200°$　　② $210°$
③ $220°$　　④ $230°$
⑤ $240°$

03 오른쪽 그림에서 $l /\!/ m$일 때, $\angle x + \angle y$의 크기는?

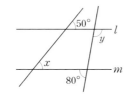

① $130°$　　② $140°$
③ $150°$　　④ $160°$
⑤ $170°$

04 오른쪽 그림에서 $l /\!/ m$일 때, $\angle x$의 크기는?

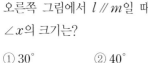

① $30°$　　② $40°$
③ $50°$　　④ $60°$
⑤ $70°$

05 오른쪽 그림에서 $l /\!/ m$일 때, $\angle x$의 크기는?

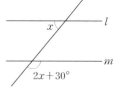

① $30°$　　② $40°$
③ $50°$　　④ $60°$
⑤ $70°$

06 오른쪽 그림에서 $l /\!/ m$일 때, $\angle x$의 크기는?

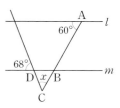

① $49°$　　② $52°$
③ $55°$　　④ $58°$
⑤ $62°$

07 오른쪽 그림에서 $l /\!/ m$이고 삼각형 ABC가 정삼각형일 때, $\angle x$의 크기는?

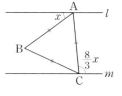

① $28°$　　② $32°$
③ $36°$　　④ $40°$
⑤ $44°$

08 잘나와요 오른쪽 그림에서 $l /\!/ m$일 때, $\angle x$의 크기는?

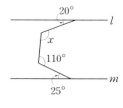

① $95°$　　② $100°$
③ $105°$　　④ $110°$
⑤ $115°$

09 ^{내신} *up*
오른쪽 그림과 같이 직사각형 모양의 종이를 접었을 때, ∠x의 크기는?

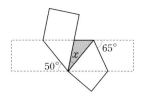

① 20° ② 25°

③ 30° ④ 35°

⑤ 40°

10 오른쪽 그림에서 $l /\!/ m$이 되는 경우가 **아닌** 것은?

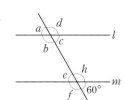

① ∠$a=60°$

② ∠$b=120°$

③ ∠$c+∠f=180°$

④ ∠$c=60°$

⑤ ∠$d=110°$

11 ^{잘나와요}
오른쪽 그림에서 평행한 두 직선은?

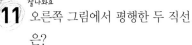

① l과 m ② l과 p

③ p와 q ④ m과 q

⑤ l과 q

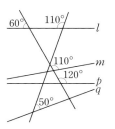

12 ^{내신} *up*
어느 비행기가 오른쪽 그림과 같이 방향을 네 번 바꾸었더니 처음과 정반대 방향으로 가게 되었다. 이때 ∠x의 크기는?

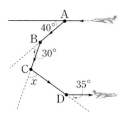

① 70° ② 75°

③ 80° ④ 85°

⑤ 90°

서·술·형·문·제
풀이 과정을 자세히 쓰시오.

13 오른쪽 그림에서 $l /\!/ m$, $p /\!/ q$일 때, ∠x의 크기를 구하여라.

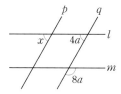

[단계] ❶ 동위각을 이용하여 합이 180°가 되는 각 찾기
❷ ∠a의 크기 구하기
❸ ∠x의 크기 구하기

답 _____

14 오른쪽 그림에서 $l /\!/ m$일 때, ∠x의 크기를 구하여라.

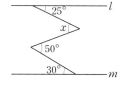

답 _____

120쪽 **기출문제로 내신대비** 로 반복학습하세요!

05 삼각형의 작도

정답 및 풀이 09쪽

개념 ① 작도

(1) **작도** : 눈금 없는 자와 컴퍼스만을 이용하여 도형을 그리는 것

(2) **길이가 같은 선분의 작도**

선분 AB와 길이가 같은 선분 CD를 작도하는 방법은 다음과 같다.

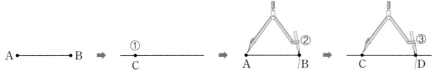

(3) **크기가 같은 각의 작도**

∠XOY와 크기가 같은 각을 반직선 PQ를 한 변으로 하여 작도하는 방법은 다음과 같다.

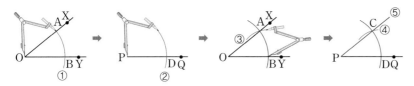

개념 α

▶ 눈금 없는 자와 컴퍼스
① 눈금 없는 자 : 두 점을 연결하는 선분을 그리거나 주어진 선분을 연장할 때 사용
② 컴퍼스 : 원을 그리거나 선분의 길이를 재어 다른 직선 위로 옮길 때 사용

개념확인 01 오른쪽 그림은 ∠XOY와 크기가 같은 각을 $\overrightarrow{PQ}$를 한 변으로 하여 작도한 것이다. 작도 순서를 차례로 나열하여라.

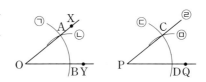

개념 ② 삼각형의 세 변의 길이 사이의 관계

(1) **삼각형 ABC** : 세 점 A, B, C를 꼭짓점으로 하는 삼각형 ⇨ △ABC

(2) **대변과 대각**

① 대변 : 한 각과 마주 보는 변
② 대각 : 한 변과 마주 보는 각

참고 일반적으로 ∠A, ∠B, ∠C의 대변의 길이를 차례로 a, b, c로 나타낸다.

(3) **삼각형의 세 변의 길이 사이의 관계**

삼각형에서 두 변의 길이의 합은 나머지 한 변의 길이보다 크다.

⇨ $a+b>c$, $b+c>a$, $c+a>b$

개념 α

▶ 세 변의 길이가 주어질 때 삼각형이 될 수 있는 조건
⇨ (가장 긴 변의 길이)
< (나머지 두 변의 길이의 합)

개념확인 02 오른쪽 그림의 삼각형 ABC에 대하여 다음을 구하여라.

(1) ∠A의 대변   (2) ∠B의 대변

(3) $\overline{AB}$의 대각   (4) $\overline{AC}$의 대각

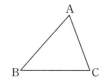

다음 세 가지 경우에 삼각형을 하나로 작도할 수 있다.

(1) 세 변의 길이가 주어질 때 (단, (가장 긴 변의 길이) ＜(나머지 두 변의 길이의 합))	
(2) 두 변의 길이와 그 끼인각의 크기가 주어질 때	
(3) 한 변의 길이와 그 양 끝각의 크기가 주어질 때	

개념확인 03 다음과 같이 세 변의 길이가 주어졌을 때, 삼각형을 작도할 수 있으면 ○표, 작도할 수 없으면 ×표를 하여라.

　(1) 4 cm, 5 cm, 9 cm 　　　　　(　　　)

　(2) 5 cm, 6 cm, 8 cm 　　　　　(　　　)

　(3) 6 cm, 6 cm, 13 cm 　　　　　(　　　)

　(4) 2 cm, 7 cm, 8 cm 　　　　　(　　　)

개념 **❹** 삼각형이 하나로 정해지는 경우

다음 세 가지 경우에 삼각형의 모양과 크기가 하나로 결정된다.

(1) 세 변의 길이가 주어질 때

　(단, 두 변의 길이의 합이 나머지 한 변의 길이보다 커야 한다.)

(2) 두 변의 길이와 그 끼인각의 크기가 주어질 때

(3) 한 변의 길이와 그 양 끝각의 크기가 주어질 때

개념확인 04 다음과 같은 조건이 주어질 때, △ABC가 하나로 정해지면 ○표, 정해지지 않으면 ×표를 하여라.

　(1) $\overline{AB}=5$ cm, $\overline{BC}=7$ cm, $\overline{AC}=11$ cm 　　(　　　)

　(2) $\overline{AB}=8$ cm, $\overline{AC}=5$ cm, ∠B$=50°$ 　　(　　　)

　(3) $\overline{AC}=11$ cm, ∠A$=80°$, ∠C$=50°$ 　　(　　　)

핵심유형 1 작도 개념 ❶

다음 그림은 ∠XOY와 크기가 같은 각을 $\overrightarrow{PQ}$를 한 변으로 하여 작도한 것이다. 다음 중 옳지 <u>않은</u> 것은?

① $\overline{AB}=\overline{CD}$ ② $\overline{OA}=\overline{OB}$
③ $\overline{OA}=\overline{PC}$ ④ $\overline{PD}=\overline{CD}$
⑤ $\angle AOB=\angle CPD$

GUIDE
크기가 같은 각의 작도에서
① $\overline{OA}=\overline{OB}=\overline{PC}=\overline{PD}$ ② $\overline{AB}=\overline{CD}$ ③ $\angle AOB=\angle CPD$

1-1 다음 그림의 선분 AB를 연장하여 그 반직선 위에 길이가 선분 AB의 2배가 되는 선분 AC를 작도하려고 할 때, 필요한 도구를 모두 고르면? (정답 2개)

① 컴퍼스 ② 눈금 없는 자
③ 삼각자 ④ 눈금 있는 자
⑤ 각도기

1-2 다음 그림은 ∠AOB와 크기가 같은 ∠PQR를 작도하는 과정을 나타낸 것이다. ⓛ을 작도한 바로 다음에 작도해야 할 것은?

① ㉠ ② ㉢ ③ ㉣
④ ㉤ ⑤ ㉥

핵심유형 2 삼각형의 세 변의 길이 사이의 관계 개념 ❷

세 변의 길이가 다음과 같을 때, 삼각형을 만들 수 없는 것을 모두 고르면? (정답 2개)

① 7 cm, 3 cm, 4 cm ② 3 cm, 3 cm, 2 cm
③ 7 cm, 8 cm, 9 cm ④ 4 cm, 5 cm, 10 cm
⑤ 6 cm, 9 cm, 12 cm

GUIDE
삼각형의 세 변의 길이 사이의 관계
⇨ (가장 긴 변의 길이)<(나머지 두 변의 길이의 합)을 이용하여 찾는다.

2-1 오른쪽 그림의 △ABC에서 ∠A의 대변의 길이를 x cm, $\overline{AC}$의 대각의 크기를 $y°$라 할 때, $x+y$의 값을 구하여라.

2-2 삼각형의 세 변의 길이가 4, 6, a일 때, a의 값이 될 수 <u>없는</u> 것을 모두 고르면? (정답 2개)

① 2 ② 4 ③ 6
④ 8 ⑤ 10

2-3 길이가 2 cm, 3 cm, 4 cm, 5 cm인 4개의 선분이 있다. 이 중 3개의 선분을 이용하여 만들 수 있는 서로 다른 삼각형의 개수를 구하여라.

다음 그림과 같이 두 변 AB, BC의 길이와 ∠B의 크기가 주어졌을 때, △ABC를 작도하는 순서로 옳지 <u>않은</u> 것을 모두 고르면? (정답 2개)

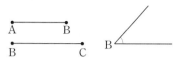

① $\overline{AB} \rightarrow \angle B \rightarrow \overline{BC}$
② $\angle B \rightarrow \overline{AB} \rightarrow \overline{BC}$
③ $\overline{AB} \rightarrow \overline{BC} \rightarrow \angle B$
④ $\overline{BC} \rightarrow \overline{AB} \rightarrow \angle B$
⑤ $\overline{BC} \rightarrow \angle B \rightarrow \overline{AB}$

GUIDE
두 변의 길이와 그 끼인각의 크기가 주어진 삼각형의 작도
① 한 변의 길이 → 끼인각의 크기 → 다른 한 변의 길이
② 끼인각의 크기 → 한 변의 길이 → 다른 한 변의 길이

3-1 다음은 세 변의 길이 a, b, c가 주어질 때, 삼각형 ABC를 작도하는 과정이다. □ 안에 들어갈 것으로 옳지 <u>않은</u> 것은?

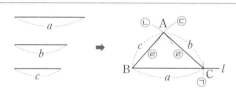

㉠ 점 B를 지나는 직선 l 위에 길이가 a가 되도록 점 ① 를 잡는다.

㉡ 점 B를 중심으로 반지름의 길이가 ② 인 원을 그린다.

㉢ 점 C를 중심으로 반지름의 길이가 ③ 인 원을 그린다.

㉣ 두 점 B, C를 각각 중심으로 하는 두 원의 교점을 점 ④ 라 하고, $\overline{AB}$, $\overline{AC}$를 이으면 ⑤ 가 된다.

① C 　　② b 　　③ b
④ A 　　⑤ △ABC

다음 보기에서 △ABC가 하나로 결정되는 것을 모두 골라라.

┤ 보기 ├
ㄱ. $\overline{AB}=4$ cm, $\overline{BC}=3$ cm, $\angle A=65°$
ㄴ. $\overline{BC}=5$ cm, $\angle A=40°$, $\angle B=50°$
ㄷ. $\overline{AB}=8$ cm, $\overline{BC}=10$ cm, $\overline{AC}=15$ cm
ㄹ. $\overline{AC}=8$ cm, $\overline{BC}=5$ cm, $\angle A=30°$

GUIDE
삼각형이 하나로 정해지는 경우
① 세 변의 길이가 주어질 때
② 두 변의 길이와 그 끼인각의 크기가 주어질 때
③ 한 변의 길이와 그 양 끝각의 크기가 주어질 때

4-1 다음 중 △ABC가 하나로 정해지지 <u>않는</u> 것을 모두 고르면? (정답 2개)

① $\angle A=90°$, $\angle B=30°$, $\angle C=60°$
② $\overline{BC}=8$ cm, $\angle B=100°$, $\angle C=50°$
③ $\overline{AB}=8$ cm, $\overline{BC}=6$ cm, $\angle B=30°$
④ $\overline{AB}=7$ cm, $\overline{BC}=5$ cm, $\overline{AC}=10$ cm
⑤ $\overline{BC}=8$ cm, $\overline{AB}=5$ cm, $\angle C=80°$

4-2 $\overline{BC}$의 길이가 주어졌을 때, 다음 중 △ABC가 하나로 정해지기 위해 더 필요한 조건이 될 수 <u>없는</u> 것은?

① $\overline{AB}$와 $\overline{CA}$ 　　② $\overline{AB}$와 $\angle B$
③ $\angle B$와 $\angle C$ 　　④ $\overline{AC}$와 $\angle A$
⑤ $\overline{CA}$와 $\angle C$

4-3 $\overline{AB}=4$ cm, $\overline{BC}=7$ cm, $\angle C=30°$인 △ABC를 그리려고 할 때, 몇 개의 삼각형이 그려지겠는가?

① 1개 　　② 2개 　　③ 3개
④ 4개 　　⑤ 5개

01 다음 중 작도에 대한 설명으로 옳지 <u>않은</u> 것은?

① 눈금 없는 자와 컴퍼스만을 사용한다.

② 원을 그릴 때는 컴퍼스를 사용한다.

③ 선분을 연장할 때는 눈금 없는 자를 사용한다.

④ 주어진 각의 크기를 잴 때는 각도기를 사용한다.

⑤ 선분의 길이를 재어 다른 직선 위로 옮길 때는 컴퍼스를 사용한다.

02 다음은 선분 AB를 한 변으로 하는 정삼각형을 작도하는 과정이다. □ 안에 알맞은 것을 써넣어라.

① 두 점 A, B를 중심으로 하고 반지름의 길이가 □인 원을 그려 두 원의 교점을 □라고 한다.

② 두 점 A, C와 두 점 B, C를 각각 이으면 삼각형 ABC는 □이다.

03 잘나와요 다음 그림은 ∠XOY와 크기가 같은 각을 작도한 것이다. 다음 중 옳지 <u>않은</u> 것은?

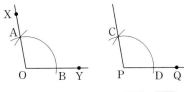

① $\overline{OA}=\overline{OB}$

② $\overline{PC}=\overline{PD}$

③ $\overline{OB}=\overline{CD}$

④ $\overline{AB}=\overline{CD}$

⑤ ∠AOB = ∠CPD

[04~05] 오른쪽 그림은 직선 l 밖의 한 점 P를 지나고 직선 l에 평행한 직선을 작도한 것이다. 다음 물음에 답하여라.

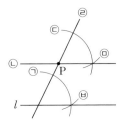

04 작도 순서를 바르게 나열한 것은?

① ㄹ-ㄱ-ㄷ-ㅂ-ㄴ-ㅁ

② ㄹ-ㄱ-ㅁ-ㄷ-ㅂ-ㄴ

③ ㄹ-ㄱ-ㄷ-ㅂ-ㅁ-ㄴ

④ ㄹ-ㄱ-ㅂ-ㄴ-ㄷ-ㅁ

⑤ ㄹ-ㄱ-ㅂ-ㄷ-ㄴ-ㅁ

05 위의 작도에 이용된 평행선의 성질은?

① 두 직선이 만날 때, 맞꼭지각의 크기는 같다.

② 평행한 두 직선은 만나지 않는다.

③ 평행한 두 직선은 하나의 면을 결정한다.

④ 엇각의 크기가 같으면 두 직선은 평행하다.

⑤ 동위각의 크기가 같으면 두 직선은 평행하다.

06 잘나와요 다음 중 삼각형의 세 변의 길이가 될 수 있는 것을 모두 고르면? (정답 2개)

① 1 cm, 2 cm, 3 cm

② 4 cm, 6 cm, 11 cm

③ 7 cm, 10 cm, 4 cm

④ 6 cm, 8 cm, 2 cm

⑤ 5 cm, 5 cm, 6 cm

07 삼각형의 세 변의 길이가 각각 x, $x+2$, $x+5$일 때, x의 값이 될 수 <u>없는</u> 것은?

① 3   ② 4   ③ 5

④ 6   ⑤ 7

08 길이가 5 cm, 9 cm, 12 cm, 15 cm인 4개의 선분 중 3개의 선분으로 만들 수 있는 서로 다른 삼각형의 개수를 구하여라.

09 오른쪽 그림과 같이 변 AB와 그 양 끝각 ∠A, ∠B가 주어졌을 때, 다음 중 △ABC의 작도 순서로 옳지 <u>않은</u> 것은?

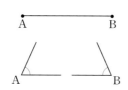

① $\angle A \rightarrow \angle B \rightarrow \overline{AB}$ ② $\angle A \rightarrow \overline{AB} \rightarrow \angle B$

③ $\angle B \rightarrow \overline{AB} \rightarrow \angle A$ ④ $\overline{AB} \rightarrow \angle A \rightarrow \angle B$

⑤ $\overline{AB} \rightarrow \angle B \rightarrow \angle A$

⭐ 잘나와요
10 다음 중 △ABC가 하나로 정해지는 것을 모두 고르면?

(정답 3개)

① $\overline{AB}=3$ cm, $\overline{BC}=5$ cm, $\overline{AC}=9$ cm

② $\overline{AB}=8$ cm, $\angle A=40°$, $\overline{BC}=5$ cm

③ $\overline{AB}=4$ cm, $\angle A=65°$, $\overline{BC}=4$ cm

④ $\overline{AB}=9$ cm, $\angle B=50°$, $\angle C=70°$

⑤ $\overline{AB}=8$ cm, $\overline{AC}=5$ cm, $\angle A=50°$

^{내신} up
11 한 변의 길이가 7 cm이고, 두 각의 크기가 50°, 60°인 삼각형은 몇 개를 그릴 수 있는가?

① 1개   ② 2개   ③ 3개

④ 4개   ⑤ 5개

서·술·형·문·제   풀이 과정을 자세히 쓰시오.

12 세 변의 길이가 모두 자연수이고 둘레의 길이가 9인 서로 다른 삼각형은 모두 몇 개인지 구하여라.

[단계]
❶ 합이 9가 되는 세 자연수의 경우 찾기
❷ 삼각형이 하나로 정해지는 조건 말하기
❸ 서로 다른 삼각형의 개수 구하기

답 _____

13 $\overline{AB}$와 ∠B의 크기가 주어졌을 때, △ABC를 작도하려고 한다. △ABC가 하나로 정해지기 위하여 추가적으로 필요한 한 가지 조건을 모두 쓰고, 그 이유를 각각 설명하여라.

126쪽 **기출문제로 내신대비**로 반복학습하세요!

정답 및 풀이 10쪽

개념 ① 합동인 도형의 성질

(1) **합동** : 한 도형을 모양이나 크기를 바꾸지 않고 옮겨서 다른 도형에 완전히 포갤 수 있을 때, 두 도형을 서로 합동이라 하고, 기호 ≡로 나타낸다.

$$\triangle ABC \equiv \triangle DEF$$

(2) **대응**

① 합동인 두 도형에서 서로 포개어지는 꼭짓점, 변, 각은 서로 대응한다고 한다.

② 대응하는 꼭짓점을 대응점, 대응하는 변을 대응변, 대응하는 각을 대응각이라 한다.

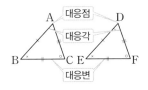

(3) **합동인 도형의 성질**

두 도형이 서로 합동이면

① 대응하는 변의 길이는 서로 같다.

② 대응하는 각의 크기는 서로 같다.

개념 α

▶ 합동인 도형을 기호로 나타낼 때는 반드시 대응하는 꼭짓점을 같은 순서로 쓴다.

▶ $\triangle ABC \equiv \triangle DEF$일 때,
① $\overline{AB}=\overline{DE}$,
 $\overline{BC}=\overline{EF}$,
 $\overline{CA}=\overline{FD}$
② $\angle A=\angle D$,
 $\angle B=\angle E$,
 $\angle C=\angle F$

개념확인 01 오른쪽 그림에서 $\triangle ABC \equiv \triangle PQR$일 때, 다음을 구하여라.

(1) $\angle A$의 대응각

(2) $\angle R$의 대응각

(3) 변 BC의 대응변

(4) 변 PQ의 대응변

개념확인 02 오른쪽 그림에서 $\triangle ABC \equiv \triangle EFD$일 때, 다음을 구하여라.

(1) $\overline{DF}$의 길이

(2) $\angle D$의 크기

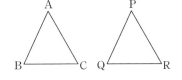

개념확인 03 오른쪽 그림에서 사각형 ABCD와 사각형 EFGH가 서로 합동일 때, $x+y$의 값을 구하여라.

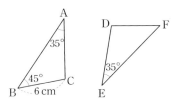
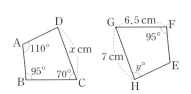

두 삼각형은 다음의 각 경우에 서로 합동이다.

(1) 대응하는 세 변의 길이가 각각 같을 때
⇨ $\overline{AB}=\overline{DE}$, $\overline{BC}=\overline{EF}$, $\overline{AC}=\overline{DF}$

(2) 대응하는 두 변의 길이가 각각 같고, 그 끼인각의 크기가 같을 때
⇨ $\overline{AB}=\overline{DE}$, $\overline{BC}=\overline{EF}$, $\angle B=\angle E$

(3) 대응하는 한 변의 길이가 같고, 그 양 끝각의 크기가 각각 같을 때
⇨ $\overline{BC}=\overline{EF}$, $\angle B=\angle E$, $\angle C=\angle F$

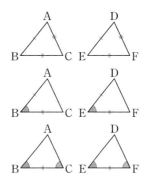

개념 α

▶ 삼각형의 합동 조건은 변(Side), 각(Angle)의 첫 글자를 사용하여 다음과 같이 간단히 나타낸다.
(1) SSS 합동
(2) SAS 합동
(3) ASA 합동

개념확인 04 다음 보기의 삼각형 중에서 서로 합동인 것끼리 짝짓고, 합동 조건을 말하여라.

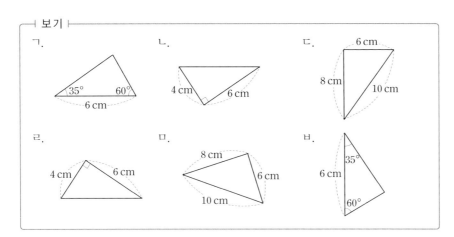

개념확인 05 다음은 오른쪽 그림에서 $\overline{AO}=\overline{CO}$, $\overline{BO}=\overline{DO}$일 때, △AOB≡△COD임을 설명한 것이다. □ 안에 알맞은 것을 써넣어라.

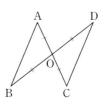

△AOB와 △COD에서
$\overline{AO}=$ □ , $\overline{BO}=$ □ , $\angle AOB=$ □ (맞꼭지각)
이므로
△AOB≡△COD (□ 합동)

정답 및 풀이 10쪽

핵심유형 1 합동인 도형의 성질 개념 ❶

다음 그림의 두 삼각형이 서로 합동일 때, 설명 중 옳지 <u>않은</u> 것은?

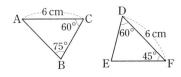

① △ABC≡△FED

② ∠E=75°

③ ∠F의 대응각은 ∠B이다.

④ $\overline{AB}=\overline{FE}$

⑤ $\overline{DE}$의 대응변은 $\overline{CB}$이다.

GUIDE
세 각의 크기를 이용하여 대응점을 찾는다.

1-1 다음 중 합동인 두 도형에 대한 설명으로 옳지 <u>않은</u> 것은?

① 합동인 두 도형은 넓이가 서로 같다.

② 합동인 두 도형은 대응변의 길이가 서로 같다.

③ 합동인 두 도형은 대응각의 크기가 서로 같다.

④ 두 도형의 넓이가 같으면 서로 합동이다.

⑤ 두 도형 P, Q가 합동일 때, 기호로 P≡Q와 같이 나타낸다.

1-2 다음 그림에서 △ABC≡△DFE일 때, 다음을 구하여라.

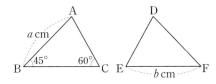

(1) $\overline{BC}$의 길이

(2) $\overline{DF}$의 길이

(3) ∠D의 크기

핵심유형 2 삼각형의 합동 조건 개념 ❷

다음 중 오른쪽 그림의 삼각형과 합동인 삼각형은?

① 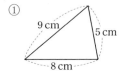 ②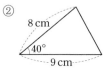

③ ④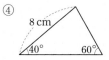

⑤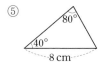

GUIDE
삼각형의 합동 조건
(1) SSS 합동 (2) SAS 합동 (3) ASA 합동

2-1 다음 그림의 두 삼각형이 합동임을 기호를 써서 나타내고, 합동 조건을 말하여라.

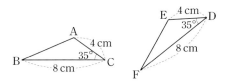

2-2 오른쪽 그림에서 $\overline{AM}=\overline{BM}$, $\overline{CM}=\overline{DM}$ 일 때, 다음 중 옳지 <u>않은</u> 것은?

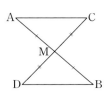

① $\overline{AC}=\overline{BD}$

② ∠AMC=∠BMD

③ ∠MAC=∠MBD

④ △AMC≡△BMD

⑤ $\overline{AB}=\overline{CD}$

2-3 △ABC와 △DEF에서 $\overline{AB}=\overline{DE}$, $\overline{BC}=\overline{EF}$이다. △ABC≡△DEF가 되기 위한 나머지 한 가지 조건을 보기에서 모두 골라라.

┤ 보기 ├
ㄱ. ∠B=∠E   ㄴ. ∠C=∠F
ㄷ. $\overline{AC}=\overline{DF}$ ㄹ. ∠A=∠D

2-4 다음은 오른쪽 그림과 같은 사각형 ABCD에서 $\overline{AB}=\overline{CB}$, $\overline{AD}=\overline{CD}$일 때, △ABD≡△CBD임을 보이는 과정이다. □ 안에 알맞은 것을 써넣어라.

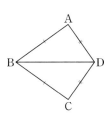

△ABD와 △CBD에서
$\overline{AB}=$ ☐ , $\overline{AD}=$ ☐ ,
☐ 는 공통이므로
△ABD≡△CBD (☐ 합동)

2-5 오른쪽 그림에서 $\overline{AB}=\overline{AD}$, ∠ABC=∠ADE일 때, △ADE와 합동인 삼각형과 합동조건을 차례로 구한 것은?

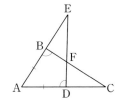

① △ABC, ASA 합동
② △ABC, SAS 합동
③ △ABC, SSS 합동
④ △BFE, SSS 합동
⑤ △FDC, SAS 합동

핵심유형 3   **삼각형의 합동 조건의 활용**   개념 ❷

오른쪽 그림에서 △ABC는 정삼각형이고 $\overline{AE}=\overline{CD}$이다. $\overline{AD}$와 $\overline{BE}$의 교점을 P라고 할 때, ∠BPD의 크기를 구하여라.

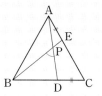

GUIDE
정삼각형이 주어졌을 때, 세 변의 길이가 같고 세 각의 크기가 모두 60°임을 이용하여 합동인 도형을 찾는다.

3-1 오른쪽 그림에서 $\overline{OA}=\overline{OB}$, $\overline{AC}=\overline{BD}$일 때, ∠DAO의 크기를 구하여라.

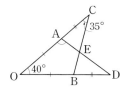

3-2 오른쪽 그림에서 사각형 ABCD와 사각형 ECFG는 모두 정사각형일 때, $\overline{DE}+\overline{DF}$의 길이를 구하여라.

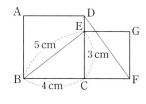

3-3 오른쪽 그림과 같이 ∠A=90°인 직각이등변 삼각형 ABC의 꼭짓점 A를 지나는 직선 l 위에 두 점 B, C에서 내린 수선의 발을 각각 D, E라 하자. $\overline{DE}=24$ cm, $\overline{CE}=8$ cm일 때, $\overline{BD}$의 길이를 구하여라.

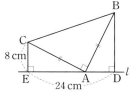

1 다음 보기에서 옳은 것을 모두 고른 것은?

┤ 보기 ├
ㄱ. 합동인 도형은 대응하는 변의 길이가 서로 같다.
ㄴ. 넓이가 같은 두 삼각형은 합동이다.
ㄷ. 합동인 도형은 대응하는 각의 크기가 서로 같다.
ㄹ. 두 원은 항상 합동이다.

① ㄱ, ㄴ   ② ㄱ, ㄷ   ③ ㄱ, ㄴ, ㄷ
④ ㄱ, ㄷ, ㄹ   ⑤ ㄱ, ㄴ, ㄷ, ㄹ

2 다음 그림에서 △ABC≡△PQR일 때, ∠R의 크기는?

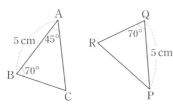

① 45°   ② 50°   ③ 55°
④ 60°   ⑤ 65°

3 잘나와요
다음 그림의 △ABC와 △DEF에서 $\overline{BC}=\overline{EF}$일 때, 두 삼각형이 합동이 되기 위한 조건 중 옳지 <u>않은</u> 것은?

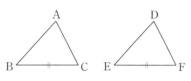

① $\overline{AB}=\overline{DE}$, $\overline{AC}=\overline{DF}$
② $\overline{AB}=\overline{DE}$, ∠C=∠F
③ $\overline{AB}=\overline{DE}$, ∠B=∠E
④ ∠B=∠E, ∠C=∠F
⑤ $\overline{AC}=\overline{DF}$, ∠C=∠F

4 다음 보기의 삼각형 중에서 서로 합동인 삼각형을 바르게 짝지은 것을 모두 고르면? (정답 2개)

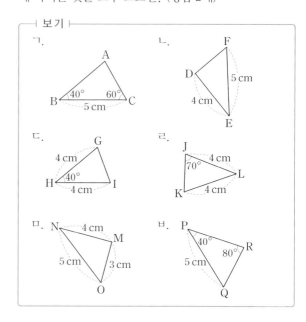

① ㄱ과 ㄷ   ② ㄱ과 ㅂ   ③ ㄴ과 ㄷ
④ ㄷ과 ㄹ   ⑤ ㅁ과 ㅂ

5 오른쪽 그림은 ∠XOY의 이등분선을 작도한 것이다.
△AOP≡△BOP일 때, 사용된 삼각형의 합동 조건은?

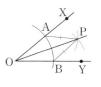

① 대응하는 세 변의 길이가 각각 같다.
② 대응하는 세 각의 크기가 각각 같다.
③ 대응하는 두 변의 길이가 각각 같고, 그 끼인각의 크기가 같다.
④ 대응하는 한 변의 길이가 같고, 그 양 끝각의 크기가 각각 같다.
⑤ 넓이가 같은 두 도형은 합동이다.

6 오른쪽 그림의 △ABC에서 $\overline{BC}$의 중점을 M, 점 B를 지나고 $\overline{AC}$에 평행한 직선이 $\overline{AM}$의 연장선과 만나는 점을 D라 할 때, △ACM과 합동인 삼각형과 합동 조건을 차례로 구한 것은?

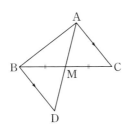

① △DBM, SSS 합동   ② △ABM, SAS 합동
③ △DBM, SAS 합동   ④ △ABM, ASA 합동
⑤ △DBM, ASA 합동

7 오른쪽 그림에서 ∠A＝∠D, $\overline{BA}＝\overline{BD}$일 때, 다음 중 옳지 <u>않은</u> 것은?

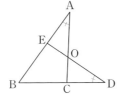

① $\overline{AC}＝\overline{DE}$
② $\overline{BC}＝\overline{BE}$
③ △OCD≡△OEA
④ △ABC≡△DBE
⑤ ∠ACB＝∠DEA

 8 오른쪽 그림과 같은 사다리꼴 ABCD에서 $\overline{AO}＝\overline{DO}$, $\overline{BO}＝\overline{CO}$일 때, 서로 합동인 삼각형은 몇 쌍인지 구하여라.

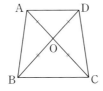

9 다음 그림에서 $\overline{AB}＝\overline{DE}$, $\overline{BC}＝\overline{EF}$일 때, 한 가지 조건을 추가하여 △ABC≡△DEF가 되도록 하려고 한다. 필요한 조건을 모두 고르면? (정답 2개)

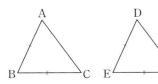

① $\overline{AC}＝\overline{EF}$ ② ∠A＝∠D
③ ∠B＝∠E   ④ ∠C＝∠F
⑤ $\overline{AC}＝\overline{DF}$

10 오른쪽 그림에서 △ABC는 정삼각형이고 $\overline{AD}＝\overline{BE}＝\overline{CF}$일 때, 다음 중 옳지 <u>않은</u> 것은?

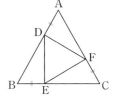

① ∠AFD＝∠BDE
② $\overline{DE}＝\overline{EC}$
③ $\overline{BD}＝\overline{CE}$
④ ∠EFC＝∠DEB
⑤ △DEF는 정삼각형이다.

서·술·형·문·제

풀이 과정을 자세히 쓰시오.

11 오른쪽 그림에서 $\overline{AC}／\!／\overline{FD}$, $\overline{CB}／\!／\overline{EF}$이고 $\overline{AE}＝\overline{DB}$일 때, 합동인 두 삼각형을 찾아 기호를 사용하여 나타내고, 합동 조건을 말하여라.

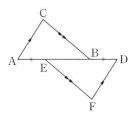

[단계] ❶ 대응되는 점과 각 찾기
　　　　❷ 합동 기호로 나타내고, 합동 조건 말하기

....
....
....

답 _____

12 오른쪽 그림과 같이 정사각형 ABCD 위에 $\overline{BE}＝\overline{CF}$가 되도록 두 점 E, F를 잡았다. ∠BAE＝20°일 때, ∠AGF의 크기를 구하여라.

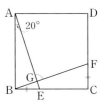

....
....
....

답 _____

-------- 128쪽 **기출문제로 내신대비**로 반복학습하세요!

07 다각형의 내각, 외각과 대각선

정답 및 풀이 12쪽

개념 ① 다각형

(1) **다각형** : 세 개 이상의 선분으로 둘러싸인 평면도형

(2) **변** : 다각형을 이루는 각 선분

(3) **꼭짓점** : 다각형을 이루는 각 변의 끝점

(4) **내각** : 다각형에서 이웃하는 두 변으로 이루어진 각

(5) **외각** : 다각형의 각 꼭짓점에서 한 변과 그 변에 이웃하는 다른 한 변의 연장선이 이루는 각

참고 다각형의 한 꼭짓점에서 내각의 크기와 외각의 크기의 합은 180°이다.

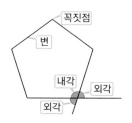

개념 α

▶ 다각형은 둘러싸고 있는 선분의 개수에 따라 삼각형, 사각형, 오각형, …이라 하고, n개의 선분으로 둘러싸인 도형을 n각형이라 한다.

▶ 다각형에서 한 내각에 대한 외각은 2개 있고, 이 두 외각은 맞꼭지각으로 그 크기가 같다.

개념확인 **01** 다음 보기에서 다각형인 것을 모두 골라라.

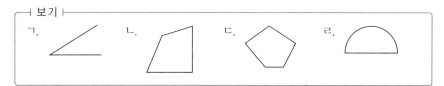

개념확인 **02** 오른쪽 그림의 사각형 ABCD에서 다음을 구하여라.

(1) 변의 개수   (2) 꼭짓점의 개수

(3) ∠BCD의 크기

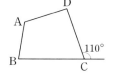

개념 ② 정다각형

정다각형 : 모든 변의 길이가 같고, 모든 내각의 크기가 같은 다각형

참고 정다각형은 반드시 모든 변의 길이가 같고, 모든 내각의 크기가 같아야 한다. 두 가지 조건 중 어느 한 가지라도 만족하지 않으면 정다각형이 아니다.

예 ① 마름모는 네 변의 길이가 모두 같지만 모든 내각의 크기가 반드시 같지는 않으므로 정사각형이 아니다.

② 직사각형은 내각의 크기가 90°로 모두 같지만 모든 변의 길이가 반드시 같지는 않으므로 정사각형이 아니다.

개념 α

▶ 정다각형은 변의 개수에 따라 정삼각형, 정사각형, 정오각형, …이라 한다.

개념확인 **03** 다음 두 조건을 모두 만족하는 다각형을 구하여라.

(개) 10개의 선분으로 둘러싸여 있다.

(내) 변의 길이가 모두 같고, 내각의 크기가 모두 같다.

(1) **대각선** : 다각형에서 이웃하지 않는 두 꼭짓점을 이은 선분

(2) n**각형의 한 꼭짓점에서 그을 수 있는 대각선의 개수** : $(n-3)$개

(3) n**각형의 대각선의 총 개수** : $\dfrac{n(n-3)}{2}$개

대각선

↳ 자기 자신과 이웃하는 2개의 꼭짓점에는 대각선을 그을 수 없다.

예 오각형의 한 꼭짓점에서 그을 수 있는 대각선의 개수는 $5-3=2$(개),

오각형의 대각선의 총 개수는 $\dfrac{5\times(5-3)}{2}=5$(개)이다.

참고 ① n각형의 한 꼭짓점에서 대각선을 그었을 때 생기는 삼각형의 개수 : $(n-2)$개

② n각형의 내부의 한 점에서 각 꼭짓점에 선분을 그었을 때 생기는 삼각형의 개수 : n개

개념 α

▶ n각형의 대각선의 총 개수

꼭짓점의 개수
↓
$\dfrac{n(n-3)}{2}$ ← 한 꼭짓점에서 그을 수 있는 대각선의 개수
↑
한 대각선은 두 꼭짓점에서 그을 수 있으므로 2로 나눈다.

개념확인 04 다음 표의 빈칸에 알맞은 것을 써넣어라.

다각형	삼각형	사각형	오각형	육각형	…	n각형
꼭짓점의 개수(개)	3				…	
한 꼭짓점에서 그을 수 있는 대각선의 개수(개)	0				…	
대각선의 총 개수(개)	0				…	

개념확인 05 다음 다각형의 한 꼭짓점에서 그을 수 있는 대각선의 개수를 구하여라.

(1) 칠각형   (2) 팔각형

(3) 십각형   (4) 십이각형

개념확인 06 다음 다각형의 대각선의 총 개수를 구하여라.

(1) 구각형   (2) 십일각형

(3) 십삼각형   (4) 십오각형

개념확인 07 대각선의 총 개수가 다음과 같은 다각형을 구하여라.

(1) 14개   (2) 20개

(3) 35개   (4) 54개

핵심유형 1 다각형의 내각과 외각 개념 ❶

오른쪽 그림의 오각형에서 ∠E의 크기가 115°일 때, ∠E의 외각의 크기는?

① 60° ② 65° ③ 70°

④ 75° ⑤ 80°

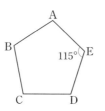

GUIDE
다각형의 각 꼭짓점에서 한 변과 그 변에 이웃하는 다른 한 변의 연장선이 이루는 각을 외각이라 한다.

1-1 다음 중 다각형이 <u>아닌</u> 것을 모두 고르면? (정답 2개)

① 삼각형 ② 원 ③ 평행사변형

④ 오각형 ⑤ 삼각뿔

1-2 오른쪽 그림의 사각형 ABCD에서 ∠ABC의 크기는?

① 35° ② 40°

③ 45° ④ 50°

⑤ 55°

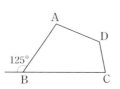

1-3 오른쪽 그림의 삼각형 ABC에서 ∠x+∠y의 크기는?

① 140° ② 150°

③ 160° ④ 170°

⑤ 180°

핵심유형 2 정다각형 개념 ❷

정다각형에 대한 다음 설명 중 옳지 <u>않은</u> 것은?

① 모든 변의 길이가 같다.

② 모든 내각의 크기가 같다.

③ 모든 외각의 크기가 같다.

④ 모든 대각선의 길이가 같다.

⑤ 한 꼭짓점에서 내각의 크기와 외각의 크기의 합은 180°이다.

GUIDE
정다각형은 변의 길이가 모두 같고, 내각의 크기가 모두 같은 다각형이다.

2-1 다음 두 조건을 모두 만족하는 다각형을 구하여라.

㈎ 6개의 선분으로 둘러싸여 있다.
㈏ 모든 변의 길이가 같고, 모든 내각의 크기가 같다.

2-2 오른쪽 그림과 같이 가로, 세로의 간격이 일정한 9개의 점이 있다. 이 점들을 연결하여 만들 수 있는 정사각형의 개수는?

① 4개 ② 6개

③ 8개 ④ 10개

⑤ 12개

다각형의 대각선   개념 ❸

어떤 다각형의 한 꼭짓점에서 대각선을 그었을 때 생기는 삼각형의 개수가 6개일 때, 이 다각형의 대각선의 총 개수는?

① 14개   ② 20개   ③ 27개

④ 35개   ⑤ 44개

GUIDE

n각형의 한 꼭짓점에서 대각선을 그었을 때 생기는 삼각형의 개수는 $(n-2)$개이고, n각형의 대각선의 총 개수는 $\dfrac{n(n-3)}{2}$개이다.

3-1 칠각형의 한 꼭짓점에서 그을 수 있는 대각선의 개수는?

① 2개   ② 3개   ③ 4개

④ 5개   ⑤ 6개

3-2 다음 중 한 꼭짓점에서 대각선을 그었을 때 생기는 삼각형의 개수가 10개인 다각형은?

① 구각형   ② 십각형   ③ 십일각형

④ 십이각형   ⑤ 십삼각형

3-3 십각형의 한 꼭짓점에서 그을 수 있는 대각선의 개수는 a개, 이때 생기는 삼각형의 개수는 b개일 때, $a+b$의 값을 구하여라.

3-4 다음 중 다각형과 대각선의 총 개수가 <u>잘못</u> 짝지어진 것은?

① 사각형 – 2개   ② 오각형 – 5개

③ 육각형 – 8개   ④ 칠각형 – 14개

⑤ 팔각형 – 20개

3-5 어떤 다각형의 한 꼭짓점에서 그을 수 있는 대각선의 개수가 6개일 때, 이 다각형의 대각선의 총 개수는?

① 14개   ② 20개   ③ 27개

④ 35개   ⑤ 44개

3-6 어떤 다각형의 한 꼭짓점에서 대각선을 그었을 때 생기는 삼각형의 개수가 9개일 때, 이 다각형의 대각선의 총 개수는?

① 44개   ② 48개   ③ 50개

④ 54개   ⑤ 65개

3-7 어떤 다각형의 내부의 한 점에서 각 꼭짓점에 선분을 그었을 때 생기는 삼각형의 개수가 10개일 때, 이 다각형의 대각선의 총 개수는?

① 20개   ② 27개   ③ 35개

④ 44개   ⑤ 54개

01 다음 중 다각형에 대한 설명으로 옳은 것은?

① 변의 개수와 꼭짓점의 개수는 같다.
② 대각선은 두 꼭짓점을 이은 선분이다.
③ 정다각형의 대각선의 길이는 모두 같다.
④ 이웃하는 두 변으로 이루어진 각은 외각이다.
⑤ 한 꼭짓점에서 내각의 크기와 외각의 크기의 합은 360°이다.

02 오른쪽 그림의 오각형에서 외각의 크기가 각각 $\angle a = 95°$, $\angle b = 80°$, $\angle c = 62°$, $\angle d = 75°$, $\angle e = 48°$ 일 때, 다음 중 이 오각형의 내각의 크기가 <u>아닌</u> 것은?

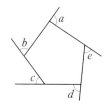

① 85° ② 100° ③ 115°
④ 118° ⑤ 132°

03 오른쪽 그림은 길이가 같은 막대로 만든 도형이다. 이 도형에서 찾을 수 있는 정다각형의 개수는 모두 몇 개인가?

① 11개 ② 12개
③ 13개 ④ 14개
⑤ 15개

04 어떤 다각형의 한 꼭짓점에서 2개의 대각선을 그었더니 삼각형, 사각형, 오각형으로 나누어졌다. 이 다각형의 꼭짓점의 개수는?

① 5개 ② 6개 ③ 7개
④ 8개 ⑤ 9개

05 십일각형의 한 꼭짓점에서 그을 수 있는 대각선의 개수는 m개이고, 이때 생기는 삼각형의 개수는 n개일 때, $m+n$의 값은?

① 11 ② 13 ③ 15
④ 17 ⑤ 20

06 어떤 다각형의 꼭짓점의 개수를 a개, 이 다각형의 한 꼭짓점에서 그을 수 있는 대각선의 개수를 b개, 이때 생기는 삼각형의 개수를 c개라 할 때, $a+b-c=9$를 만족하는 다각형은?

① 구각형 ② 십각형 ③ 십일각형
④ 십이각형 ⑤ 십삼각형

07 칠각형의 대각선의 총 개수와 구각형의 대각선의 총 개수의 차는?

① 7개 ② 11개 ③ 13개
④ 15개 ⑤ 17개

08 꼭짓점의 개수가 m개, 변의 개수가 n개인 다각형에서 $m+n=24$를 만족할 때, 이 다각형의 대각선의 총 개수는?

① 20개   ② 27개   ③ 35개

④ 44개   ⑤ 54개

09 한 꼭짓점에서 그을 수 있는 대각선의 개수가 육각형의 대각선의 총 개수와 같은 다각형은?

① 구각형   ② 십각형   ③ 십일각형

④ 십이각형   ⑤ 십삼각형

10 잘나와요   대각선의 총 개수가 44개인 다각형은?

① 칠각형   ② 팔각형   ③ 구각형

④ 십각형   ⑤ 십일각형

11 대각선의 총 개수가 65개인 다각형의 한 꼭짓점에서 대각선을 모두 그었을 때 생기는 삼각형의 개수는?

① 8개   ② 9개   ③ 10개

④ 11개   ⑤ 12개

12 다음 두 조건을 모두 만족하는 다각형은?

> (가) 대각선의 총 개수는 54개이다.
> (나) 변의 길이가 모두 같고, 내각의 크기가 모두 같다.

① 팔각형   ② 구각형   ③ 십각형

④ 정십각형   ⑤ 정십이각형

서·술·형·문·제   풀이 과정을 자세히 쓰시오.

13 정팔각형의 한 꼭짓점에서 그을 수 있는 길이가 다른 대각선은 a가지이고, 대각선의 총 개수는 b개이다. 이때 $b-a$의 값을 구하여라.

답 _____

14 오른쪽 그림과 같이 위치한 A에서 E까지 5개의 물류창고 사이에 서로 왕래할 수 있는 곧은 길을 만들려고 할 때, 만들 수 있는 길의 총 개수를 구하여라.

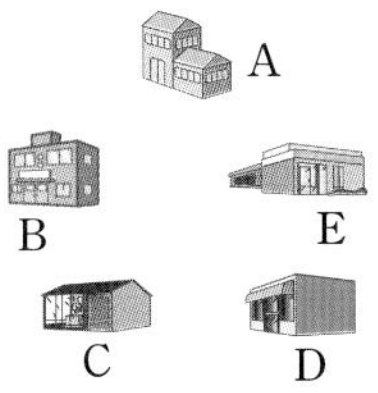

답 _____

----------------- 134쪽 기출문제로 내신대비 로 반복학습하세요!

08 다각형의 내각과 외각의 크기의 합

Ⅵ. 평면도형

개념 ❶ 삼각형의 내각과 외각

(1) 삼각형의 내각의 크기의 합은 $180°$이다.

📗 예 $\angle A + \angle B + \angle C = 180°$

(2) 삼각형의 한 외각의 크기는 그와 이웃하지 않는 두 내각의 크기의 합과 같다.

📗 예 $\underset{\underset{\angle C의\ 외각}{\big|}}{\angle ACD} = \angle A + \angle B$

개념 α

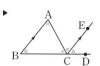

$\angle ACD$
$= \angle ACE + \angle ECD$
$= \angle A + \angle B$

개념확인 **01** 다음 그림에서 $\angle x$의 크기를 구하여라.

(1)

(2)

개념 ❷ 다각형의 내각의 크기의 합

(1) n각형의 한 꼭짓점에서 대각선을 모두 그어 만들 수 있는 삼각형의 개수
: $(n-2)$개

(2) n각형의 내각의 크기의 합 : $180° \times (n-2)$

📌 참고 다각형 내부의 임의의 한 점에서 각 꼭짓점에 선분을 그으면 n개의 삼각형이 생기므로
(n각형의 내각의 크기의 합) $= 180° \times n - 360° = 180° \times (n-2)$

개념 α

▶ n각형의 한 꼭짓점에서 대각선을 모두 그으면 $(n-2)$개의 삼각형으로 나누어진다. 이때 n각형의 내각의 크기의 합은 나누어진 삼각형의 내각의 크기의 합과 같으므로 n각형의 내각의 크기의 합은 $180° \times (n-2)$이다.

개념확인 **02** 다음과 같이 주어진 다각형의 한 꼭짓점에서 대각선을 그어 삼각형으로 나누었다. 표의 빈칸에 알맞은 것을 써넣어라.

다각형	사각형	오각형	육각형	…	n각형
삼각형의 개수(개)	2			…	
내각의 크기의 합	$180° \times 2$			…	

개념확인 **03** 다음 다각형의 내각의 크기의 합을 구하여라.

(1) 칠각형

(2) 십각형

개념 ③ 　　**다각형의 외각의 크기의 합**

다각형의 외각의 크기의 합은 항상 $360°$이다.

참고 n각형의 한 꼭짓점에서 내각과 그 외각의 크기의 합은 $180°$이므로

　　　n각형에서 (내각의 크기의 합)＋(외각의 크기의 합)＝$180° \times n$

　　　∴ (n각형의 외각의 크기의 합)

　　　　＝$180° \times n -$(n각형의 내각의 크기의 합)

　　　　＝$180° \times n - 180° \times (n-2)$

　　　　＝$180° \times n - 180° \times n + 360° = 360°$

외각　내각

개념 α

▶ 카메라의 조리개가 닫힌 모양을 보면 외각의 합이 $360°$임을 알 수 있다.

 ➡

▶ 다각형의 외각의 크기의 합은 꼭짓점의 개수와 상관없이 항상 $360°$이다.

개념확인 **04** 다음은 다각형의 외각의 크기의 합을 구하는 과정이다. 표의 빈칸에 알맞은 것을 써넣어라.

다각형	삼각형	사각형	오각형	…	n각형
① (내각의 크기의 합)＋(외각의 크기의 합)	$180° \times 3$ ＝$540°$			…	
② 내각의 크기의 합	$180° \times (3-2)$ ＝$180°$			…	
외각의 크기의 합 (①－②)	$540° - 180°$ ＝$360°$			…	

개념 ④ 　　**정다각형의 한 내각과 외각의 크기**

(1) 정n각형의 한 내각의 크기는 $\dfrac{180° \times (n-2)}{n}$이다.

(2) 정n각형의 한 외각의 크기는 $\dfrac{360°}{n}$이다.

참고 (정n각형의 한 내각의 크기)＋(정n각형의 한 외각의 크기)＝$180°$이므로

　　(정n각형의 한 내각의 크기)＝$180°-$(정n각형의 한 외각의 크기)＝$180° - \dfrac{360°}{n}$

개념 α

▶ 정n각형의 내각의 크기는 모두 같으므로 외각의 크기도 모두 같다. 따라서 정n각형의 한 외각의 크기는 외각의 크기의 합인 $360°$를 n으로 나눈 것과 같다.

개념확인 **05** 다음은 정팔각형의 한 내각과 외각의 크기를 구하는 과정이다. ☐ 안에 알맞은 것을 써넣어라.

　　(1) 정팔각형의 내각의 크기의 합은 $180° \times ($☐$-2)=$☐이므로

　　　　정팔각형의 한 내각의 크기는 $\dfrac{☐}{8}=$☐이다.

　　(2) 정팔각형의 외각의 크기의 합은 ☐이므로

　　　　정팔각형의 한 외각의 크기는 $\dfrac{☐}{8}=$☐이다.

개념확인 **06** 정구각형의 한 내각과 한 외각의 크기를 구하여라.

핵심유형 1 　삼각형의 내각과 외각　개념 ❶

오른쪽 그림과 같은 △ABC에
서 ∠x의 크기는?

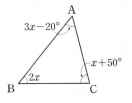

① $15°$ 　　② $20°$

③ $25°$ 　　④ $30°$

⑤ $35°$

GUIDE
삼각형의 내각의 크기의 합은 $180°$임을 이용하여 x에 대한 방정식을 세워 본다.

1-1 삼각형의 세 내각의 크기의 비가 $2:3:5$일 때, 가장 작은 내각의 크기는?

① $24°$ 　　② $36°$ 　　③ $42°$

④ $54°$ 　　⑤ $60°$

1-2 오른쪽 그림의 △ABC에서
∠x의 크기는?

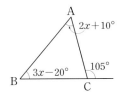

① $23°$ 　　② $25°$

③ $32°$ 　　④ $45°$

⑤ $50°$

1-3 오른쪽 그림의 △ABC에서
∠x의 크기는?

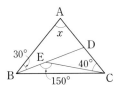

① $65°$ 　　② $70°$

③ $75°$ 　　④ $80°$

⑤ $85°$

핵심유형 2 　다각형의 내각의 크기의 합　개념 ❷

내각의 크기의 합이 $1260°$인 다각형은?

① 육각형 　　② 칠각형 　　③ 팔각형

④ 구각형 　　⑤ 십각형

GUIDE
n각형의 내각의 크기의 합은 $180° \times (n-2)$이다.

2-1 십오각형의 내각의 크기의 합은?

① $1080°$ 　　② $1440°$ 　　③ $1620°$

④ $1980°$ 　　⑤ $2340°$

2-2 오른쪽 그림에서 ∠x의 크기는?

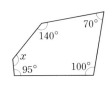

① $115°$ 　　② $120°$

③ $125°$ 　　④ $130°$

⑤ $135°$

2-3 대각선의 총 개수가 54개인 다각형의 내각의 크기의 합은?

① $1260°$ 　　② $1440°$ 　　③ $1620°$

④ $1800°$ 　　⑤ $1980°$

핵심유형 3 　　다각형의 외각의 크기의 합　　개념 ❸

오른쪽 그림에서 ∠x의 크기를 구하여라.

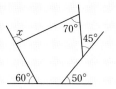

GUIDE
다각형에서 서로 이웃하는 내각과 외각의 크기의 합은 180°이고, 다각형의 외각의 크기의 합은 항상 360°이다.

3-1 꼭짓점의 개수가 12개인 다각형의 외각의 크기의 합은?

① 120°　　　② 180°　　　③ 240°

④ 360°　　　⑤ 540°

3-2 오른쪽 그림에서
∠a+∠b+∠c+∠d+∠e+∠f
의 크기는?

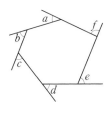

① 180°　　　② 240°

③ 360°　　　④ 540°

⑤ 720°

3-3 오른쪽 그림에서 ∠x의 크기는?

① 40°　　　② 45°

③ 50°　　　④ 55°

⑤ 60°

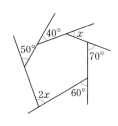

핵심유형 4 　　정다각형의 한 내각과 외각의 크기　　개념 ❹

내각의 크기의 합과 외각의 크기의 합의 총합이 1440°인 정다각형의 한 외각의 크기는?

① 35°　　　② 40°　　　③ 45°

④ 50°　　　⑤ 55°

GUIDE
정n각형의 한 꼭짓점에서 내각과 외각의 크기의 합은 180°이므로 내각과 외각의 크기의 총합은 180°×n이다.

4-1 정육각형에 대한 다음 설명 중 옳지 <u>않은</u> 것은?

① 한 내각의 크기는 60°이다.

② 한 외각의 크기는 60°이다.

③ 내각의 크기의 합은 720°이다.

④ 외각의 크기의 합은 360°이다.

⑤ 대각선의 총 개수는 9개이다.

4-2 한 외각의 크기가 24°인 정다각형의 내각의 크기의 합은?

① 1620°　　　② 1800°　　　③ 1980°

④ 2160°　　　⑤ 2340°

4-3 한 내각의 크기와 한 외각의 크기의 비가 5 : 1인 정다각형은?

① 정육각형　　② 정팔각형　　③ 정십각형

④ 정십이각형　⑤ 정십오각형

정답 및 풀이 16쪽

01 오른쪽 그림에서 ∠x의 크기는?

① 35° ② 40°
③ 45° ④ 50°
⑤ 55°

02 오른쪽 그림의 △ABC에서 ∠ABI=∠IBC, ∠ACI=∠ICB이고 ∠A=70°일 때, ∠x의 크기는?

① 110° ② 115° ③ 120°
④ 125° ⑤ 130°

03 오른쪽 그림의 △ABC에서 $\overline{AD}$는 ∠BAC의 이등분선이다. ∠x의 크기는?

① 70° ② 72°
③ 76° ④ 80°
⑤ 82°

04 오른쪽 그림에서 $\overline{BD}$는 ∠B의 이등분선, $\overline{CD}$는 ∠ACE의 이등분선이다. ∠BAC=80°일 때, ∠x의 크기는?

① 32° ② 35° ③ 38°
④ 40° ⑤ 42°

05 잘나와요 오른쪽 그림에서 ∠BCD의 크기는?

① 110° ② 115°
③ 120° ④ 125°
⑤ 130°

06 잘나와요 오른쪽 그림에서 ∠x+∠y의 크기는?

① 135° ② 140°
③ 145° ④ 150°
⑤ 155°

07 내각의 크기의 합이 1620°인 다각형의 변의 개수를 a개, 한 꼭짓점에서 그을 수 있는 대각선의 개수를 b개라 할 때, $a+b$의 값을 구하여라.

08 오른쪽 그림에서 ∠x의 크기는?

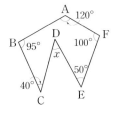

① 45° ② 50°
③ 55° ④ 60°
⑤ 65°

09 오른쪽 그림에서
$\angle a + \angle b + \angle c + \angle d + \angle e + \angle f$
의 크기는?

① 360°　　② 540°

③ 720°　　④ 900°

⑤ 1080°

10 오른쪽 그림에서 $\angle$AFE$=20°$일 때,
$\angle$A$+\angle$B$+\angle$C$+\angle$D$+\angle$E의
크기는?

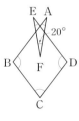

① 240°　　② 280°

③ 340°　　④ 360°

⑤ 540°

11 오른쪽 그림에서
$\angle a + \angle b + \angle c + \angle d + \angle e$
$+ \angle f + \angle g$의 크기는?

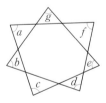

① 360°　　② 450°

③ 540°　　④ 600°

⑤ 720°

12 한 꼭짓점에서 그을 수 있는 대각선의 개수가 7개인 정
다각형의 한 내각의 크기를 $a°$, 한 외각의 크기를 $b°$라
할 때, $a-b$의 값은?

① 100　　② 105　　③ 108

④ 112　　⑤ 120

13 오른쪽 그림의 정육각형에서
$\angle x$의 크기는?

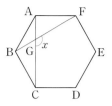

① 72°　　② 96°

③ 100°　　④ 108°

⑤ 120°

서·술·형·문·제

풀이 과정을 자세히 쓰시오.

14 다음 그림에서 $\overline{AB}=\overline{BC}=\overline{CD}=\overline{DE}$이고 $\angle$A$=24°$
일 때, $\angle x$의 크기를 구하여라.

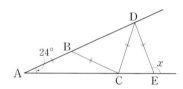

[단계] ❶ $\angle$CBD의 크기 구하기
　　　 ❷ $\angle$DCE의 크기 구하기
　　　 ❸ $\angle x$의 크기 구하기

....

....

....

답 _____

15 오른쪽 그림과 같이 한 변의 길이
가 같은 정오각형과 정육각형이
맞닿아 있을 때, 두 다각형의 연
장선이 만나서 생기는 $\angle x$의 크
기를 구하여라.

....

....

....

답 _____

---------- 136쪽 **기출문제로 내신대비**로 반복학습하세요!

O9 부채꼴의 뜻과 성질

정답 및 풀이 17쪽

개념 ①   원

(1) **원 O** : 평면 위의 한 점 O에서 일정한 거리에 있는 모든 점으로 이루어진 도형
(2) **호 AB** : 원 위의 두 점 A, B를 양 끝점으로 하는 원의 일부분 ⇨ $\widehat{AB}$
(3) **현 CD** : 원 위의 두 점 C, D를 이은 선분 ⇨ $\overline{CD}$

[참고] 원 O는 두 점 A, B에 의하여 두 개의 호로 나누어지는데 $\widehat{AB}$는 보통 길이가 짧은 쪽의 호를 나타내며, 긴 쪽의 호는 그 호 위에 한 점 C를 잡아 $\widehat{ACB}$와 같이 나타낸다.

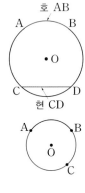

개념 α
▶ 원의 중심을 지나는 현을 지름이라 하며, 지름은 가장 긴 현이다.

(개념확인) **01** 오른쪽 그림의 원 O에 다음 도형을 나타내어라.
　　　(1) 호 AB　　　　　(2) 현 BC

(개념확인) **02** 반지름의 길이가 3 cm인 원에서 가장 긴 현의 길이를 구하여라.

개념 ②   부채꼴

(1) **부채꼴 AOB** : 원 O에서 두 반지름 OA, OB와 호 AB로 이루어진 도형
(2) **중심각** : 부채꼴 AOB에서 두 반지름 OA, OB가 이루는 각
　　　　　즉, ∠AOB
(3) **활꼴** : 현 CD와 호 CD로 이루어진 도형

[참고] 한 원에서 부채꼴과 활꼴이 같아질 때는 오른쪽 그림과 같이 부채꼴의 모양이 반원일 때이다.

개념 α
▶ 부채꼴의 중심각의 크기가 180°이면 부채꼴과 활꼴이 같아진다.

(개념확인) **03** 오른쪽 그림의 원 O에 다음 도형을 나타내어라.
　　　(1) $\overline{OA}$, $\overline{OB}$, $\widehat{AB}$로 이루어진 부채꼴
　　　(2) $\overline{AC}$, $\widehat{AC}$로 이루어진 활꼴

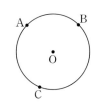

(개념확인) **04** 한 원에서 부채꼴과 활꼴이 같아질 때, 부채꼴의 중심각의 크기를 구하여라.

한 원 또는 합동인 두 원에서

(1) 크기가 같은 중심각에 대한 부채꼴의 호의 길이와 넓이는 각각 같다.

(2) 부채꼴의 호의 길이와 넓이는 각각 중심각의 크기에 정비례한다.

> **참고** 오른쪽 그림에서 ∠BOC=2∠AOB이므로 부채꼴 BOC의 호의 길이와 넓이는
> 각각 부채꼴 AOB의 호의 길이의 2배, 넓이의 2배이다.

개념 α

▶ 한 원에서 부채꼴의 중심각의 크기가 2배, 3배, 4배, …로 되면 호의 길이와 넓이도 각각 2배, 3배, 4배, …로 된다.

개념확인 05 다음 그림의 원 O에서 x의 값을 구하여라.

(1)

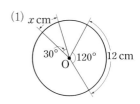

(2)

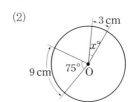

(3)

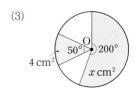

(4)

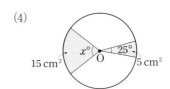

한 원 또는 합동인 두 원에서

(1) 크기가 같은 중심각에 대한 현의 길이는 같다.

(2) 현의 길이는 중심각의 크기에 정비례하지 않는다.

> **주의** 오른쪽 그림과 같이 중심각의 크기가 2배로 될 때, 현의 길이는 2배로 되지 않는다.
> 즉, ∠AOC=2∠AOB일 때, $\overline{AC}<\overline{AB}+\overline{BC}=2\overline{AB}$이다.

개념 α

▶ 원 O에서
∠AOB=∠COD이면
$\overline{AB}=\overline{CD}$이다.

개념확인 06 다음 그림의 원 O에서 x의 값을 구하여라.

(1)

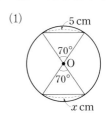

(2)

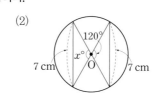

핵심유형 1 원, 부채꼴 개념 ❶, ❷

오른쪽 그림의 원 O에 대한 다음 설명 중 옳지 <u>않은</u> 것은?

① $\overline{AB}$는 현이다.

② $\overline{AC}$는 원 O에서 가장 긴 현이다.

③ $\angle AOB$는 $\overparen{BC}$에 대한 중심각이다.

④ $\overline{AB}$와 $\overparen{AB}$로 둘러싸인 도형은 활꼴이다.

⑤ $\overparen{AB}$와 반지름 OA, OB로 둘러싸인 도형은 부채꼴이다.

GUIDE

지름은 길이가 가장 긴 현이고, 반원은 활꼴인 동시에 부채꼴이다.

1-1 다음 중 용어에 대한 설명이 옳은 것은?

① 현 : 원의 한 부분

② 호 : 원 위의 두 점을 이은 선분

③ 부채꼴 : 호와 현으로 둘러싸인 도형

④ 활꼴 : 호와 원의 두 반지름으로 둘러싸인 도형

⑤ 반지름 : 원의 중심에서 원 위의 한 점을 이은 선분

1-2 부채꼴의 반지름의 길이와 현의 길이가 같을 때, 이 부채꼴의 중심각의 크기는?

① $30°$ ② $45°$ ③ $60°$

④ $90°$ ⑤ $180°$

핵심유형 2 중심각의 크기와 부채꼴의 호의 길이, 넓이 개념 ❸

오른쪽 그림에서 $\angle x$의 크기는?

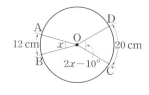

① $15°$ ② $20°$

③ $25°$ ④ $30°$

⑤ $35°$

GUIDE

부채꼴의 호의 길이는 중심각의 크기에 정비례하므로 비례식을 이용한다.

2-1 오른쪽 그림에서 x의 값은?

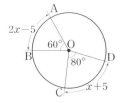

① 3 ② 4

③ 5 ④ 6

⑤ 7

2-2 오른쪽 그림에서 $\overparen{AB} : \overparen{BC} : \overparen{CA} = 3 : 4 : 5$일 때, $\angle AOB$의 크기는?

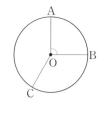

① $70°$ ② $80°$

③ $90°$ ④ $100°$

⑤ $110°$

2-3 오른쪽 그림의 반원 O에서 $\overparen{AC} = 5\overparen{BC}$일 때, $\angle AOC$의 크기를 구하여라.

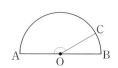

2-4 오른쪽 그림의 원 O에서 $\overline{AB}\,/\!/\,\overline{CD}$이고 $\angle AOC=40°$, $\widehat{AC}=3$ cm일 때, $\widehat{CD}$의 길이는?

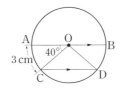

① 5 cm   ② 6 cm   ③ 7.5 cm

④ 8.5 cm   ⑤ 9 cm

2-5 오른쪽 그림의 반원 O에서 $\overline{AD}\,/\!/\,\overline{OC}$, $\angle BOC=45°$, $\widehat{BC}=5$ cm일 때, $\widehat{AD}$의 길이는?

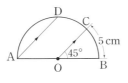

① 8 cm   ② 8.5 cm   ③ 9 cm

④ 9.5 cm   ⑤ 10 cm

2-6 오른쪽 그림의 원 O에서 $\angle AOB=25°$이고 부채꼴 AOB의 넓이가 12 cm², 부채꼴 COD의 넓이가 48 cm²일 때, x의 값은?

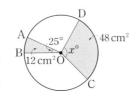

① 95   ② 100   ③ 105

④ 110   ⑤ 115

2-7 한 원에서 호의 길이의 비가 3 : 4인 두 부채꼴이 있다. 이때 두 부채꼴의 넓이의 비는?

① 3 : 4   ② 4 : 5   ③ 9 : 16

④ 12 : 23   ⑤ 27 : 64

핵심유형 3   **중심각의 크기와 현의 길이**   개념 ❹

오른쪽 그림의 원 O에서 $\overline{AB}=\overline{CD}=\overline{DE}$이다. $\angle AOB=30°$일 때, $\angle COE$의 크기는?

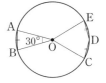

① 40°   ② 50°

③ 60°   ④ 70°

⑤ 80°

GUIDE

현의 길이가 같은 두 부채꼴의 중심각의 크기는 같다.

3-1 오른쪽 그림의 원 O에서 $\overline{AB}=6$ cm이고 $\angle AOB=\angle COD$일 때, $\overline{CD}$의 길이는?

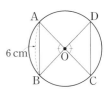

① 4 cm   ② 4.5 cm   ③ 5 cm

④ 5.5 cm   ⑤ 6 cm

3-2 오른쪽 그림의 원 O에서 $\widehat{AB}=\widehat{AC}$, $\overline{AC}=5$ cm, $\overline{OC}=3$ cm일 때, 색칠한 부분의 둘레의 길이는?

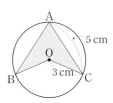

① 12 cm   ② 14 cm

③ 16 cm   ④ 18 cm

⑤ 20 cm

3-3 오른쪽 그림의 원 O에서 $\overline{AB}$가 지름이고 $\overline{AC}\,/\!/\,\overline{OD}$, $\widehat{CD}=3$ cm일 때, $\widehat{BD}$의 길이는?

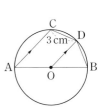

① 2 cm   ② 2.5 cm

③ 3 cm   ④ 3.5 cm

⑤ 4 cm

01 원에 대한 다음 설명 중 옳지 <u>않은</u> 것은?

① 원은 평면 위의 한 점으로부터 일정한 거리에 있는 점으로 이루어진 도형이다.

② 원의 중심과 원 위의 한 점을 이은 선분은 반지름이다.

③ 원의 중심을 지나는 현은 지름이다.

④ 원에서 두 반지름으로 이루어진 각은 중심각이다.

⑤ 호와 그 양 끝을 이은 현으로 둘러싸인 도형은 부채꼴이다.

02 오른쪽 그림과 같이 원 O에서 $\angle AOB = \dfrac{1}{2}\angle COD$일 때, 다음 중 옳은 것을 모두 고르면? (정답 2개)

① $\overline{AB} /\!/ \overline{CD}$

② $\overparen{AB} = \dfrac{1}{2}\overparen{CD}$

③ $\overline{AB} = \dfrac{1}{2}\overline{CD}$

④ (△OCD의 넓이) $= 2 \times$ (△OAB의 넓이)

⑤ (부채꼴 OCD의 넓이) $= 2 \times$ (부채꼴 OAB의 넓이)

03 잘나와요 오른쪽 그림에서 $\angle AOB = 30°$, $\angle DOE = 45°$, $\overparen{AB} = 4\,cm$, $\overparen{CD} = 8\,cm$일 때, x, y의 값을 차례로 구하면?

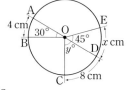

① 4, 50　　② 4, 60

③ 5, 50　　④ 5, 60

⑤ 6, 60

04 오른쪽 그림의 원 O에서 지름 AB와 현 BC가 이루는 각의 크기가 40°일 때, $\overparen{AC} : \overparen{BC}$는?

① 2 : 3　　② 3 : 4

③ 4 : 3　　④ 4 : 3

⑤ 4 : 5

05 오른쪽 그림에서 $\overline{AO} /\!/ \overline{BC}$이고, $\overline{BD}$는 원 O의 지름이다. $\overparen{AB} = 4\,cm$일 때, $\overparen{CD}$의 길이는?

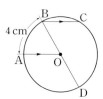

① 6 cm　　② 8 cm　　③ 9 cm

④ 10 cm　　⑤ 12 cm

06 내신 up 오른쪽 그림의 원 O에서 $\overline{AE} /\!/ \overline{CD}$이고 $\angle DOB = 30°$, $\overparen{AC} = \overparen{ED} = 5\,cm$일 때, $\overparen{AE}$의 길이를 구하여라.

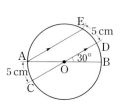

07 오른쪽 그림에서 $\overline{AC}$는 원 O의 지름이고, $\overparen{AB} : \overparen{BC} = 5 : 4$일 때, $\angle OAB$의 크기는?

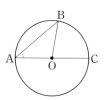

① 30°　　② 35°

③ 40°　　④ 45°

⑤ 45°

08 오른쪽 그림의 반원 O에서 $\overline{CO} /\!/ \overline{DB}$, $\widehat{BD}=12$ cm, $\angle AOC=30°$일 때, $\widehat{CD}$의 길이는?

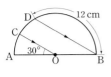

① 3 cm   ② 3.5 cm   ③ 4 cm

④ 4.5 cm   ⑤ 5 cm

09 오른쪽 그림에서 $\overline{BE}$는 원 O의 지름이고, $\overline{BA} /\!/ \overline{DC} /\!/ \overline{FE}$이다. $\angle ABO=55°$일 때, 다음 중 호의 길이가 다른 하나는?

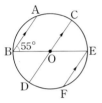

① $\widehat{AB}$ ② $\widehat{AC}$ ③ $\widehat{CE}$

④ $\widehat{BD}$ ⑤ $\widehat{DF}$

10 오른쪽 그림에서 두 원 O와 O′은 서로 합동이고, 부채꼴 OAB의 넓이가 12 cm²일 때, 부채꼴 O′CD의 넓이는?

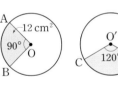

① 15 cm²   ② 16 cm²   ③ 17 cm²

④ 18 cm²   ⑤ 19 cm²

11 한 원에 대한 다음 설명 중 옳지 <u>않은</u> 것은?

① 같은 크기의 중심각에 대한 호의 길이는 같다.
② 같은 크기의 중심각에 대한 현의 길이는 같다.
③ 호의 길이는 중심각의 크기에 정비례한다.
④ 부채꼴의 넓이는 중심각의 크기에 정비례한다.
⑤ 현의 길이는 중심각의 크기에 정비례한다.

12 오른쪽 그림의 원 O에서 $\angle AOB=\angle BOC=\angle COD$, $\overline{AD}$는 원의 지름일 때, 다음 중 옳지 <u>않은</u> 것은?

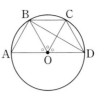

① $\widehat{AC}=2\widehat{CD}$ ② $\overline{BD}=2\overline{AB}$

③ $\overline{BC} /\!/ \overline{AD}$ ④ $\overline{AB}=\overline{BC}=\overline{CD}$

⑤ $\triangle AOB \equiv \triangle DOC$

서·술·형·문·제   풀이 과정을 자세히 쓰시오.

13 오른쪽 그림의 반원 O에서 $\widehat{AB}=3\widehat{BC}$이고, $\widehat{DE}=3\widehat{CD}$일 때, $\angle BOD$의 크기를 구하여라.

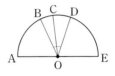

[단계] ❶ $\angle BOC$와 $\angle AOB$의 관계 구하기
      ❷ $\angle COD$와 $\angle DOE$의 관계 구하기
      ❸ $\angle BOD$의 크기 구하기

답 _____

14 오른쪽 그림과 같이 원 O의 지름인 $\overline{AB}$의 연장선과 $\overline{CD}$의 연장선의 교점을 E라 하자. $\overline{DO}=\overline{DE}$, $\overline{BD}=2$ cm일 때, $\widehat{AC}$의 길이를 구하여라.

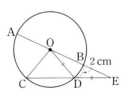

답 _____

142쪽 **기출문제로 내신대비**로 반복학습하세요!

10 부채꼴의 호의 길이와 넓이

정답 및 풀이 20쪽

개념 ❶ 원의 둘레의 길이와 넓이

(1) **원주율** : 원의 지름의 길이에 대한 원의 둘레의 길이(원주)의 비

⇨ π ('파이'라 읽는다.)

$$(\text{원주율}) = \frac{(\text{원주})}{(\text{원의 지름의 길이})} = \pi$$

(2) **원의 둘레와 길이와 넓이**

반지름의 길이가 r인 원 O의 둘레의 길이를 l, 넓이를 S라 할 때

① $l = (\text{지름의 길이}) \times (\text{원주율}) = 2r \times \pi = 2\pi r$

② $S = (\text{반지름의 길이}) \times (\text{반지름의 길이}) \times (\text{원주율})$

   $= r \times r \times \pi = \pi r^2$

개념 α

▶ π는 '둘레'를 의미하는 그리스어의 첫 글자로 영국의 수학자 존스가 1706년에 처음으로 사용하였다.

▶ 원주율은 원의 크기에 관계없이 항상 일정하고, 그 값은 3.1415926…이다.

개념확인 01 다음 그림의 원 O에서 원주 l과 넓이 S를 각각 구하여라.

(1)
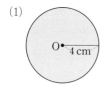

(2)
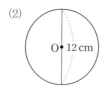

개념확인 02 원주 또는 원의 넓이가 다음과 같은 원의 반지름의 길이를 구하여라.

(1) 원주 : 10π cm

(2) 원의 넓이 : 81π cm²

개념 ❷ 부채꼴의 호의 길이

반지름의 길이가 r, 중심각의 크기가 $x°$인 부채꼴의 호의 길이를 l이라 하면 부채꼴의 호의 길이는 중심각의 크기에 정비례하므로

(호의 길이) : (원주)$= x : 360$

$l : 2\pi r = x : 360$, $l \times 360 = 2\pi r \times x$

$\therefore l = 2\pi r \times \dfrac{x}{360}$

개념 α

▶ (부채꼴의 호의 길이)

$= (\text{원주}) \times \dfrac{(\text{중심각의 크기})}{360°}$

⇨ $l = 2\pi r \times \dfrac{x}{360}$

개념확인 03 다음 부채꼴의 호의 길이를 구하여라.

(1)

(2)
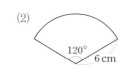

개념 ③ **부채꼴의 넓이(1)**

반지름의 길이가 r, 중심각의 크기가 $x°$인 부채꼴의 넓이를 S라 하면
부채꼴의 넓이는 중심각의 크기에 정비례하므로
(부채꼴의 넓이):(원의 넓이)$=x:360$
$S:\pi r^2=x:360$, $S\times 360=\pi r^2\times x$
$\therefore S=\pi r^2\times\dfrac{x}{360}$

개념 α

▶ (부채꼴의 넓이)
$=$(원의 넓이)
$\quad\times\dfrac{(중심각의 크기)}{360°}$
$\Rightarrow S=\pi r^2\times\dfrac{x}{360}$

개념확인 **04** 다음 부채꼴의 넓이를 구하여라.

(1)
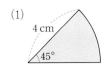

(2)
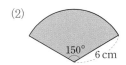

개념 ④ **부채꼴의 넓이(2)**

반지름의 길이가 r, 호의 길이가 l인 부채꼴의 넓이를 S라 하면
(부채꼴의 넓이)$=\left(호의 길이의 \dfrac{1}{2}\right)\times$(반지름의 길이)
$\qquad\qquad\qquad =\dfrac{1}{2}l\times r=\dfrac{1}{2}rl$
$\therefore S=\dfrac{1}{2}rl$

개념 α

▶ 호의 길이와 반지름의 길이를 알면 중심각의 크기를 구할 수 있다.
$l=2\pi r\times\dfrac{x}{360}$에서
$x=\dfrac{l}{2\pi r}\times 360$

▶ 중심각의 크기를 모르는 경우 부채꼴의 넓이를 구할 때 $S=\dfrac{1}{2}rl$을 사용한다.

참고 원의 넓이를 구하는 방법과 같이 부채꼴을 중심각의 크기가 같은 작은 부채꼴로 등분한 후 직사각형 모양으로 붙이면 넓이를 구할 수 있다. 따라서 부채꼴의 넓이는 가로가 $\dfrac{1}{2}l$, 세로의 길이가 r인 직사각형의 넓이와 같다.

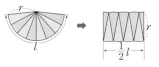

개념확인 **05** 다음 부채꼴의 넓이를 구하여라.

(1)
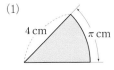

(2)

개념확인 **06** 오른쪽 그림의 부채꼴에서 다음을 구하여라.

(1) 넓이
(2) 중심각의 크기

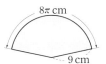

핵심유형 1   원의 둘레의 길이와 넓이   개념 ❶

오른쪽 그림에서 색칠한 부분의 둘레의 길이는?

① 12π cm   ② 16π cm

③ 18π cm   ④ 20π cm

⑤ 24π cm

> **GUIDE**
> 반지름의 길이가 r인 원의 둘레의 길이는 $2\pi r$이다.

1-1 오른쪽 그림에서 색칠한 부분의 넓이는?

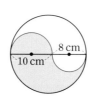

① 36π cm^2 ② 40π cm^2

③ 45π cm^2 ④ 50π cm^2

⑤ 52π cm^2

1-2 오른쪽 그림에서 원 O의 내부에 원 O의 반지름을 지름으로 하는 원 O′이 있다. 원 O의 둘레의 길이와 원 O′의 둘레의 길이의 비는?

① $2:1$ ② $3:1$ ③ $4:1$

④ $3:2$ ⑤ $4:3$

1-3 오른쪽 그림에서 $\overline{AB}=\overline{CD}=6$ cm, $\overline{BC}=10$ cm일 때, 색칠한 부분의 넓이는?

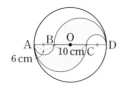

① 45π cm^2 ② 50π cm^2

③ 55π cm^2 ④ 60π cm^2

⑤ 65π cm^2

핵심유형 2   부채꼴의 호의 길이   개념 ❷

오른쪽 그림과 같은 부채꼴의 중심각의 크기는?

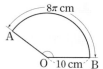

① $100°$ ② $112°$

③ $120°$ ④ $132°$

⑤ $144°$

> **GUIDE**
> 반지름의 길이가 r, 중심각의 크기가 $x°$인 부채꼴의 호의 길이 l은 $l=2\pi r \times \dfrac{x}{360}$이다.

2-1 오른쪽 그림과 같은 부채꼴의 호의 길이는?

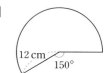

① $\dfrac{7}{2}\pi$ cm   ② 7π cm

③ $\dfrac{14}{3}\pi$ cm   ④ 14π cm

⑤ $\dfrac{23}{5}\pi$ cm

2-2 반지름의 길이가 4 cm이고 중심각의 크기가 45°인 부채꼴의 둘레의 길이는?

① 2π cm   ② 5π cm   ③ $(\pi+8)$ cm

④ $(2\pi+8)$ cm   ⑤ $(4\pi+12)$ cm

2-3 오른쪽 그림과 같이 중심각의 크기가 30°이고 호의 길이가 2π cm인 부채꼴의 둘레의 길이는?

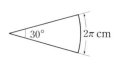

① 4π cm   ② 6π cm   ③ 8π cm

④ $(2\pi+12)$ cm   ⑤ $(2\pi+24)$ cm

핵심유형 3 부채꼴의 넓이 개념 ❸

오른쪽 그림과 같은 부채꼴의 넓이는?

① 12π cm^2 ② 16π cm^2

③ 20π cm^2 ④ 24π cm^2

⑤ 28π cm^2

GUIDE

반지름의 길이가 r, 중심각의 크기가 $x°$인 부채꼴의 넓이 S는

$S=\pi r^2 \times \dfrac{x}{360}$ 이다.

3-1 반지름의 길이가 4 cm이고 중심각의 크기가 135°인 부채꼴의 넓이는?

① 4π cm^2 ② 6π cm^2 ③ 8π cm^2

④ 10π cm^2 ⑤ 12π cm^2

3-2 오른쪽 그림과 같이 반지름의 길이가 8 cm이고 넓이가 24π cm^{2}인 부채꼴의 중심각의 크기는?

① 100° ② 112°

③ 120° ④ 135°

⑤ 145°

3-3 오른쪽 그림에서 색칠한 부분의 넓이는?

① 2π cm^2 ② $\dfrac{5}{2}\pi$ cm^2

③ 3π cm^2 ④ $\dfrac{7}{2}\pi$ cm^2

⑤ 4π cm^2

핵심유형 4 부채꼴의 호의 길이와 넓이 사이의 관계 개념 ❹

오른쪽 그림의 부채꼴의 넓이가 30π cm^{2}이고 호의 길이가 12π cm일 때, 반지름의 길이는?

① 5 cm ② 6 cm

③ 7 cm ④ 8 cm

⑤ 9 cm

GUIDE

반지름의 길이가 r, 호의 길이가 l인 부채꼴의 넓이 S는

$S=\dfrac{1}{2}rl$ 이다.

4-1 오른쪽 그림의 부채꼴의 넓이는?

① 4π cm^2 ② 6π cm^2

③ 8π cm^2 ④ 10π cm^2

⑤ 12π cm^2

4-2 호의 길이가 $\dfrac{3}{2}\pi$ cm, 넓이가 3π cm^{2}인 부채꼴의 반지름의 길이는?

① 1 cm ② 2 cm ③ 3 cm

④ 4 cm ⑤ 5 cm

4-3 호의 길이가 5π cm, 넓이가 15π cm^{2}인 부채꼴의 중심각의 크기는?

① 60° ② 72° ③ 108°

④ 120° ⑤ 150°

1 반지름의 길이가 3 cm인 원을 짝수 개의 부채꼴로 똑같이 등분하여 다음과 같이 다시 배열하였다. 등분하는 부채꼴의 개수가 많아질수록 오른쪽 도형은 점점 직사각형 모양이 된다. 이때 $\overline{AD}$의 길이는?

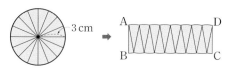

① π cm   ② 2π cm   ③ 3π cm

④ 4π cm   ⑤ 5π cm

2 오른쪽 그림에서 합동인 3개의 작은 원의 넓이가 각각 16π cm²일 때, 큰 원의 둘레의 길이를 구하여라.

3 오른쪽 그림에서 $\angle AOB=72°$, $\overset{\frown}{AB}=4\pi$ cm 일 때, 원 O의 넓이를 구하여라.

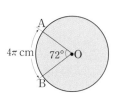

4 오른쪽 그림과 같이 정사각형에 내접하는 원 O의 반지름의 길이가 5 cm이고, 네 점 A, B, C, D는 원의 둘레의 길이를 4등분 하는 점일 때, 색칠한 부분의 둘레의 길이를 구하여라.

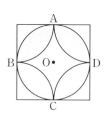

5 오른쪽 그림에서 색칠한 부분의 둘레의 길이는?

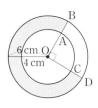

① $(12\pi+4)$ cm

② $(12\pi+8)$ cm

③ $(15\pi+4)$ cm

④ $(15\pi+8)$ cm

⑤ $(24\pi+8)$ cm

내신 *up*

6 오른쪽 그림의 색칠한 부분의 둘레의 길이는?

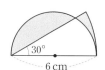

① $(\pi+12)$ cm

② $(2\pi+6)$ cm

③ $(3\pi+12)$ cm

④ $(4\pi+6)$ cm

⑤ $(5\pi+12)$ cm

잘 나와요

7 오른쪽 그림에서 색칠한 부분의 넓이는?

① $\dfrac{25}{2}\pi$ cm²   ② $\dfrac{50}{3}\pi$ cm²

③ 18π cm²   ④ 24π cm²

⑤ 30π cm²

8 오른쪽 그림과 같이 한 변의 길이가 12 cm인 정사각형 ABCD에서 색칠한 부분의 넓이를 구하여라.

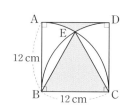

09 오른쪽 그림은 한 변의 길이가 8 cm인 정삼각형 ABC에서 세 변 $\overline{AB}$, $\overline{BC}$, $\overline{CA}$를 지름으로 하는 세 반원을 그린 것이다. 색칠한 부분의 넓이는?

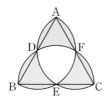

① $\dfrac{8}{3}\pi$ cm² ② $\dfrac{16}{3}\pi$ cm² ③ 8π cm²

④ $\dfrac{32}{3}\pi$ cm² ⑤ 16π cm²

10 오른쪽 그림은 반지름의 길이가 3 cm인 반원을 점 A를 중심으로 30°만큼 회전시킨 것이다. 색칠한 부분의 넓이는?

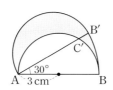

① 3π cm² ② 4π cm² ③ 5π cm²

④ 6π cm² ⑤ 7π cm²

11 오른쪽 그림은 세 변의 길이가 각각 6 cm, 8 cm, 10 cm인 직각삼각형 ABC의 각 변을 지름으로 하여 반원을 그린 것이다. 색칠한 부분의 넓이는?

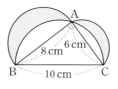

① 12π cm² ② 16π cm² ③ 20π cm²

④ 24 cm² ⑤ 36 cm²

12 오른쪽 그림과 같이 반지름의 길이가 3 cm인 원기둥 모양의 음료수캔 6개를 묶을 때, 필요한 끈의 최소 길이는?

(단, 끈의 두께와 매듭의 길이는 생각하지 않는다.)

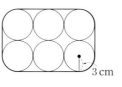

① $(3\pi+6)$ cm ② $(3\pi+12)$ cm

③ $(4\pi+36)$ cm ④ $(5\pi+36)$ cm

⑤ $(6\pi+36)$ cm

13 다음 그림과 같이 양쪽은 반원 모양이고 가운데는 직선 코스로 이루어진 트랙이 있다. 안쪽 트랙 A와 바깥쪽 트랙 B 사이의 간격이 2 m일 때, 두 트랙 A, B의 길이의 차를 구하여라.

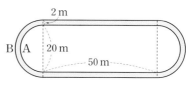

[단계] ❶ 트랙 A의 길이 구하기
❷ 트랙 B의 길이 구하기
❸ 두 트랙 A, B의 길이의 차 구하기

답 _____

14 오른쪽 그림과 같이 가로의 길이가 4 cm, 세로의 길이가 3 cm인 직사각형 주위를 반지름의 길이가 1 cm인 원이 돌고 있다. 이 원이 직사각형 주위를 따라 한 바퀴 돌았을 때, 원이 지나간 부분의 넓이를 구하여라.

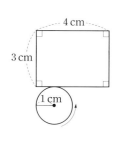

답 _____

144쪽 기출문제로 내신대비 로 반복학습하세요!

11 다면체

정답 및 풀이 22쪽

개념 ① 다면체

다면체 : 다각형인 면으로 둘러싸인 입체도형

① 면 : 다면체를 둘러싸고 있는 다각형

② 모서리 : 다면체를 둘러싸고 있는 다각형의 변

③ 꼭짓점 : 다면체를 둘러싸고 있는 다각형의 꼭짓점

참고 곡면으로 둘러싸인 입체도형인 원기둥, 원뿔, 구 등은 다면체가 아니다.

개념 α

▶ 다면체는 그 다면체를 둘러싸고 있는 면의 개수에 따라 사면체, 오면체, 육면체, …라 한다.

▶ 다면체는 적어도 4개 이상의 면을 가지고 있다.

개념확인 **01** 다음 보기의 입체도형 중에서 다면체인 것을 모두 골라라.

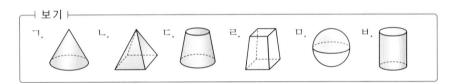

개념 ② 다면체의 면, 모서리, 꼭짓점의 개수

(1) **각뿔대** : 각뿔을 밑면에 평행한 평면으로 잘라서 생기는 두 입체도형 중 각뿔이 아닌 쪽의 입체도형

(2) **각기둥, 각뿔, 각뿔대의 비교**

개념 α

▶ 각기둥의 두 밑면은 서로 평행하고 합동인 다각형이고, 옆면은 모두 직사각형이다.

▶ 각뿔의 밑면은 다각형이고, 옆면은 모두 삼각형이다.

▶ 각뿔대의 밑면은 다각형이고, 옆면은 모두 사다리꼴이다.

다면체	n각기둥	n각뿔	n각뿔대
면의 개수	$(n+2)$개	$(n+1)$개	$(n+2)$개
모서리의 개수	$3n$개	$2n$개	$3n$개
꼭짓점의 개수	$2n$개	$(n+1)$개	$2n$개

개념확인 **02** 다음 표의 빈칸에 알맞은 것을 써넣어라.

다면체	삼각기둥	삼각뿔	삼각뿔대
겨냥도			
밑면의 모양			
옆면의 모양			
면의 개수			
꼭짓점의 개수			
모서리의 개수			

개념 ③ 정다면체

(1) **정다면체** : 모든 면이 합동인 정다각형이고, 각 꼭짓점에 모인 면의 개수가 같은 다면체

(2) **정다면체의 종류** : 정사면체, 정육면체, 정팔면체, 정십이면체, 정이십면체의 5가지뿐이다.

정다면체	정사면체	정육면체	정팔면체	정십이면체	정이십면체
겨냥도	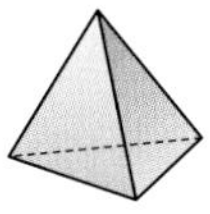	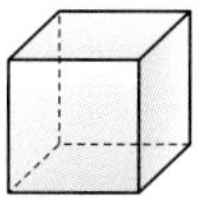	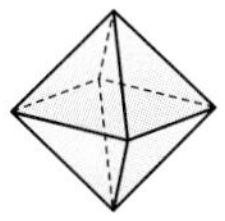	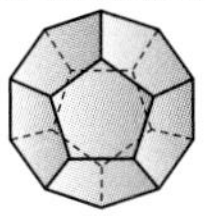	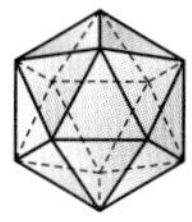
면의 모양	정삼각형	정사각형	정삼각형	정오각형	정삼각형
한 꼭짓점에 모인 면의 개수	3개	3개	4개	3개	5개

개념 α

▶ 다면체가 되려면
① 한 꼭짓점에 3개 이상의 면이 만나야 하고
② 한 꼭짓점에 모인 각의 크기의 합이 360˚보다 작아야 한다.

개념확인 03 정다면체에 대한 다음 설명 중 옳은 것에는 ○표, 옳지 않은 것에는 ×표를 하여라.

(1) 각 면이 합동인 정다각형으로 이루어져 있다. ( )

(2) 각 꼭짓점에 모인 면의 개수는 모두 같다. ( )

(3) 한 꼭짓점에 4개 이하의 면이 모인다. ( )

(4) 정사면체, 정육면체, 정팔면체, 정십면체, 정십이면체의 5가지뿐이다. ( )

(5) 한 꼭짓점에 모인 각의 크기의 합이 360˚보다 작다. ( )

(6) 정다면체의 면의 모양은 정삼각형, 정사각형, 정오각형의 세 가지뿐이다. ( )

개념 ④ 정다면체의 성질

정다면체	정사면체	정육면체	정팔면체	정십이면체	정이십면체
면의 개수	4개	6개	8개	12개	20개
모서리의 개수	6개	12개	12개	30개	30개
꼭짓점의 개수	4개	8개	6개	20개	12개
전개도	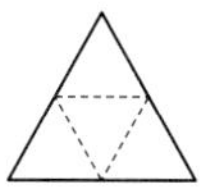	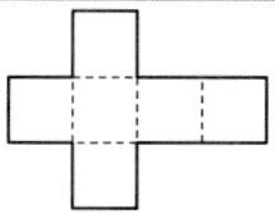	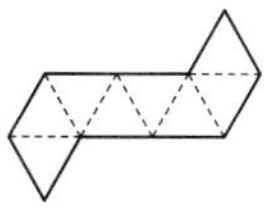	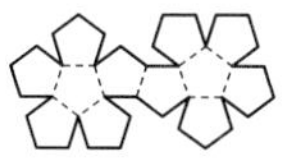	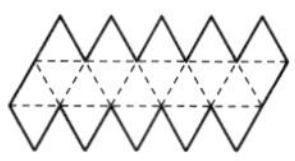

개념 α

▶ 정다면체의 분류
(1) 면의 모양에 따라 정삼각형, 정사각형, 정오각형인 경우로 나눌 수 있다.
(2) 한 꼭짓점에 모인 면의 개수에 따라 3개, 4개, 5개인 경우로 나눌 수 있다.

개념확인 04 다음 조건을 만족하는 정다면체의 이름을 말하여라.

> (가) 모든 면이 정삼각형이다.
>
> (나) 모서리의 개수는 12개이다.
>
> (다) 한 꼭짓점에 모인 면 개수는 4개이다.

정답 및 풀이 23쪽

핵심유형 1 다면체 개념 ❶

다음 보기에서 다면체인 것을 모두 고른 것은?

┤ 보기 ├
ㄱ. 정사각형   ㄴ. 원기둥   ㄷ. 삼각기둥
ㄹ. 원뿔   ㅁ. 오각뿔대

① ㄱ, ㄴ   ② ㄱ, ㅁ   ③ ㄴ, ㄷ
④ ㄷ, ㄹ   ⑤ ㄷ, ㅁ

GUIDE
다면체는 다각형인 면으로 둘러싸인 입체도형이다.

1-1 다음 중 다면체가 <u>아닌</u> 것은?

① 삼각뿔   ② 사각뿔대   ③ 구
④ 오면체   ⑤ 정육면체

1-2 삼각기둥에 대한 다음 설명 중 옳지 <u>않은</u> 것은?

① 오면체이다.
② 옆면은 모두 직사각형이다.
③ 옆면과 밑면은 서로 수직이다.
④ 두 밑면은 합동인 삼각형으로 서로 평행하다.
⑤ 밑면에 수직인 평면으로 자를 때 생기는 단면은 삼각형이다.

1-3 다음 조건을 모두 만족하는 입체도형은?

⑺ 팔면체이다.
⑻ 옆면이 모두 직사각형이다.
⑼ 두 밑면이 평행하고 합동인 다각형이다.

① 사각뿔   ② 오각뿔대   ③ 육각기둥
④ 칠각뿔대   ⑤ 팔각기둥

핵심유형 2 다면체의 면, 모서리, 꼭짓점의 개수 개념 ❷

다음 중 다면체와 그 옆면의 모양을 바르게 짝지은 것은?

① 삼각뿔－사각형   ② 사각뿔대－직사각형
③ 오각기둥－오각형   ④ 육각뿔－육각형
⑤ 칠각뿔대－사다리꼴

GUIDE
각기둥의 옆면은 직사각형, 각뿔의 옆면은 삼각형, 각뿔대의 옆면은 사다리꼴이다.

2-1 다음 중 육각뿔대에 대한 설명으로 옳은 것은?

① 칠면체이다.
② 모서리의 개수는 12개이다.
③ 옆면의 모양은 직사각형이다
④ 두 밑면은 서로 평행하고 합동이다.
⑤ 밑면에 평행한 평면으로 자른 단면은 육각형이다.

2-2 다음 다면체 중 꼭짓점의 개수와 면의 개수가 같은 것은?

① 삼각기둥   ② 오각뿔   ③ 정육면체
④ 육각뿔대   ⑤ 칠각기둥

2-3 사각뿔대의 꼭짓점의 개수를 v개, 모서리의 개수를 e개, 면의 개수를 f개라 할 때, v, e, f를 바르게 나열한 것은?

① $v=5, e=8, f=5$ ② $v=5, e=12, f=6$
③ $v=6, e=8, f=5$ ④ $v=8, e=12, f=6$
⑤ $v=8, e=12, f=8$

　정다면체의 성질 　개념❸, ❹

다음의 조건을 만족하는 정다면체는?

> ㈎ 각 면은 모두 합동인 정삼각형이다.
> ㈏ 한 꼭짓점에 면이 5개 모여 있다.

① 정사면체　　② 정육면체　　③ 정팔면체
④ 정십이면체　⑤ 정이십면체

GUIDE
면의 모양이 정삼각형인 정다면체는 정사면체, 정팔면체, 정이십면체이고, 정사각형인 정다면체는 정육면체, 정오각형인 정다면체는 정십이면체이다.

3-1 다음 중 정다면체가 아닌 것은?

① 정사면체　　② 정팔면체　　③ 정십이면체
④ 정십육면체　⑤ 정이십면체

3-2 다음 정다면체 중 평행한 면이 없는 것은?

① 정사면체　　② 정육면체　　③ 정팔면체
④ 정십이면체　⑤ 정이십면체

3-3 세 쌍의 면이 평행하고, 각 면이 정사각형인 정다면체는?

① 정사면체　　② 정육면체　　③ 정팔면체
④ 정십이면체　⑤ 정이십면체

3-4 다음 보기에서 면의 모양이 정삼각형인 것을 모두 고른 것은?

> ┤ 보기 ├
> ㄱ. 정사면체　　ㄴ. 정육면체　　ㄷ. 정팔면체
> ㄹ. 정십이면체　ㅁ. 정이십면체

① ㄱ, ㄷ　　② ㄷ, ㅁ　　③ ㄱ, ㄷ, ㅁ
④ ㄱ, ㄷ, ㄹ　⑤ ㄴ, ㄹ, ㅁ

3-5 한 꼭짓점에 모인 면의 개수가 같은 정다각형끼리 짝지은 것은?

① 정사면체, 정육면체, 정팔면체
② 정사면체, 정육면체, 정십이면체
③ 정사면체, 정팔면체, 정십이면체
④ 정팔면체, 정십이면체, 정이십면체
⑤ 정육면체, 정팔면체, 정십이면체

3-6 오른쪽 그림과 같은 전개도로 만들어지는 정다면체에 대한 다음 설명 중 옳지 않은 것은?

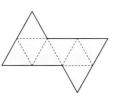

① 면은 모두 합동이다.
② 면의 개수는 8개이다.
③ 꼭짓점의 개수는 6개이다.
④ 모서리의 개수는 12개이다.
⑤ 한 꼭짓점에 3개의 면이 모인다.

3-7 면의 개수가 가장 적은 정다면체의 꼭짓점의 개수를 a개, 면의 개수가 가장 많은 정다면체의 꼭짓점의 개수를 b개라 할 때, $a+b$의 값은?

① 12　　② 14　　③ 16
④ 18　　⑤ 20

정답 및 풀이 23쪽

01 다음 중 면의 개수가 나머지와 <u>다른</u> 것은?

① 팔면체　　　② 칠각뿔　　　③ 육각기둥

④ 육각뿔대　　⑤ 직육면체

02 어떤 각기둥의 꼭짓점의 개수는 12개이다. 이 각기둥의 모서리의 개수는?

① 12개　　　② 15개　　　③ 18개

④ 20개　　　⑤ 24개

03 밑면의 대각선의 총 개수가 35개인 각뿔은 몇 면체인가?

① 구면체　　　② 십면체　　　③ 십일면체

④ 십이면체　　⑤ 십삼면체

04 오른쪽 그림은 어떤 입체도형의 전개도인가?

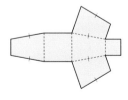

① 사면체　　　② 사각뿔

③ 삼각뿔대　　④ 사각기둥

⑤ 사각뿔대

05 어떤 각뿔대의 모서리의 개수와 면의 개수의 차는 12개이다. 이 입체도형의 꼭짓점의 개수는?

① 10개　　　② 12개　　　③ 14개

④ 16개　　　⑤ 18개

06 n각뿔대에서 꼭짓점, 모서리, 면의 개수를 각각 a, b, c개라 할 때, $a+b+c$의 값을 n을 사용하여 나타내면?

① $4n+3$　　　② $5n+1$　　　③ $5n+3$

④ $6n+2$　　　⑤ $6n+3$

07 다음 표에서 빈칸에 들어갈 말이나 숫자로 옳지 <u>않은</u> 것은?

정다면체	정사면체	정육면체	정팔면체	정십이면체	정이십면체
면의 모양	①	②	정삼각형	③	정삼각형
한 꼭짓점에 모인 면의 개수(개)	3	④	4	3	⑤

① 정삼각형　　② 정사각형　　③ 정사각형

④ 3　　　　　⑤ 5

08 잘나와요

다음 조건을 만족하는 정다면체는?

> (가) 한 꼭짓점에 모이는 면의 개수가 3개이다.
> (나) 꼭짓점의 개수가 20개이다.
> (다) 모서리의 개수가 30개이다.

① 정사면체　　② 정육면체　　③ 정팔면체

④ 정십이면체　⑤ 정이십면체

09 한 꼭짓점에 모인 면의 개수가 4개, 모서리의 개수가 12 개인 정다면체의 꼭짓점의 개수는?

① 4개   ② 6개   ③ 8개

④ 12개   ⑤ 20개

10 오른쪽 그림은 정육면체의 일부를 잘라내고 남은 입체도형을 나타낸 것이다. 이 입체도형의 면의 개수, 모서리의 개수, 꼭짓점의 개수의 합은?

① 30개   ② 32개   ③ 35개

④ 40개   ⑤ 42개

11 오른쪽 그림은 정육면체의 전개도이다. 면 B와 평행한 면은?

① 면 A   ② 면 C

③ 면 D   ④ 면 E

⑤ 면 F

A	B		
	C	D	E
			F

12 오른쪽 그림은 정팔면체의 전개도이다. $\overline{CD}$와 겹치는 모서리는?

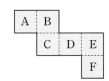

① $\overline{AB}$ ② $\overline{BC}$

③ $\overline{IH}$ ④ $\overline{GF}$

⑤ $\overline{HG}$

13 오른쪽 그림과 같은 정사면체의 각 모서리의 중점을 연결하여 만든 정다면체는?

① 정사면체   ② 정육면체

③ 정팔면체   ④ 정십이면체

⑤ 정이십면체

서 · 술 · 형 · 문 · 제   풀이 과정을 자세히 쓰시오.

14 오각뿔의 모서리의 개수를 a개, 사각뿔대의 꼭짓점의 개수를 b개라 할 때, $a+b$의 값을 구하여라.

답 _____

15 정팔면체의 한 꼭짓점에 모인 면의 개수를 a개, 정육면체의 꼭짓점의 개수를 b개라 할 때, 면의 개수가 $(a+b)$개인 각뿔과 각기둥을 각각 m각뿔, n각기둥이라 하자. 이때 $m+n$의 값을 구하여라.

답 _____

12 회전체

개념 ① 회전체

(1) **회전체** : 평면도형을 한 직선 l을 축으로 하여 1회전시킬 때 생기는 입체도형

　① 회전축 : 회전시킬 때 축이 되는 직선 l

　② 모선 : 회전체에서 회전할 때 옆면을 만드는 선분

(2) **원뿔대** : 원뿔을 밑면에 평행한 평면으로 잘라서 생기는

　두 입체도형 중 원뿔이 아닌 쪽의 도형

　① 밑면 : 원뿔대의 평행한 두 면

　② 원뿔대의 높이 : 원뿔대의 두 밑면에 수직인 선분의 길이

(3) **회전체의 종류** : 원기둥, 원뿔, 원뿔대, 구 등이 있다.

회전체	원기둥	원뿔	원뿔대	구
겨냥도	l	l	l	l
회전시킨 평면도형	직사각형	직각삼각형	두 각이 직각인 사다리꼴	반원

개념 α

▸ 입체도형은 다면체와 회전체로 나뉜다.

▸ 구는 회전축이 무수히 많다.

▸ 구에는 모선이 없다.

▸ 평면도형이 회전축에서 떨어져 있으면 가운데가 뚫린 회전체가 만들어진다.

개념확인 01 다음 보기의 도형에 대하여 물음에 답하여라.

┤ 보기 ├─

ㄱ. 삼각기둥　　　　　ㄴ. 원뿔　　　　　ㄷ. 구

ㄹ. 오각뿔　　　　　ㅁ. 원뿔대　　　　　ㅂ. 정십이면체

(1) 다면체를 모두 골라라.

(2) 회전체를 모두 골라라.

개념확인 02 다음 그림과 같은 평면도형을 직선 l을 축으로 하여 1회전시킬 때 생기는 회전체의 겨냥도를 그리고, 회전체의 이름을 말하여라.

(1) 　　(2) 　　(3) 　　(4)

개념 ❷ 회전체의 성질

(1) 속이 꽉 찬 회전체를 회전축에 수직인 평면으로 자른 단면은 항상 원이다.

(2) 회전체를 회전축을 포함하는 평면으로 자른 단면은 서로 합동이고, 회전축에 대하여 선대칭도형이다.

회전체	원기둥	원뿔	원뿔대	구
회전축에 수직인 평면으로 자른 단면의 모양	원	원	원	원
회전축을 포함하는 평면으로 자른 단면의 모양	직사각형	이등변삼각형	사다리꼴	원

개념 α

▶ 구의 성질
  ① 어느 평면으로 잘라도 단면이 항상 원이다.
  ② 구의 단면이 가장 큰 경우는 구의 중심을 지나는 평면으로 자를 때이다.

▶ 어떤 직선을 접는 선으로 하여 접었을 때 완전히 겹쳐지는 도형을 선대칭도형이라 한다.

개념확인 03 다음 표의 빈칸에 알맞은 평면도형을 써넣어라.

회전체	회전축에 수직인 평면으로 자른 단면의 모양	회전축을 포함하는 평면으로 자른 단면의 모양
원기둥		
원뿔		
원뿔대		
구		

개념 ❸ 회전체의 전개도

원기둥	원뿔	원뿔대

개념 α

▶ 구는 전개도를 그릴 수 없다.

▶ 원기둥의 전개도에서 직사각형의 가로의 길이는 밑면인 원의 둘레의 길이와 같다.

▶ 원뿔의 전개도에서 부채꼴의 호의 길이는 밑면인 원의 둘레의 길이와 같다.

개념확인 04 오른쪽 그림은 원뿔대와 그 전개도이다. 전개도에서 a, b, c의 값을 각각 구하여라.

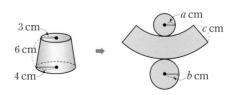

핵심유형 1 회전체   개념❶

다음 중 회전체가 <u>아닌</u> 것은?

① 구   ② 원   ③ 원뿔

④ 원기둥   ⑤ 원뿔대

GUIDE
회전체는 평면도형을 한 직선을 축으로 하여 1회전시킬 때 생기는 입체도형이다.

1-1 다음 중 회전체가 <u>아닌</u> 것은?

1-2 오른쪽 회전체는 다음 중 어떤 평면도형을 직선 *l*을 축으로 하여 1회전시켜서 만든 것인가?

1-3 오른쪽 그림과 같은 직사각형 ABCD를 대각선 AC를 축으로 하여 1회전시킬 때 생기는 회전체는?

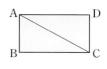

1-4 오른쪽 그림과 같은 도형을 이용하여 원뿔대를 만들 때, 어느 변을 축으로 하여 1회전시켜야 하는가?

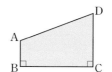

① $\overline{AB}$ ② $\overline{BC}$

③ $\overline{CD}$ ④ $\overline{AD}$

⑤ $\overline{BD}$

핵심유형 2 회전체의 성질   개념❷

다음은 회전체와 그 회전체를 회전축을 포함하는 평면으로 자를 때 생기는 단면의 모양을 짝지은 것이다. 옳지 <u>않은</u> 것은?

① 구 – 원   ② 원뿔 – 사각형

③ 반구 – 반원   ④ 원기둥 – 직사각형

⑤ 원뿔대 – 사다리꼴

GUIDE
회전체를 회전축을 포함하는 평면으로 자른 단면은 서로 합동이며 회전축에 대하여 선대칭도형이다.

2-1 다음 중 어떤 평면으로 잘라도 그 단면이 항상 원인 회전체는?

① 구　　　　② 반구　　　　③ 원뿔

④ 원기둥　　　⑤ 원뿔대

2-2 다음 중 회전축에 수직인 어떤 평면으로 잘라도 그 단면이 항상 합동인 회전체는?

① 구　　　　② 반구　　　　③ 원뿔

④ 원기둥　　　⑤ 원뿔대

2-3 오른쪽 그림의 원뿔을 평면 P, Q, R, S, T로 각각 자를 때, 생기는 단면의 모양을 보기에서 고를 때, 알맞게 짝지어지지 <u>않은</u> 것은?

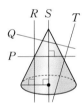

┤ 보기 ├
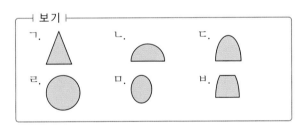

① P - ㄹ　　② Q - ㅂ　　③ R - ㄷ

④ S - ㄱ　　⑤ T - ㄴ

2-4 오른쪽 그림의 원뿔대를 임의의 한 평면으로 자를 때, 다음 중 단면의 모양이 될 수 <u>없는</u> 것은?

다음 중 원뿔대의 전개도는?

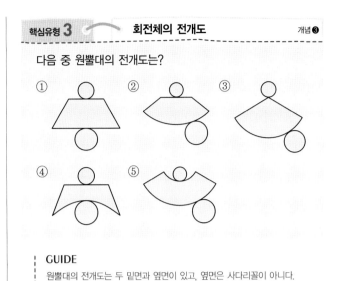

GUIDE
원뿔대의 전개도는 두 밑면과 옆면이 있고, 옆면은 사다리꼴이 아니다.

3-1 다음 그림은 원뿔과 그 전개도이다. a, b의 값을 차례로 나타낸 것은?

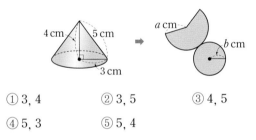

① 3, 4　　　② 3, 5　　　③ 4, 5

④ 5, 3　　　⑤ 5, 4

3-2 오른쪽 그림과 같이 원뿔의 밑면인 원 위의 한 점 A에서 실로 이 원뿔을 한 바퀴 팽팽하게 감을 때, 다음 중 실이 지나는 경로를 전개도 위에 바르게 나타낸 것은? (단, 전개도에서 밑면은 생각하지 않는다.)

①

②

③

④

⑤

정답 및 풀이 25쪽

01 다음 보기의 입체도형 중에서 회전축이 있는 것은 모두 몇 개인가?

┌─ 보기 ┐
ㄱ. 직육면체　　ㄴ. 원기둥　　ㄷ. 삼각뿔
ㄹ. 구　　　　　ㅁ. 원뿔　　　ㅂ. 원뿔대

① 2개　　　② 3개　　　③ 4개
④ 5개　　　⑤ 6개

02 오른쪽 그림의 평면도형을 직선 l을 축으로 하여 1회전시킬 때 생기는 회전체는?

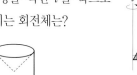

①　　②

③　　④　　⑤

03 오른쪽 그림의 도넛 모양의 회전체는 다음 중 어떤 평면도형을 직선 l을 축으로 하여 1회전시켜서 만든 것인가?

①　　②　　③

④　　⑤

04 오른쪽 그림과 같은 평면도형을 직선 l을 축으로 하여 1회전시켰을 때 생기는 회전체에 대한 다음 설명 중 옳지 않은 것은?

① 회전축에 수직인 평면으로 자른 단면은 원이다.

② 회전축에 수직인 평면으로 자른 단면은 서로 합동이다.

③ 회전축을 포함하는 평면으로 자른 단면은 이등변삼각형이다.

④ 회전축을 포함하는 평면으로 자른 단면은 선대칭도형이다.

⑤ 회전축을 포함하는 평면으로 자른 단면은 서로 합동이다.

05 오른쪽 그림과 같은 원뿔을 임의의 한 평면으로 자를 때, 다음 중 단면의 모양이 될 수 없는 것은?

①　　②　　③

④　　⑤

06 회전축에 수직인 평면과 회전축을 포함하는 평면으로 자른 단면의 모양이 각각 오른쪽 그림과 같은 회전체는?

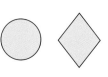

①　　②　　③

④　　⑤

07 오른쪽 그림의 원뿔을 회전축을 포함하는 평면으로 자른 단면의 넓이는?

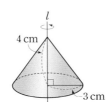

① 6 cm²   ② 10 cm²

③ 12 cm²   ④ 18 cm²

⑤ 24 cm²

08 잘나와요

오른쪽 그림과 같은 사다리꼴을 직선 *l* 을 축으로 하여 1회전시켰을 때 생기는 입체도형을 회전축을 포함하는 평면으로 자른 단면의 넓이는?

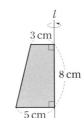

① 36 cm²   ② 48 cm²

③ 56 cm²   ④ 64 cm²

⑤ 72 cm²

09 오른쪽 그림과 같은 원기둥의 전개도에서 옆면이 되는 직사각형의 넓이는?

① 9π cm²   ② 18π cm²

③ 24π cm²   ④ 30π cm²

⑤ 36π cm²

10 다음 중 회전체의 단면에 대한 설명으로 옳지 <u>않은</u> 것은?

① 구는 어떤 평면으로 잘라도 그 단면이 항상 원이다.

② 원기둥을 밑면에 평행한 평면으로 자른 단면은 원이다.

③ 원뿔을 회전축을 포함하는 평면으로 자른 단면은 이등변삼각형이다.

④ 원뿔대를 밑면에 평행한 평면으로 자른 단면은 원이다.

⑤ 원기둥을 밑면에 수직인 평면으로 자른 단면은 원이다.

11 다음 중 회전체에 대한 설명으로 옳지 <u>않은</u> 것은?

① 회전체의 옆면은 곡면이다.

② 회전체의 회전축은 하나뿐이다.

③ 회전체를 회전축에 수직인 평면으로 자른 단면은 항상 원이다.

④ 회전체를 회전축을 포함하는 평면으로 자른 단면은 서로 합동이다.

⑤ 원기둥을 회전축을 포함하는 평면으로 자른 단면은 직사각형이다.

서·술·형·문·제   풀이 과정을 자세히 쓰시오.

12 오른쪽 그림과 같은 전개도로 만들어지는 원뿔의 밑넓이를 구하여라.

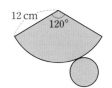

[단계] ❶ 옆면인 부채꼴의 호의 길이 구하기

❷ 밑면인 원의 반지름의 길이 구하기

❸ 원뿔의 밑넓이 구하기

답 _____

13 오른쪽 그림과 같은 원뿔대의 전개도에서 옆면에 해당하는 도형의 둘레의 길이를 구하여라.

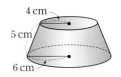

답 _____

----- 152쪽 **기출문제로 내신대비** 로 반복학습하세요!

개념 ① 각기둥의 겉넓이

각기둥의 겉넓이는 합동인 두 밑면의 넓이와 옆넓이의 합이다.

$$(겉넓이)=(밑넓이)\times 2+(옆넓이)$$

[참고] 각기둥의 전개도에서 옆면은 모두 직사각형이므로 밑면의 둘레의 길이를 옆면의 가로의 길이로 하여 옆넓이를 구한다.

개념 α

▶ 기둥에서 밑면은 두 개이므로 밑넓이에 반드시 2를 곱한 후 옆넓이를 더하여 겉넓이를 구한다.

[개념확인] **01** 오른쪽 그림과 같은 각기둥과 그 전개도에 대하여 다음 물음에 답하여라.
(1) a, b의 값을 각각 구하여라.
(2) 각기둥의 겉넓이를 구하여라.

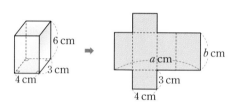

[개념확인] **02** 오른쪽 그림과 같은 각기둥의 겉넓이를 구하여라.

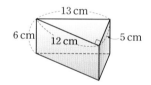

개념 ② 원기둥의 겉넓이

밑면의 반지름의 길이가 r, 높이가 h인 원기둥의 겉넓이를 S라 하면
(원기둥의 겉넓이)=(밑넓이)×2+(옆넓이)이므로

$$S=2\pi r^2+2\pi rh$$

[참고] 원기둥의 전개도에서 옆넓이는 직사각형의 넓이와 같다.
• (직사각형의 가로의 길이)=(밑면인 원의 둘레의 길이)
• (직사각형의 세로의 길이)=(원기둥의 높이)

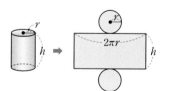

개념 α

▶ (원기둥의 겉넓이)
$=(밑넓이)\times 2+(옆넓이)$
$=\pi r^2\times 2+2\pi r\times h$
$=2\pi r^2+2\pi rh$

[개념확인] **03** 오른쪽 그림과 같은 원기둥과 그 전개도에 대하여 다음 물음에 답하여라.
(1) a, b, c의 값을 각각 구하여라.
(2) 원기둥의 겉넓이를 구하여라.

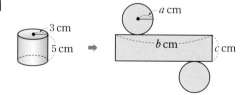

개념 ③ 　각기둥의 부피

밑넓이가 S, 높이가 h인 각기둥의 부피를 V라 하면
(부피)=(밑넓이)×(높이)이므로
$$V=Sh$$

개념 α
▶ 겉넓이, 부피 등을 구할 때
　는 단위에 주의한다.
　• 길이의 단위 : cm, m
　• 넓이의 단위 : cm², m²
　• 부피의 단위 : cm³, m³

참고　• 밑면의 가로, 세로의 길이가 각각 a, b이고, 높이가 c인 직육면체의 부피 V는 $V=abc$
　　　　• 한 모서리의 길이가 a인 정육면체의 부피 V는 $V=a^3$

개념확인 04 다음 그림과 같은 각기둥의 부피를 구하여라.

(1)
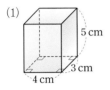
5 cm
3 cm
4 cm

(2) 6 cm　8 cm
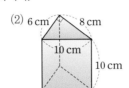
10 cm
10 cm

개념 ④ 　원기둥의 부피

밑면의 반지름의 길이가 r, 높이가 h인 원기둥의 부피를 V라 하면
(부피)=(밑넓이)×(높이)이므로
$$V=\pi r^2 h$$

개념 α
▶ (원기둥의 부피)
　=(밑넓이)×(높이)
　=$\pi r^2 \times h$
　=$\pi r^2 h$

개념확인 05 다음 그림과 같은 원기둥의 부피를 구하여라.

(1)
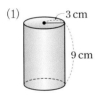
3 cm
9 cm

(2)
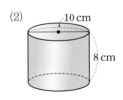
10 cm
8 cm

개념확인 06 오른쪽 그림과 같은 입체도형의 부피를 구하여라.

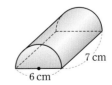
7 cm
6 cm

정답 및 풀이 27쪽

핵심유형 1　　　각기둥의 겉넓이　　개념 **❶**

오른쪽 그림과 같은 삼각기둥의 겉넓이는?

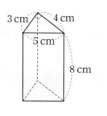

① 108 cm^2　　② 112 cm^2

③ 120 cm^2　　④ 124 cm^2

⑤ 130 cm^2

GUIDE
(각기둥의 겉넓이)=(밑넓이)×2+(옆넓이)

1-1 오른쪽 그림과 같은 사다리꼴을 밑면으로 하고, 높이가 7 cm인 사각기둥의 겉넓이는?

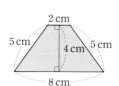

① 140 cm^2　　② 150 cm^2

③ 160 cm^2　　④ 170 cm^2

⑤ 180 cm^2

1-2 오른쪽 그림과 같은 전개도로 만들어지는 입체도형의 겉넓이는?

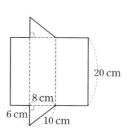

① 420 cm^2　　② 460 cm^2

③ 500 cm^2　　④ 528 cm^2

⑤ 532 cm^2

1-3 오른쪽 그림과 같은 사각기둥의 겉넓이가 126 cm^{2}일 때, h의 값은?

① 5　　　　② 6

③ 7　　　　④ 8

⑤ 10

1-4 겉넓이가 294 cm^{2}인 정육면체의 한 모서리의 길이는?

① 5 cm　　② 6 cm　　③ 7 cm

④ 8 cm　　⑤ 9 cm

1-5 오른쪽 그림은 한 모서리의 길이가 3 cm인 정육면체 4개를 붙여 만든 입체도형이다. 이 입체도형의 겉넓이는?

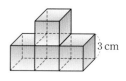

① 136 cm^2　　② 145 cm^2　　③ 156 cm^2

④ 162 cm^2　　⑤ 176 cm^2

핵심유형 2　　　원기둥의 겉넓이　　개념 **❷**

오른쪽 그림의 직사각형을 직선 l을 축으로 하여 1회전시켰을 때 생기는 회전체의 겉넓이는?

① 24π cm^2　　② 48π cm^2

③ 60π cm^2　　④ 72π cm^2

⑤ 80π cm^2

GUIDE
밑면의 반지름의 길이가 r, 높이가 h인 원기둥의 겉넓이를 S라 하면
(원기둥의 겉넓이)=(밑넓이)×2+(옆넓이)이므로
$S = \pi r^2 \times 2 + 2\pi r \times h = 2\pi r^2 + 2\pi r h$

2-1 오른쪽 그림과 같은 원기둥의 겉넓이는?

① 60π cm² ② 66π cm²

③ 70π cm² ④ 78π cm²

⑤ 80π cm²

2-2 오른쪽 그림과 같은 원기둥의 겉넓이가 130π cm²일 때, h의 값은?

① 8 ② 9

③ 10 ④ 11

⑤ 12

핵심유형 **3** 각기둥의 부피 개념 ❸

오른쪽 그림과 같이 밑면이 사다리꼴인 사각기둥의 부피는?

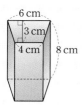

① 15 cm³ ② 30 cm³

③ 60 cm³ ④ 120 cm³

⑤ 150 cm³

GUIDE
밑넓이가 S, 높이가 h인 각기둥의 부피를 V라 하면
(부피)=(밑넓이)×(높이)이므로 $V=Sh$

3-1 오른쪽 그림과 같은 전개도로 만들어지는 입체도형의 부피는?

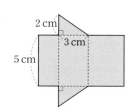

① 6 cm³ ② 10 cm³

③ 15 cm³ ④ 20 cm³

⑤ 24 cm³

3-2 오른쪽 그림과 같은 오각기둥의 부피는?

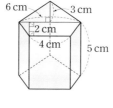

① 80 cm³ ② 85 cm³

③ 90 cm³ ④ 95 cm³

⑤ 100 cm³

핵심유형 **4** 원기둥의 부피 개념 ❹

오른쪽 그림은 원기둥의 전개도이다. 이 전개도로 만들어지는 원기둥의 부피는?

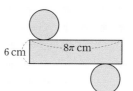

① 75π cm³ ② 84π cm³

③ 88π cm³ ④ 92π cm³

⑤ 96π cm³

GUIDE
밑면의 반지름의 길이가 r, 높이가 h인 원기둥의 부피를 V라 하면
(부피)=(밑넓이)×(높이)이므로 $V=\pi r^2 h$

4-1 밑면인 원의 지름의 길이가 12 cm이고, 높이가 9 cm인 원기둥의 부피는?

① 240π cm³ ② 256π cm³ ③ 280π cm³

④ 324π cm³ ⑤ 360π cm³

4-2 오른쪽 그림과 같이 원기둥 모양의 선물 상자 A, B가 있다. 두 상자의 부피가 같을 때, x의 값은?

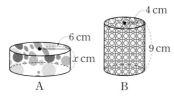

① 2 ② 3 ③ 4

④ 5 ⑤ 6

정답 및 풀이 27쪽

01 오른쪽 그림과 같은 각기둥의 겉넓이는?

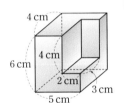

① 120 cm²
② 126 cm²
③ 130 cm²
④ 168 cm²
⑤ 188 cm²

05 오른쪽 그림과 같은 입체도형의 겉넓이는?

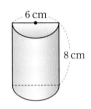

① (20π+40) cm²
② (24π+64) cm²
③ (32π+48) cm²
④ (33π+48) cm²
⑤ (36π+48) cm²

02 오른쪽 그림은 직육면체에서 작은 직육면체 모양을 잘라낸 입체도형이다. 이 입체도형의 겉넓이는?

① 140 cm² ② 148 cm²
③ 152 cm² ④ 156 cm²
⑤ 160 cm²

06 오른쪽 그림과 같은 사각기둥의 부피는?

① 108 cm³ ② 114 cm³
③ 120 cm³ ④ 126 cm³
⑤ 140 cm³

03 밑면의 넓이가 36 cm²인 직육면체가 있다. 이 직육면체의 높이가 5 cm로 일정할 때, 다음 중 겉넓이를 가장 작게 하는 밑면의 가로와 세로의 길이를 바르게 짝지은 것은?

① 1 cm, 36 cm   ② 2 cm, 18 cm
③ 3 cm, 12 cm   ④ 4 cm, 9 cm
⑤ 6 cm, 6 cm

07 오른쪽 그림과 같은 기둥의 부피는?

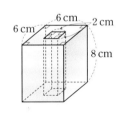

① 224 cm³ ② 232 cm³
③ 248 cm³ ④ 256 cm³
⑤ 262 cm³

04 어떤 원기둥을 회전축을 포함하는 평면으로 잘랐더니 그 단면의 모양이 한 변의 길이가 6 cm인 정사각형이었다. 이 원기둥의 겉넓이는?

① 48π cm²   ② 52π cm²   ③ 54π cm²
④ 60π cm²   ⑤ 62π cm²

08 오른쪽 그림과 같은 직사각형 ABCD에서 $\overline{AD}$를 축으로 하여 1회전시킨 회전체의 부피와 $\overline{AB}$를 축으로 하여 1회전시킨 회전체의 부피의 비는?

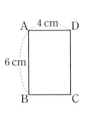

① 2 : 1   ② 3 : 1   ③ 3 : 2
④ 4 : 3   ⑤ 5 : 3

09 오른쪽 그림과 같은 원기둥 모양의 통에 들어 있는 물의 부피는? (단, 6 cm는 통의 밑면인 원의 지름의 길이이다.)

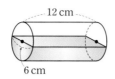

① 54π cm³　　② 58π cm³　　③ 62π cm³
④ 65π cm³　　⑤ 70π cm³

10 오른쪽 그림과 같은 입체도형의 부피는?

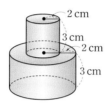

① 48π cm³　　② 52π cm³
③ 56π cm³　　④ 60π cm³
⑤ 64π cm³

11 오른쪽 그림과 같이 직육면체 위에 밑면이 반원인 기둥을 붙여 만든 입체도형의 부피는?

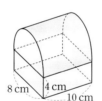

① $(40\pi+80)$ cm³
② $(40\pi+100)$ cm³
③ $(80\pi+160)$ cm³
④ $(80\pi+320)$ cm³
⑤ $(90\pi+320)$ cm³

12 오른쪽 그림과 같은 입체도형의 부피가 30π cm³일 때, 높이 h는?

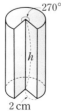

① 6 cm　　② 7 cm
③ 8 cm　　④ 9 cm
⑤ 10 cm

내신 up
13 오른쪽 그림은 반지름의 길이가 2 cm인 원기둥을 비스듬히 자른 것이다. 높이가 짧은 쪽은 3 cm, 긴 쪽은 8 cm일 때, 이 도형의 부피를 구하여라.

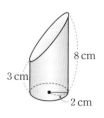

서·술·형·문·제　　　　　　풀이 과정을 자세히 쓰시오.

14 오른쪽 그림과 같은 직사각형을 직선 l을 축으로 하여 1회전시켰을 때 생기는 입체도형의 겉넓이를 구하여라.

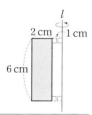

[단계]　❶ 입체도형의 밑넓이 구하기
　　　　❷ 입체도형의 바깥쪽과 안쪽의 옆넓이 구하기
　　　　❸ 입체도형의 겉넓이 구하기

답 _____

15 오른쪽 그림과 같이 가로의 길이가 10 cm, 세로의 길이가 5 cm인 직사각형 모양의 종이를 사용하여 두 가지 방법으로 원기둥

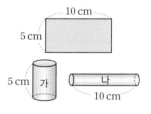

의 옆면을 만든 후 밑면을 만들어 붙여 두 원기둥 가, 나를 만들었다. 원기둥 가, 나의 부피의 비를 가장 작은 자연수의 비로 나타내어라.

답 _____

158쪽 기출문제로 내신대비 로 반복학습하세요!

14 뿔의 겉넓이와 부피

정답 및 풀이 29쪽

개념 ① 각뿔의 겉넓이

각뿔의 겉넓이는 밑넓이와 옆넓이의 합이다.

(각뿔의 겉넓이)=(밑넓이)+(옆넓이)

참고 각뿔의 전개도를 그려 보면 각뿔은 다각형인 한 개의 밑면
과 삼각형인 여러 개의 옆면으로 이루어져 있다.

즉, (각뿔의 겉넓이)=(밑면인 다각형의 넓이)+(옆면인 삼각형의 넓이의 합)

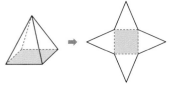

개념 α
▶ 각뿔의 밑면은 1개이다.
▶ (각뿔대의 겉넓이)
　=(두 밑면의 넓이의 합)
　　+(옆넓이)

개념확인 01 오른쪽 그림과 같은 각뿔에 대하여 다음 물음에 답하여라.

(1) a, b의 값을 각각 구하여라.

(2) 각뿔의 겉넓이를 구하여라.

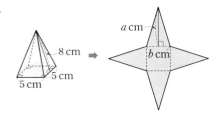

개념확인 02 오른쪽 그림과 같은 각뿔의 겉넓이를 구하여라.

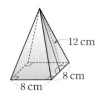

개념 ② 원뿔의 겉넓이

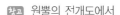

밑면의 반지름의 길이가 r, 모선의 길이가 l인 원뿔의 겉넓이를 S라 하면

(겉넓이)=(밑넓이)+(옆넓이)이므로

$$S=\pi r^2+\pi rl$$

참고 원뿔의 전개도에서

• (밑면인 원의 둘레의 길이)=(부채꼴의 호의 길이)=$2\pi r$

• (원뿔의 모선의 길이)=(부채꼴의 반지름의 길이)=l

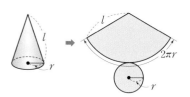

개념 α
▶ (원뿔의 겉넓이)
　=(밑넓이)+(옆넓이)
　=(밑넓이)+(부채꼴의 넓이)
　=$\pi r^2+\dfrac{1}{2}\times 2\pi r\times l$
　=$\pi r^2+\pi rl$
▶ (원뿔대의 겉넓이)
　=(두 밑면의 넓이의 합)
　　+(옆넓이)
▶ (원뿔대의 옆넓이)
　=(큰 부채꼴의 넓이)
　　-(작은 부채꼴의 넓이)

개념확인 03 오른쪽 그림과 같은 원뿔에 대하여 다음 물음에 답하여라.

(1) a, b의 값을 각각 구하여라.

(2) 원뿔의 겉넓이를 구하여라.

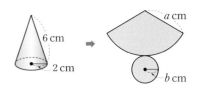

개념 ③ 각뿔의 부피

(1) 각뿔의 부피는 밑넓이와 높이가 각각 같은 각기둥의 부피의 $\frac{1}{3}$이다.

(2) 밑넓이가 S, 높이가 h인 각뿔의 부피를 V라 하면

(부피)$=\frac{1}{3}\times$(각기둥의 부피)$=\frac{1}{3}\times$(밑넓이)$\times$(높이)이므로

$$V=\frac{1}{3}Sh$$

개념 α

▶ 뿔의 높이는 뿔의 꼭짓점에서 밑면에 내린 수선의 발까지의 거리이다.

▶ (각뿔대의 부피)
= (큰 각뿔의 부피)
  −(작은 각뿔의 부피)

개념확인 04 다음 그림과 같은 각뿔의 부피를 구하여라.

(1)
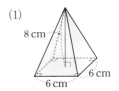

(2)
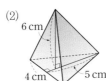

개념 ④ 원뿔의 부피

(1) 원뿔의 부피는 밑넓이와 높이가 각각 같은 원기둥의 부피의 $\frac{1}{3}$이다.

(2) 밑면의 반지름의 길이가 r, 높이가 h인 원뿔의 부피를 V라 하면

(부피)$=\frac{1}{3}\times$(원기둥의 부피)$=\frac{1}{3}\times$(밑넓이)$\times$(높이)이므로

$$V=\frac{1}{3}\pi r^2 h$$

개념 α

▶ 원뿔의 부피를 계산할 때, 모선의 길이를 높이로 계산하지 않도록 주의한다.

▶ (원뿔대의 부피)
= (큰 원뿔의 부피)
  −(작은 원뿔의 부피)

개념확인 05 다음 그림과 같은 원뿔의 부피를 구하여라.

(1)
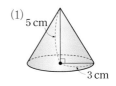

(2)
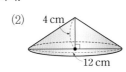

정답 및 풀이 30쪽

핵심유형 1   각뿔의 겉넓이   개념 ❶

오른쪽 그림과 같이 한 변의 길이가 10 cm인 정사각형을 밑면으로 하고, 높이가 12 cm인 이등변삼각형을 옆면으로 하는 정사각뿔의 겉넓이는?

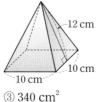

① 120 cm²   ② 240 cm²   ③ 340 cm²

④ 420 cm²   ⑤ 500 cm²

GUIDE

(사각뿔의 겉넓이)=(밑넓이)+(옆넓이)
=(사각형의 넓이)+(삼각형의 넓이)×4

1-1 오른쪽 그림의 전개도로 만들어지는 사각뿔의 겉넓이는?

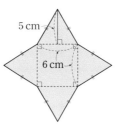

① 76 cm²   ② 82 cm²

③ 88 cm²   ④ 90 cm²

⑤ 96 cm²

1-2 오른쪽 그림과 같이 밑면이 정사각형이고, 옆면이 모두 합동인 이등변삼각형으로 이루어진 정사각뿔의 겉넓이가 72 cm²일 때, x의 값은?

① 5   ② 6

③ 7   ④ 8

⑤ 9

핵심유형 2   원뿔의 겉넓이   개념 ❷

오른쪽 그림과 같은 원뿔의 겉넓이가 56π cm²일 때, 이 원뿔의 모선의 길이는?

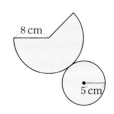

① 8 cm   ② 9 cm

③ 10 cm   ④ 11 cm

⑤ 12 cm

GUIDE

밑면의 반지름의 길이가 r, 모선의 길이가 l인 원뿔의 겉넓이를 S라 하면
(원뿔의 겉넓이)=(밑넓이)+(옆넓이)이므로
$$S=\pi r^2+\frac{1}{2}\times 2\pi r\times l=\pi r^2+\pi rl$$

2-1 오른쪽 그림의 전개도로 만들어지는 원뿔의 겉넓이는?

① 40π cm²   ② 54π cm²

③ 65π cm²   ④ 72π cm²

⑤ 84π cm²

2-2 오른쪽 그림과 같은 원뿔의 옆넓이가 54π cm²일 때, 밑면인 원의 반지름의 길이를 구하여라.

2-3 오른쪽 그림과 같은 원뿔의 전개도에서 부채꼴의 중심각의 크기가 240°일 때, 원뿔의 겉넓이는?

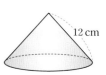

① 130π cm²   ② 140π cm²   ③ 150π cm²

④ 160π cm²   ⑤ 170π cm²

오른쪽 그림과 같은 삼각뿔의 부피는?

① 48 cm³   ② 62 cm³

③ 84 cm³   ④ 96 cm³

⑤ 112 cm³

GUIDE

밑넓이가 S, 높이가 h인 각뿔의 부피를 V라 하면

(부피)$=\dfrac{1}{3}\times$(각기둥의 부피)$=\dfrac{1}{3}\times$(밑넓이)$\times$(높이)이므로 $V=\dfrac{1}{3}Sh$

3-1 오른쪽 그림과 같은 사각뿔의 부피가 192 cm³일 때, 높이를 구하여라.

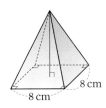

3-2 오른쪽 그림과 같이 한 모서리의 길이가 6 cm인 정육면체를 세 꼭짓점 B, G, D를 지나는 평면으로 잘랐을 때, 삼각뿔 C−BGD의 부피는?

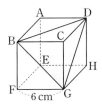

① 36 cm³   ② 45 cm³   ③ 54 cm³

④ 64 cm³   ⑤ 72 cm³

3-3 오른쪽 그림과 같은 사각뿔대의 부피는?

① 240 cm³   ② 300 cm³

③ 320 cm³   ④ 350 cm³

⑤ 360 cm³

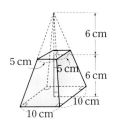

오른쪽 그림과 같은 직각삼각형을 직선 l을 축으로 하여 1회전시킬 때 생기는 회전체의 부피는?

① 54π cm³   ② 65π cm³

③ 80π cm³   ④ 95π cm³

⑤ 108π cm³

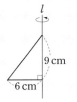

GUIDE

밑면의 반지름의 길이가 r, 높이가 h인 원뿔의 부피를 V라 하면

(부피)$=\dfrac{1}{3}\times$(밑넓이)$\times$(높이)이므로 $V=\dfrac{1}{3}\pi r^2 h$

4-1 밑면인 원의 반지름의 길이가 9 cm인 원뿔의 부피가 189π cm³일 때, 이 원뿔의 높이는?

① 6 cm   ② 7 cm   ③ 8 cm

④ 9 cm   ⑤ 10 cm

4-2 오른쪽 그림과 같이 밑면인 원의 반지름의 길이가 3 cm, 높이가 4 cm인 원뿔 모양의 그릇에 1분에 2π cm³씩 물을 넣을 때, 빈 그릇에 물을 가득 채우는 데 걸리는 시간은?

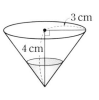

① 3분   ② 4분   ③ 5분

④ 6분   ⑤ 7분

4-3 오른쪽 그림과 같은 원뿔대의 부피는?

① 84π cm³

② 92π cm³

③ 105π cm³

④ 116π cm³

⑤ 120π cm³

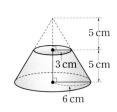

정답 및 풀이 31쪽

01 오른쪽 그림과 같이 옆면의 모양이 이등변삼각형인 사각뿔의 겉넓이는?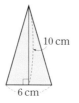

① 120 cm² ② 136 cm²
③ 144 cm² ④ 156 cm²
⑤ 164 cm²

02 오른쪽 그림과 같이 밑면의 모양이 정사각형이고, 옆면은 모두 합동인 사다리꼴로 이루어진 사각뿔대의 겉넓이는?

① 146 cm² ② 152 cm²
③ 160 cm² ④ 174 cm²
⑤ 185 cm²

03 오른쪽 그림은 원뿔의 전개도이다. 이 원뿔의 밑넓이는?

① 4π cm² ② 6π cm²
③ 9π cm² ④ 12π cm²
⑤ 16π cm²

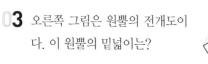 **04** 원뿔의 전개도에서 밑면인 원의 반지름의 길이가 3 cm이고, 부채꼴의 중심각의 크기가 120°인 원뿔의 겉넓이는?

① 16π cm² ② 24π cm² ③ 28π cm²
④ 32π cm² ⑤ 36π cm²

05 오른쪽 그림과 같은 원뿔에서 $l=2r$이고, 원뿔의 겉넓이가 75π일 때, r의 값은?

① 3 ② 4
③ 5 ④ 6
⑤ 7

06 오른쪽 그림과 같이 밑면의 반지름의 길이가 3 cm인 원뿔을 꼭짓점 O를 중심으로 하여 4바퀴를 돌렸더니 원래의 자리에 되돌아왔다. 이때 이 원뿔의 모선의 길이는?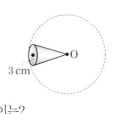

① 9 cm ② 10 cm ③ 11 cm
④ 12 cm ⑤ 13 cm

 07 오른쪽 그림과 같은 원뿔대의 겉넓이는?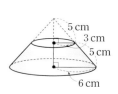

① 70π cm² ② 80π cm²
③ 90π cm² ④ 100π cm²
⑤ 110π cm²

08 오른쪽 그림과 같은 직육면체에서 삼각뿔 C−BGD를 잘라내고 남은 입체도형의 부피는?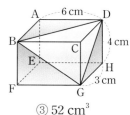

① 40 cm³ ② 48 cm³ ③ 52 cm³
④ 60 cm³ ⑤ 72 cm³

09 오른쪽 그림의 사각형 ABCD는 한 변의 길이가 12 cm인 정사각형이고, 두 점 E, F는 각각 $\overline{AB}$, $\overline{BC}$의 중점이다. 사각형 ABCD를 $\overline{DE}$, $\overline{EF}$, $\overline{FD}$를 접는 선으로 하여 접을 때 생기는 입체도형의 부피는?

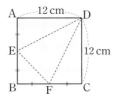

① 48 cm³ ② 56 cm³ ③ 64 cm³

④ 72 cm³ ⑤ 80 cm³

10 직육면체 모양의 그릇에 물을 부은 뒤 그릇을 기울였더니 오른쪽 그림과 같았다. 이때 물의 부피는?

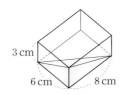

① 24 cm³ ② 36 cm³ ③ 48 cm³

④ 60 cm³ ⑤ 72 cm³

11 오른쪽 그림과 같은 입체도형의 부피는?

① 30π cm³ ② 33π cm³

③ 36π cm³ ④ 40π cm³

⑤ 45π cm³

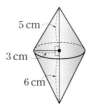

내신 up

12 오른쪽 그림과 같이 밑면의 반지름의 길이가 8 cm, 높이가 12 cm인 원뿔 모양의 그릇에 일정한 속도로 물을 채우려고 한다. 1초에 8π cm³씩 물을 넣을 때, 빈 그릇에 물을 가득 채우려면 몇 초가 걸리겠는가?

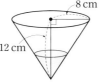

① 30초 ② 32초 ③ 36초

④ 48초 ⑤ 64초

13 오른쪽 그림과 같은 평면도형을 직선 l을 축으로 하여 1회전시킬 때 생기는 회전체의 부피를 구하여라.

풀이 과정을 자세히 쓰시오.

14 다음 그림과 같은 직육면체 모양의 두 그릇 A, B에 같은 양의 물이 들어 있을 때, x의 값을 구하여라.

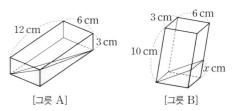

[그릇 A] [그릇 B]

[단계] ❶ 그릇 A의 물의 양 구하기
        ❷ 그릇 B의 물의 양 구하기
        ❸ x의 값 구하기

답 _____

15 오른쪽 그림과 같은 도형을 직선 l을 축으로 하여 1회전시켰을 때 생기는 회전체의 겉넓이를 구하여라.

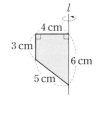

답 _____

-------- 160쪽 **기출문제로 내신대비** 로 반복학습하세요!

15 구의 겉넓이와 부피

정답 및 풀이 32쪽

개념 ① 구의 겉넓이

반지름의 길이가 r인 구의 겉넓이를 S라 하면
$$S = 4\pi r^2$$

참고 오른쪽 그림과 같이 구의 겉면을 폭이 일정한 가는 끈으로 감았다가 풀어 그 끈으로 평면 위에 원을 만든 후 구를 반으로 잘라 이 원 위에 놓으면 원의 반지름의 길이는 반구의 지름의 길이와 같다.

따라서 (구의 겉넓이)=(반지름의 길이가 $2r$인 원의 넓이)$= \pi \times (2r)^2 = 4\pi r^2$

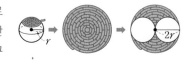

개념 α

▶ 구는 전개도를 그릴 수 없기 때문에 원기둥이나 원뿔과 같이 전개도를 이용하여 겉넓이를 구할 수 없다.

▶ 구의 겉넓이는 같은 반지름을 갖는 원의 넓이의 4배이다.

개념확인 **01** 다음 그림과 같은 구의 겉넓이를 구하여라.

(1)

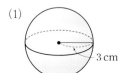
3 cm

(2)

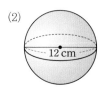
12 cm

개념확인 **02** 오른쪽 그림과 같은 반구의 겉넓이를 구하여라.

5 cm

개념 ② 구의 부피

(1) 구의 부피는 밑면의 지름의 길이와 높이가 각각 같은 원기둥의 부피의 $\dfrac{2}{3}$이다.

(2) 반지름의 길이가 r인 구의 부피를 V라 하면
$$V = \frac{4}{3}\pi r^3$$

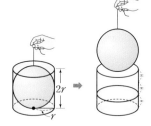

개념 α

▶ 원기둥 안에 꼭 맞게 들어가는 구와 원뿔이 있을 때, 원뿔, 구, 원기둥의 부피의 비는 $1:2:3$이다.

개념확인 **03** 다음 그림과 같은 입체도형의 부피를 구하여라.

(1)

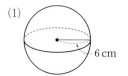
6 cm

(2)

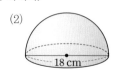
18 cm

정답 및 풀이 32쪽

핵심유형 1 구의 겉넓이 개념 ❶

오른쪽 그림은 반지름의 길이가 3 cm인 구의 $\frac{1}{4}$을 잘라내고 남은 입체도형이다. 이 입체도형의 겉넓이는?

① 12π cm² ② 18π cm² ③ 24π cm²

④ 28π cm² ⑤ 36π cm²

> **GUIDE**
> 반지름의 길이가 r인 구의 겉넓이를 S라 하면 $S=4\pi r^2$

1-1 구를 회전축을 포함하는 평면으로 자른 단면의 넓이가 64π cm²일 때, 이 구의 겉넓이는?

① 128π cm² ② 192π cm² ③ 256π cm²

④ 282π cm² ⑤ 320π cm²

1-2 오른쪽 그림은 반지름의 길이가 6 cm인 구의 $\frac{1}{8}$을 잘라내고 남은 입체도형이다. 이 입체도형의 겉넓이는?

① 100π cm² ② 125π cm²

③ 148π cm² ④ 153π cm²

⑤ 164π cm²

1-3 반지름의 길이가 각각 $2r$, $3r$인 두 구의 겉넓이의 비는?

① $2:3$ ② $3:2$ ③ $4:3$

④ $4:9$ ⑤ $5:9$

핵심유형 2 구의 부피 개념 ❷

오른쪽 그림과 같은 입체도형의 부피는?

① 200π cm³ ② 240π cm³

③ 280π cm³ ④ 300π cm³

⑤ 320π cm³

> **GUIDE**
> 반지름의 길이가 r인 구의 부피를 V라 하면 $V=\frac{4}{3}\pi r^3$

2-1 겉넓이가 a cm²인 어떤 구의 부피가 a cm³일 때, 이 구의 반지름의 길이는?

① 2 cm ② 3 cm ③ 4 cm

④ 5 cm ⑤ 6 cm

2-2 반지름의 길이가 오른쪽 그림과 같은 두 구 A와 B의 부피의 비는?

① $2:3$ ② $4:9$

③ $8:27$ ④ $9:25$

⑤ $10:49$

2-3 지름의 길이가 12 cm인 쇠구슬을 녹여서 지름의 길이가 2 cm인 쇠구슬을 몇 개 만들 수 있는가?

① 64개 ② 128개 ③ 160개

④ 216개 ⑤ 256개

01 오른쪽 그림은 반지름의 길이가 4 cm인 구를 8등분 한 것 중 하나이다. 이 입체도형의 겉넓이는?

① 16π cm²   ② 20π cm²

③ 24π cm²   ④ 28π cm²

⑤ 36π cm²

내신 up

02 다음 그림과 같이 야구공의 겉면은 크기와 모양이 같은 조각 2개로 이루어져 있다. 야구공의 지름의 길이가 7 cm일 때, 조각 한 개의 넓이는?

① 21π cm²   ② $\dfrac{45}{2}\pi$ cm²   ③ 24π cm²

④ $\dfrac{49}{2}\pi$ cm²   ⑤ 28π cm²

03 오른쪽 그림과 같이 밑면의 반지름의 길이가 4 cm, 높이가 8 cm인 원기둥 안에 반지름의 길이가 4 cm인 구가 꼭 맞게 들어 있다. 원기둥의 옆넓이와 구의 겉넓이의 비는?

① 1 : 1   ② 2 : 1   ③ 2 : 3

④ 3 : 2   ⑤ 4 : 3

04 오른쪽 그림과 같은 평면도형을 직선 l을 축으로 하여 1회전시킨 회전체의 겉넓이는?

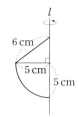

① 56π cm²   ② 64π cm²

③ 72π cm²   ④ 80π cm²

⑤ 96π cm²

잘나와요

05 겉넓이가 144π cm²인 구의 부피는?

① 215π cm³   ② 240π cm³   ③ 288π cm³

④ 320π cm³   ⑤ 356π cm³

06 오른쪽 그림은 높이가 10 cm인 원기둥에 반지름의 길이가 6 cm인 반구를 붙여 놓은 것이다. 이 입체도형의 부피는?

① 240π cm³   ② 360π cm³

③ 450π cm³   ④ 504π cm³

⑤ 600π cm³

07 오른쪽 그림의 두 입체도형의 부피가 서로 같을 때, 원뿔의 높이는?

① 4 cm   ② 5 cm   ③ 6 cm

④ 7 cm   ⑤ 8 cm

08 오른쪽 그림과 같이 반지름의 길이가 9 cm인 반구에 원뿔이 꼭 맞게 들어 있다. 이때 반구와 원뿔의 부피의 비는?

① 2 : 1   ② 3 : 1   ③ 3 : 2

④ 4 : 3   ⑤ 5 : 4

09 잘나와요

오른쪽 그림과 같이 밑면의 지름의 길이와 높이가 같은 원기둥 안에 구가 꼭 맞게 들어 있다. 원기둥의 부피가 54π cm³일 때, 이 구의 부피를 구하여라.

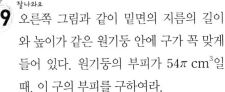

10 내신 up

오른쪽 그림의 색칠한 부분을 직선 l을 축으로 하여 1회전시킬 때 생기는 회전체의 부피는?

① 56π cm³   ② 64π cm³

③ 72π cm³   ④ 80π cm³

⑤ 96π cm³

11 오른쪽 그림과 같이 부피가 162π cm³인 원기둥 모양의 통에 공 3개가 꼭 맞게 들어 있다. 이때 원기둥 모양의 통에서 공이 차지하는 공간을 제외한 빈 공간의 부피를 구하여라.

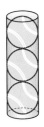

서·술·형·문·제   풀이 과정을 자세히 쓰시오.

12 오른쪽 그림과 같이 한 모서리의 길이가 3 cm인 정육면체에 구와 사각뿔이 꼭 맞게 들어 있다. 이때 정육면체, 구, 사각뿔의 부피의 비를 가장 간단한 비로 나타내어라.

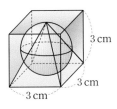

[단계] ❶ 정육면체의 부피 구하기

❷ 구의 부피 구하기

❸ 사각뿔의 부피 구하기

❹ 정육면체, 구, 사각뿔의 부피의 비 구하기

답 _____

13 오른쪽 그림과 같은 평면도형을 직선 l을 축으로 하여 1회전시킬 때 생기는 회전체의 겉넓이를 구하여라.

답 _____

-------------------- 162쪽 **기출문제로 내신대비**로 반복학습하세요!

16 줄기와 잎 그림/도수분포표

정답 및 풀이 35쪽

개념 1 줄기와 잎 그림

(1) **변량** : 자료를 수량으로 나타낸 것

(2) **줄기와 잎 그림** : 세로선을 긋고, 세로선의 왼쪽에는 줄기의 숫자를, 오른쪽에는 잎의 숫자를 써서 자료를 나타낸 그림

(3) **줄기와 잎 그림을 그리는 순서**

① 변량을 줄기와 잎으로 구분한다.

② 세로선을 긋고, 세로선의 왼쪽에 줄기의 값을 크기순으로 세로로 쓴다.

③ 세로선의 오른쪽에 잎에 해당하는 값을 크기순으로 가로로 쓴다.

④ '줄기 | 잎'을 설명한다.

[줄기와 잎 그림]

줄넘기 횟수 (3|2는 32회)

줄기	잎
3	2 5 7
4	3 3 4 6
5	1 2 3

참고 줄기와 잎 그림을 그릴 때 잎은 크기순으로 쓰지 않을 수도 있고, 중복되는 잎이 있으면 모두 쓴다.

개념 α

▸ 변량에서 기준을 정하여 상위 자리 수를 줄기, 하위 자리 수를 잎으로 한다. 줄기 또는 잎에 반드시 한 자리 수만 올 수 있는 것은 아니다.

▸ 줄기와 잎 그림의 장점
① 자료의 분포 상태를 쉽게 알아볼 수 있다.
② 주어진 자료의 정확한 값을 쉽게 파악할 수 있다.

개념확인 **01** 다음은 동현이가 친구들의 수학 점수를 조사하여 줄기와 잎 그림을 그린 것이다. 물음에 답하여라.

수학 점수 (단위 : 점)

64	68	72	88
80	86	95	92
76	92	84	98
77	88	76	69

⇨

수학 점수 (6|4는 64점)

줄기	잎
6	4 ㉠ 9
7	2 ㉡ 6 7
8	㉢ 4 6 8 ㉣
9	2 2 5 8

(1) ㉠~㉣에 알맞은 수를 구하여라.

(2) 줄기가 7인 잎을 모두 구하여라.

(3) 잎이 가장 많은 줄기를 말하여라.

개념확인 **02** 오른쪽은 어느 반 여학생들의 키를 조사하여 만든 줄기와 잎 그림이다. 다음을 구하여라.

(1) 조사한 여학생의 수

(2) 키가 150 cm대인 여학생의 수

(3) 키가 5번째로 큰 여학생의 키

(4) 키가 가장 작은 여학생과 가장 큰 여학생의 키의 차

여학생들의 키 (14|5는 145 cm)

줄기	잎
14	5 6
15	3 5 6 8 8
16	1 2 4
17	0

(1) **계급** : 변량을 일정한 간격으로 나눈 구간

    ① 계급의 크기 : 계급의 양 끝 값의 차, 즉 구간의 너비

    ② 계급의 개수 : 변량을 나눈 구간의 수

    ③ 계급값 : 각 계급을 대표하는 값으로 각 계급의 중앙의 값

$$(계급값) = \frac{(계급의\ 양\ 끝\ 값의\ 합)}{2}$$

(2) **도수** : 각 계급에 속하는 자료의 수

(3) **도수분포표** : 주어진 자료를 몇 개의 계급으로 나누고, 각 계급의 도수를 조사하여 나타낸 표

[도수분포표]

몸무게(kg)	학생 수(명)
40^{이상} ~ 45^{미만}	3
45 ~ 50	4
50 ~ 55	12
55 ~ 60	5
60 ~ 65	1
합계	25

개념 α

▶ 계급, 계급의 크기, 계급값, 도수는 항상 단위를 포함하여 쓴다.

▶ 도수분포표를 만드는 순서
  ① 변량 중 가장 작은 값과 가장 큰 값을 찾는다.
  ② 계급의 크기를 정하여 계급을 나눈다.
  ③ 각 계급에 속하는 변량의 수를 세어 계급의 도수를 구한다.

개념확인 03 다음은 어느 반 학생 25명의 던지기 기록을 조사하여 도수분포표로 나타낸 것이다. 물음에 답하여라.

던지기 기록 (단위 : m)

10	13	38	16	41
35	24	47	35	36
43	16	39	28	22
37	26	18	34	29
42	33	27	45	36

⇨

던지기 기록(m)	학생 수(명)
10^{이상} ~ 20^{미만}	5
20 ~ 30	㉢
㉠ ~ 40	㉣
40 ~ ㉡	5
합계	25

(1) ㉠~㉣에 알맞은 수를 구하여라.

(2) 계급의 크기와 계급의 개수를 각각 구하여라.

(3) 도수가 가장 큰 계급을 구하여라.

(4) 던지기 기록이 30 m 미만인 학생 수를 구하여라.

개념확인 04 다음은 현정이네 반 학생들이 일 년 동안 읽은 책의 수를 조사하여 도수분포표로 나타낸 것이다. 물음에 답하여라.

책의 수 (단위 : 권)

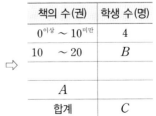

12	5	23	30	15
20	16	36	7	22
8	39	34	18	26
4	19	22	35	18

⇨

책의 수(권)	학생 수(명)
0^{이상} ~ 10^{미만}	4
10 ~ 20	B
A	
합계	C

(1) A에 해당하는 계급을 구하여라.

(2) B, C의 값을 각각 구하여라.

(3) 일 년 동안 읽은 책의 수가 20권인 현정이가 속하는 계급의 도수를 구하여라.

정답 및 풀이 35쪽

핵심유형 1 　　 줄기와 잎 그림　　개념 ❶

다음은 소현이네 반 학생들이 소현이의 블로그를 방문한 횟수를 조사하여 만든 줄기와 잎 그림이다. 다음 설명 중 옳지 않은 것은?

방문 횟수　　　　(1|2는 12회)

줄기	잎
1	2　5　6　9
2	4　6　6　7　8
3	1　3　4

① 조사한 학생 수는 12명이다.
② 잎이 가장 많은 줄기는 2이다.
③ 방문한 횟수가 26회보다 많은 학생 수는 5명이다.
④ 방문한 횟수가 20회대인 학생 수는 5명이다.
⑤ 방문한 횟수가 19회 미만인 학생은 전체의 20 %이다.

GUIDE

(백분율)$=\dfrac{(조건에 해당하는 변량의 수)}{(변량 전체의 수)}\times 100(\%)$임을 이용한다.

1-1 다음은 나린이네 반 학생들의 일주일 동안의 학원 수업 시간을 조사하여 만든 줄기와 잎 그림이다. 물음에 답하여라.

학원 수업 시간　　　　(0|1은 1시간)

줄기	잎
0	1　2　5　6　7　7
1	0　2　2　4　8
2	1　1　4　8
3	0　5　6

(1) 줄기가 2인 학생 수를 구하여라.
(2) 학원 수업 시간이 12시간 이상 24시간 미만인 학생 수를 구하여라.
(3) 나린이의 일주일 동안의 학원 수업 시간이 긴 쪽에서 5번째일 때, 나린이의 학원 수업 시간을 구하여라.

1-2 다음은 해기네 반 남학생들의 50 m 달리기 기록을 조사하여 만든 줄기와 잎 그림이다. 물음에 답하여라.

50 m 달리기 기록　　　　(6|2는 6.2초)

줄기	잎
6	2　4　5
7	1　4　6　6　8
8	3　5　5　5　7　8
9	0

(1) 가장 많은 학생이 기록한 50 m 달리기 기록을 구하여라.
(2) 기록이 8.3초보다 느린 학생은 전체의 몇 %인지 구하여라.

1-3 다음 줄기와 잎 그림에서 줄기가 5인 잎이 전체의 25 %일 때, 줄기가 4인 잎의 개수를 구하여라.

　　　　(3|2는 32)

줄기	잎
3	2　5
4	
5	1　2　4　5　8

1-4 다음은 1학년 1반과 2반의 수학 점수를 조사하여 만든 줄기와 잎 그림이다. 물음에 답하여라.

수학 점수　　　　(6|2는 62점)

잎(1반)	줄기	잎(2반)
8　3	6	2　2
6　6　2	7	0　4　6　8
8　4　1	8	4　6
6　0	9	2　8

(1) 수학 점수가 80점 이상인 학생은 어느 반이 더 많은지 구하여라.
(2) 수학 점수가 가장 높은 학생은 어느 반에 속하는지 구하여라.

다음 표는 어느 반 학생 30명의 하루 동안의 TV 시청 시간을 조사하여 나타낸 도수분포표이다. 옳지 _않은_ 것은?

TV 시청 시간(분)	학생 수(명)
$0^{이상} \sim 30^{미만}$	4
30 ~ 60	12
60 ~ 90	x
90 ~ 120	3
120 ~ 150	1
합계	30

① x의 값은 10이다.

② 계급의 크기는 30분이다.

③ 계급의 개수는 5개이다.

④ 도수가 가장 큰 계급은 30분 이상 60분 미만이다.

⑤ TV 시청 시간이 1시간 미만인 학생은 12명이다.

GUIDE

도수가 주어지지 않은 계급의 도수는 도수의 총합에서 나머지 계급의 도수를 모두 빼서 구한다.

2-1 다음 표는 동은이네 반 학생 30명의 필통 속에 들어 있는 필기구 수를 조사하여 나타낸 도수분포표이다. 물음에 답하여라.

필기구 수(개)	학생 수(명)
$1^{이상} \sim 3^{미만}$	5
3 ~ 5	10
5 ~ 7	A
7 ~ 9	2
합계	B

(1) A, B의 값을 각각 구하여라.

(2) 필기구 수가 5개 미만인 학생 수를 구하여라.

(3) 필기구 수가 많은 쪽에서 4번째인 학생이 속하는 계급을 구하여라.

2-2 다음 표는 어느 농장에서 수확한 과일 25개의 무게를 조사하여 도수분포표로 나타낸 것이다. 물음에 답하여라.

무게(g)	개수(개)
$10^{이상} \sim 12^{미만}$	3
12 ~ 14	5
14 ~ 16	12
16 ~ 18	A
18 ~ 20	1
합계	25

(1) A의 값을 구하여라.

(2) 무게가 가벼운 쪽에서 5번째인 과일이 속하는 계급의 도수를 구하여라.

(3) 무게가 16 g 이상 20 g 미만인 과일은 전체의 몇 %인지 구하여라.

2-3 다음 표는 어느 중학교 학생들의 100 m 달리기 기록을 조사하여 나타낸 도수분포표이다. 15초 미만으로 달린 학생이 전체의 25 %일 때, 물음에 답하여라.

달리기 기록(초)	학생 수(명)
$11^{이상} \sim 13^{미만}$	2
13 ~ 15	
15 ~ 17	15
17 ~ 19	10
19 ~ 21	A
합계	40

(1) 기록이 13초 이상 15초 미만인 학생 수를 구하여라.

(2) A의 값을 구하여라.

(3) 기록이 17초 이상인 학생은 전체의 몇 %인지 구하여라.

[01~03] 다음은 소현이네 반 학생들의 키를 조사하여 만든 줄기와 잎 그림이다. 물음에 답하여라.

키 (14│1은 141 cm)

줄기	잎					
14	1	6	9	9		
15	0	2	5	6	8	
16	2	3	3	6	7	9
17	0	2	6	7		
18	3					

01 키가 163 cm보다 큰 학생 수를 구하여라.

02 키가 작은 쪽에서 8번째인 학생의 키를 구하여라.

03 키가 170 cm 이상인 학생은 전체의 몇 %인지 구하여라.

04 잘나와요 다음은 강민이네 반 남학생과 여학생의 몸무게를 조사하여 만든 줄기와 잎 그림이다. 다음 중 옳은 것은?

몸무게 (3│5는 35 kg)

잎(남학생)	줄기	잎(여학생)
7 6	3	5 8 9
8 5 1	4	2 3 3
9 4 2	5	3 7

① 조사한 학생 수는 15명이다.
② 몸무게가 가장 가벼운 학생은 남학생이다.
③ 몸무게가 45 kg 이상 55 kg 미만인 학생은 6명이다.
④ 몸무게가 50 kg대인 학생 수는 남학생이 더 많다.
⑤ 남학생의 몸무게가 여학생의 몸무게보다 가벼운 편이다.

05 다음 설명 중 옳지 <u>않은</u> 것을 모두 고르면? (정답 2개)

① 자료를 수량으로 나타낸 것을 변량이라 한다.
② 각 계급의 양 끝 값의 중앙의 값을 계급값이라 한다.
③ 변량을 나눈 구간의 폭을 계급의 개수라 한다.
④ 각 계급에 속하는 자료의 수를 계급이라 한다.
⑤ 계급의 크기의 단위는 변량의 단위와 같다.

06 지수네 반 학생 18명의 허리 둘레의 길이를 조사하여 도수분포표를 만들었다. 만들어진 도수분포표만 보고 알 수 <u>없는</u> 것은?

① 도수의 총합   ② 변량
③ 각 계급의 계급값   ④ 계급의 크기
⑤ 계급의 개수

[07~08] 다음 표는 소영이네 반 학생 30명이 체육 시간에 던진 자유투 성공 개수를 조사하여 만든 도수분포표이다. 물음에 답하여라.

자유투 성공 개수(개)	학생 수(명)
5^{이상} ∼ 10^{미만}	7
10 ∼ 15	A
15 ∼ 20	6
20 ∼ 25	4
25 ∼ 30	8
합계	B

07 A+B의 값을 구하여라.

08 잘나와요 자유투를 15개 미만 성공한 학생은 전체의 몇 %인가?

① 25 %   ② 30 %   ③ 35 %
④ 40 %   ⑤ 45 %

09 다음 표는 준수네 반 학생 20명의 오래매달리기 기록을 조사하여 만든 도수분포표이다. 다음 중 옳지 <u>않은</u> 것은?

기록(초)	학생 수(명)
$0^{이상}$ ~ $4^{미만}$	3
4 ~ 8	5
8 ~ 12	A
12 ~ 16	2
16 ~ 20	1
합계	20

① A의 값은 9이다.

② 계급의 크기는 4초이다.

③ 기록이 8초 이상인 학생은 전체의 50 %이다.

④ 기록이 16.2초인 학생이 속하는 계급의 도수는 1명이다.

⑤ 기록이 좋은 쪽에서 3번째인 학생이 속하는 계급의 도수는 2명이다.

내신 *up*

10 다음 표는 슬기네 반 학생들이 한 달 동안 읽은 책의 수를 조사하여 나타낸 도수분포표이다. 읽은 책의 수가 6권 이상인 학생이 전체의 20 %일 때, x의 값을 구하여라.

책의 수(권)	학생 수(명)
$0^{이상}$ ~ $2^{미만}$	3
2 ~ 4	x
4 ~ 6	4
6 ~ 8	1
8 ~ 10	3
합계	

풀이 과정을 자세히 쓰시오.

11 오른쪽은 성은이네 모둠 학생들이 지난 방학 동안 도서관을 이용한 횟수를 조사하여 만든 줄기와 잎 그림이다. 도서관을 이용한 전체 횟수가 130회이고, $A=2B$일 때, $A \times B$의 값을 구하여라.

이용 횟수				(0|3은 3회)
줄기	잎			
0	3	5	8	
1	2	4	4	A
2	0	B		

여기서 1행 잎은 2,4,4,A,5

[단계] ❶ $A+B$의 값 구하기
❷ A, B의 값 각각 구하기
❸ $A \times B$의 값 구하기

답 _____

12 다음 표는 미희네 학교 1학년 학생들의 일주일 동안의 독서 시간을 조사하여 나타낸 도수분포표이다. 독서 시간이 6시간 이상 8시간 미만인 계급의 학생 수가 12시간 이상 14시간 미만인 계급의 학생 수보다 20명 많을 때, 독서 시간이 10시간 이상인 학생은 전체의 몇 %인지 구하여라.

독서 시간(시간)	학생 수(명)
$4^{이상}$ ~ $6^{미만}$	20
6 ~ 8	A
8 ~ 10	80
10 ~ 12	70
12 ~ 14	B
합계	250

답 _____

168쪽 **기출문제로 내신대비**로 반복학습하세요!

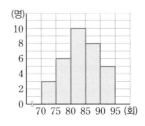

17 히스토그램과 도수분포다각형

개념 ① 히스토그램

(1) **히스토그램** : 도수분포표의 각 계급의 양 끝 값을 가로축에 표시하고, 그 계급의 도수를 세로축에 표시하여 직사각형으로 나타낸 그림

(2) **히스토그램을 그리는 순서**

① 가로축에 각 계급의 양 끝 값을 차례로 표시한다.

② 세로축에 도수를 차례로 표시한다.

③ 각 계급의 크기를 가로로, 도수를 세로로 하는 직사각형을 차례로 그린다.

(3) **히스토그램의 특징**

① 자료의 특성 및 자료의 분포 상태를 한눈에 알아볼 수 있다.

② 각 직사각형의 넓이는 세로의 길이인 각 계급의 도수에 정비례한다.

③ (직사각형의 넓이의 합)＝(계급의 크기)×(도수의 총합)

> **개념 α**
> ▶ 히스토그램에서
> ① 계급의 개수
>   : 직사각형의 개수
> ② 계급의 크기 : 직사각형의 가로의 길이
> ③ 계급의 도수 : 직사각형의 세로의 길이
> ④ 도수의 총합 : 각 계급에 해당하는 직사각형의 세로의 길이의 합

[개념확인] 01 다음 표는 도영이네 반 학생들의 몸무게를 조사하여 나타낸 도수분포표이다. 물음에 답하여라.

몸무게(kg)	학생 수(명)
$30^{이상} \sim 40^{미만}$	2
$40 \quad \sim 50$	10
$50 \quad \sim 60$	A
$60 \quad \sim 70$	4
$70 \quad \sim 80$	2
합계	30

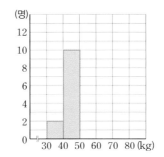

(1) A의 값을 구하여라.

(2) 히스토그램을 완성하여라.

[개념확인] 02 오른쪽 그림은 채희네 반 학생들의 수학 성적을 조사하여 나타낸 히스토그램이다. 물음에 답하여라.

(1) 계급의 크기와 계급의 개수를 각각 구하여라.

(2) 수학 성적이 80점 이상 90점 미만인 학생 수를 구하여라.

(3) 도수가 가장 큰 계급을 구하여라.

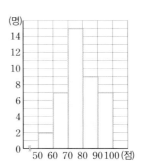

개념 ❷ 도수분포다각형

(1) **도수분포다각형** : 히스토그램에서 각 직사각형의 윗변의 중앙의 점을 차례로 선분으로 연결하고, 양 끝에 도수가 0인 계급을 하나씩 추가하여 그 중앙의 점과 연결하여 그린 다각형 모양의 그래프

(2) **도수분포다각형을 그리는 순서**

① 히스토그램의 각 직사각형의 윗변의 중앙에 점을 찍는다.

② 히스토그램의 양 끝에 도수가 0인 계급이 하나씩 더 있는 것으로 생각하고 그 중앙에 점을 찍는다.

③ 위에서 찍은 점을 선분으로 연결한다.

(3) **도수분포다각형의 특징**

① 자료의 분포 상태를 연속적으로 관찰할 수 있다.

② 2개 이상의 자료의 분포 상태를 동시에 나타내어 비교하는 데 편리하다.

③ (도수분포다각형과 가로축으로 둘러싸인 부분의 넓이)
= (히스토그램의 각 직사각형의 넓이의 합)
= (계급의 크기) × (도수의 총합)

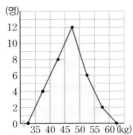

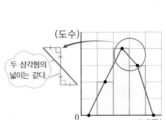

> **개념 α**
> ▶ 도수분포다각형은 히스토그램과 마찬가지로 자료의 분포 상태를 알아보는 방법 중 하나이다.
>
> **주의** 도수분포다각형에서 계급의 개수를 셀 때에는 양 끝에 도수가 0인 계급은 세지 않는다.

개념확인 **03** 오른쪽 그림은 우리나라 16개의 시도별 1인당 하루 평균 물 소비량을 조사하여 나타낸 히스토그램이다. 이를 이용하여 도수분포다각형을 나타내어라.

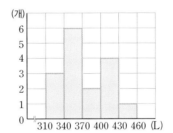

개념확인 **04** 오른쪽 그림은 준이네 반 학생들의 1분당 맥박 수를 조사하여 나타낸 도수분포다각형이다. 다음 물음에 답하여라.

(1) 계급의 크기와 계급의 개수를 각각 구하여라.

(2) 전체 학생 수를 구하여라.

(3) 도수가 가장 작은 계급을 구하여라.

(4) 맥박 수가 80회 이상인 학생 수를 구하여라.

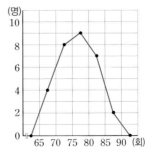

핵심유형 1 　히스토그램　　개념 ❶

오른쪽 그림은 유정이네 반 학생들의 100 m 달리기 기록을 조사하여 나타낸 히스토그램이다. 다음 설명 중 옳지 <u>않은</u> 것은?

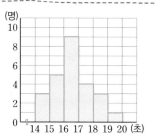

① 계급의 크기는 1초이다.

② 전체 학생 수는 25명이다.

③ 도수가 가장 큰 계급은 16초 이상 17초 미만이다.

④ 기록이 가장 늦은 학생이 속한 계급의 도수는 3명이다.

⑤ 기록이 18초 이상인 학생은 전체의 16 %이다.

GUIDE
히스토그램에서 계급의 개수는 직사각형의 개수, 전체 도수는 각 직사각형의 세로의 길이의 합과 같다.

1-1 오른쪽 그림은 민정이네 반 학생들의 몸무게를 조사하여 나타낸 히스토그램이다. 다음을 구하여라.

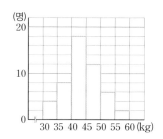

(1) 계급의 개수

(2) 전체 학생 수

(3) 몸무게가 5번째로 가벼운 학생이 속한 계급

(4) 몸무게가 42 kg인 학생이 속한 계급의 도수

1-2 오른쪽 그림은 정원이네 반 학생들의 통학 시간을 조사하여 나타낸 히스토그램이다. 도수가 가장 큰 계급의 직사각형의 넓이와 도수가 가장 작은 계급의 직사각형의 넓이의 합을 구하여라.

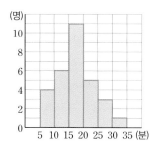

1-3 오른쪽 그림은 영채네 반 학생들이 여름 방학 동안 읽은 책의 수를 조사하여 나타낸 히스토그램이다. 다음 물음에 답하여라.

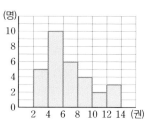

(1) 전체 학생 수를 구하여라.

(2) 읽은 책의 수가 8권 이상 12권 미만인 학생은 전체의 몇 %인가?

① 10 %　　　② 15 %　　　③ 20 %

④ 25 %　　　⑤ 30 %

(3) 직사각형의 넓이의 합을 구하여라.

1-4 오른쪽 그림은 수정이네 반 학생들의 윗몸일으키기 기록을 조사하여 나타낸 히스토그램이다. 윗몸일으키기 기록이 좋은 쪽에서 7번째인 학생이 속하는 계급의 도수를 구하여라.

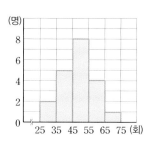

1-5 오른쪽 그림은 현정이네 반 학생 37명의 수학 성적을 조사하여 나타낸 히스토그램인데 일부가 훼손되어 보이지 않는다. 수학 성적이 60점 이상 70점 미만인 학생 수를 구하여라.

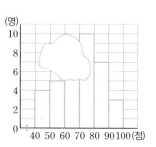

핵심유형 2　도수분포다각형　　　　　개념 ❷

오른쪽 그림은 수현이네 반 학생들의 하루 동안의 수면 시간을 조사하여 나타낸 도수분포다각형이다. 다음 설명 중 옳지 <u>않은</u> 것은?

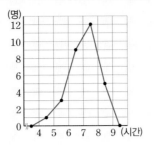

① 계급의 개수는 5개이다.

② 전체 학생 수는 30명이다.

③ 수면 시간이 5시간 이상 6시간 미만인 계급의 도수는 3명이다.

④ 수면 시간이 7.2시간인 학생이 속하는 계급의 도수는 12명이다.

⑤ 수면 시간이 5번째로 많은 학생이 속하는 계급은 6시간 이상 7시간 미만이다.

GUIDE
도수분포다각형에서 계급의 개수를 셀 때, 양 끝에 도수가 0인 부분은 계급의 개수에 넣지 않도록 주의한다.

2-1 오른쪽 그림은 어느 치과에 온 환자들의 충치 개수를 조사하여 나타낸 도수분포다각형이다. 다음을 구하여라.

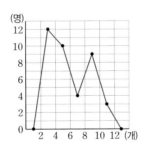

(1) 계급의 크기

(2) 조사한 환자 수

(3) 도수가 가장 큰 계급

(4) 충치 개수가 8개 이상인 환자 수

2-2 오른쪽 그림은 지호네 반 학생들의 한글 자판 입력 타수를 조사하여 나타낸 도수분포다각형이다. 도수분포다각형과 가로축으로 둘러싸인 부분의 넓이는?

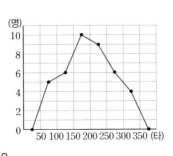

① 40　　　② 200　　　③ 400

④ 2000　　⑤ 4000

2-3 오른쪽 그림은 호영이네 반 학생들의 멀리뛰기 기록을 조사하여 나타낸 도수분포다각형이다. 다음 물음에 답하여라.

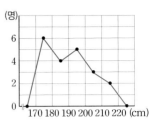

(1) 멀리뛰기 기록이 200 cm 이상인 학생은 전체의 몇 %인가?

① 20 %　　　② 25 %　　　③ 30 %

④ 35 %　　　⑤ 40 %

(2) 멀리뛰기 기록이 좋은 쪽에서 8번째인 학생이 속하는 계급을 구하여라.

2-4 오른쪽 그림은 태현이네 반 학생들의 여름 방학 동안의 봉사 활동 시간을 조사하여 나타낸 도수분포다각형이다. 봉사 시간이 상위 32 % 이내에 들려면 최소 몇 시간 이상 봉사 활동을 해야 하는지 구하여라.

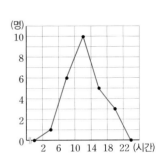

2-5 오른쪽 그림은 소영이네 반 학생 40명의 몸무게를 조사하여 나타낸 도수분포다각형인데 일부가 찢어져 보이지 않는다. 몸무게가 50 kg 미만인 학생이 전체의 50 %일 때, 몸무게가 50 kg 이상 55 kg 미만인 학생 수를 구하여라.

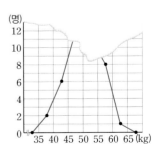

[01~03] 오른쪽 그림은 수현이네 반 학생들의 영어 듣기 평가 성적을 조사하여 나타낸 히스토그램이다. 다음 물음에 답하여라.

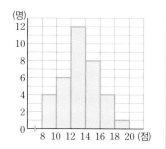

01 계급의 크기를 a점, 계급의 개수를 b개, 전체 학생 수를 c명이라 할 때, $a+b+c$의 값은?

① 40 　　　② 41 　　　③ 42
④ 43 　　　⑤ 44

02 영어 듣기 평가 성적이 14점 이상인 학생 수는?

① 11명 　　　② 12명 　　　③ 13명
④ 14명 　　　⑤ 15명

03 영어 듣기 평가 성적이 5번째로 좋은 수현이가 속한 계급의 도수는?

① 1명 　　　② 2명 　　　③ 3명
④ 4명 　　　⑤ 5명

04 다음 중 히스토그램에 대한 설명으로 옳지 <u>않은</u> 것은?

① 직사각형의 넓이는 각 계급의 도수에 비례한다.
② 가로축은 계급, 세로축은 도수를 나타낸다.
③ 직사각형의 개수는 계급의 개수와 같다.
④ 자료의 분포 상태를 한눈에 쉽게 알 수 있다.
⑤ 도수의 총합은 알 수 없다.

05 오른쪽 그림은 현수네 반 학생 25명의 신발 크기를 조사하여 나타낸 히스토그램인데 일부가 찢어져 보이지 않는다.

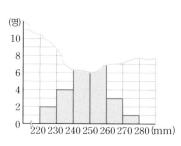

신발 크기가 250 mm 미만인 학생이 전체의 56 %일 때, 신발 크기가 250 mm 이상 260 mm 미만인 학생 수는?

① 6명 　　　② 7명 　　　③ 8명
④ 9명 　　　⑤ 10명

[06~08] 오른쪽 그림은 어느 반 학생들의 국어 성적을 조사하여 나타낸 도수분포다각형이다. 다음 물음에 답하여라.

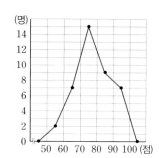

06 도수가 가장 큰 계급을 구하여라.

07 국어 성적이 70점 이상 90점 미만인 학생 수는?

① 22명 　　　② 23명 　　　③ 24명
④ 25명 　　　⑤ 26명

08 국어 성적이 상위 40 % 이내에 들려면 최소 몇 점 이상을 받아야 하는가?

① 50점 　　　② 60점 　　　③ 70점
④ 80점 　　　⑤ 90점

09 오른쪽 그림은 성오네 반 학생들의 방과 후 컴퓨터 사용 시간을 조사하여 나타낸 도수분포다각형이다. 컴퓨터 사용 시간이 80분 이상 120분 미만인 학생은 전체의 몇 %인가?

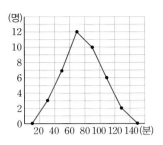

① 35 %　　② 40 %　　③ 45 %
④ 50 %　　⑤ 55 %

10 오른쪽 그림은 현진이네 반 학생들의 던지기 기록을 조사하여 나타낸 도수분포다각형이다. 다음 중 옳지 <u>않은</u> 것을 모두 고르면?

(정답 2개)

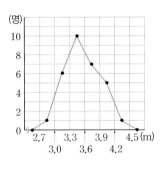

① 계급의 개수는 8개이다.
② 계급의 크기는 0.3 m이다.
③ 반 전체 학생 수는 30명이다.
④ 던지기 기록이 3.3 m 미만인 학생 수는 6명이다.
⑤ 도수분포다각형과 가로축으로 둘러싸인 부분의 넓이는 9이다.

11 오른쪽 그림은 현일이네 학교 1학년 남학생과 여학생의 100 m 달리기 기록을 조사하여 나타낸 도수분포다각형이다. 다음 **보기**에서 옳은 것을 모두 골라라.

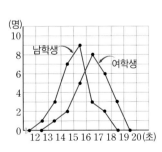

┤ 보기 ├
ㄱ. 남학생 수와 여학생 수는 같다.
ㄴ. 여학생이 남학생보다 빠른 편이다.
ㄷ. 달리기 기록이 16초 미만인 학생은 여학생이 남학생보다 더 많다.
ㄹ. 각각의 그래프와 가로축으로 둘러싸인 부분의 넓이는 서로 같다.

서·술·형·문·제

풀이 과정을 자세히 쓰시오.

12 오른쪽 그림은 성현이네 반 학생 36명의 수학 성적을 조사하여 나타낸 히스토그램인데 일부가 찢어져 보이지 않는다. 수학 성적이 60점 이상

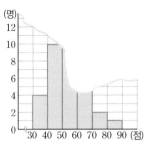

인 학생 수가 60점 미만인 학생 수의 $\frac{1}{3}$일 때, 수학 성적이 50점 이상 60점 미만인 학생 수를 구하여라.

[단계]　❶ 수학 성적이 60점 미만인 학생 수를 x명이라 하고 60점 이상인 학생 수를 x로 나타내기
　　　　❷ 수학 성적이 60점 미만인 학생 수 구하기
　　　　❸ 수학 성적이 50점 이상 60점 미만인 학생 수 구하기

답 _____

13 오른쪽 그림은 해린이네 반 학생들의 영어 성적을 조사하여 나타낸 도수분포다각형인데 일부가 찢어져 보이지 않는다. 영어 성적이 80점 미만인 학생이 전체의 36 %일 때, 영어 성적이 80점 이상 90점 미만인 학생 수를 구하여라.

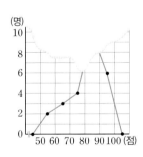

답 _____

----170쪽 **기출문제로 내신대비**로 반복학습하세요!

18 상대도수

정답 및 풀이 39쪽

개념 ① 상대도수

(1) **상대도수** : 전체 도수에 대한 각 계급의 도수의 비율

$$\text{(어떤 계급의 상대도수)}=\frac{\text{(그 계급의 도수)}}{\text{(도수의 총합)}}$$

(2) **상대도수의 분포표**

각 계급의 상대도수를 나타낸 표

(3) **상대도수의 특징**

① 상대도수의 총합은 항상 1이다.

② 각 계급의 상대도수는 그 계급의 도수에 정비례한다.

③ 전체 도수가 다른 두 자료의 분포 상태를 비교할 때 상대도수를 이용하면 편리하다.

턱걸이(회)	도수(명)	상대도수
$0^{이상} \sim 5^{미만}$	4	0.2 — $\frac{4}{20}$
$5 \sim 10$	8	0.4 — $\frac{8}{20}$
$10 \sim 15$	2	0.1 — $\frac{2}{20}$
$15 \sim 20$	6	0.3 — $\frac{6}{20}$
합계	20	1

참고 $\text{(상대도수의 총합)}=\dfrac{\{\text{(각 계급의 도수)의 합}\}}{\text{(도수의 총합)}}=\dfrac{\text{(도수의 총합)}}{\text{(도수의 총합)}}=1$

위의 표에서 $\text{(상대도수의 합)}=\dfrac{4}{20}+\dfrac{8}{20}+\dfrac{2}{20}+\dfrac{6}{20}=\dfrac{20}{20}=1$

개념 α

▶ 상대도수, 도수, 전체 도수

① (상대도수)

$=\dfrac{\text{(그 계급의 도수)}}{\text{(도수의 총합)}}$

② (어떤 계급의 도수)

$=\text{(도수의 총합)}$
$\quad \times \text{(그 계급의 상대도수)}$

③ (도수의 총합)

$=\dfrac{\text{(그 계급의 도수)}}{\text{(어떤 계급의 상대도수)}}$

▶ (백분율)

$=\dfrac{\text{(그 계급의 도수)}}{\text{(도수의 총합)}}\times100$

$=\text{(상대도수)}\times100(\%)$

개념확인 01 오른쪽 표는 연아네 반 학생 40명의 한 달 용돈을 조사하여 나타낸 상대도수의 분포표이다. 다음 물음에 답하여라.

(1) x의 값을 구하여라.

(2) 표를 완성하여라.

(3) 상대도수가 가장 큰 계급을 구하여라.

용돈(만 원)	도수(명)	상대도수
$2^{이상} \sim 4^{미만}$	4	
$4 \sim 6$	16	
$6 \sim 8$	x	
$8 \sim 10$	8	
합계	40	

개념확인 02 오른쪽 표는 민지네 반 학생 50명의 턱걸이 횟수를 조사하여 나타낸 상대도수의 분포표이다. 다음 물음에 답하여라.

(1) A의 값을 구하여라.

(2) 표를 완성하여라.

(3) 턱걸이 횟수가 6회 이상인 학생 수를 구하여라.

턱걸이(회)	도수(명)	상대도수
$0^{이상} \sim 2^{미만}$		0.16
$2 \sim 4$		0.28
$4 \sim 6$		A
$6 \sim 8$		0.3
$8 \sim 10$		0.12
합계	50	

(1) **상대도수의 그래프** : 상대도수의 분포표를 히스토그램이나 도수분포다각형 모양으로 나타낸 그래프

(2) **상대도수의 그래프를 그리는 순서**

① 가로축에 각 계급의 양 끝 값을 차례로 표시한다.

② 세로축에 상대도수를 차례로 표시한다.

③ 히스토그램이나 도수분포다각형과 같은 모양으로 그린다.

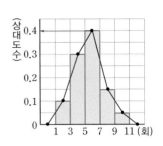

(3) **상대도수의 그래프의 활용**

도수의 총합이 다른 두 자료를 비교할 때, 상대도수를 도수분포다각형 모양의 그래프로 동시에 나타내어 보면 두 자료의 분포 상태를 한눈에 비교할 수 있다.

개념 α

▶ (상대도수의 그래프와 가로축으로 둘러싸인 부분의 넓이)
= {(계급의 크기) × (각 계급의 상대도수)}의 총합
= (계급의 크기) × (상대도수의 총합)
= (계급의 크기) × 1
= (계급의 크기)

개념확인 03 다음 표는 어느 날 우리나라 20개 도시의 공기 중 미세먼지 농도를 조사하여 나타낸 상대도수의 분포표이다. 물음에 답하여라.

미세먼지 농도($\mu g/m^3$)	상대도수
$20^{이상} \sim 24^{미만}$	0.04
$24 \quad \sim 28$	0.16
$28 \quad \sim 32$	0.34
$32 \quad \sim 36$	0.22
$36 \quad \sim 40$	A
$40 \quad \sim 44$	0.06
합계	B

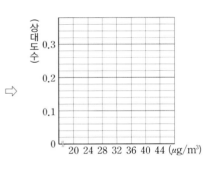

(1) A, B의 값을 각각 구하여라.

(2) 상대도수의 분포표를 도수분포다각형 모양의 그래프로 나타내어라.

개념확인 04 오른쪽 그림은 프로야구 선수 25명의 100타석 동안의 안타 수에 대한 상대도수를 도수분포다각형 모양의 그래프로 나타낸 것이다. 다음 물음에 답하여라.

(1) 계급의 크기를 구하여라.

(2) 안타 수가 20개 이상 24개 미만인 계급의 상대도수를 구하여라.

(3) 상대도수가 가장 큰 계급의 도수를 구하여라.

(4) 안타 수가 32개 이상인 선수는 전체의 몇 %인지 구하여라.

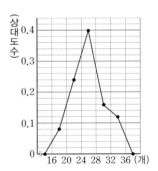

핵심유형 1   상대도수   개념❶

다음 표는 어느 반 학생 40명의 필기구 수를 조사하여 나타낸 상대도수의 분포표이다. A, B, C의 값을 각각 구하여라.

필기구 수(개)	학생 수(명)	상대도수
$1^{이상} \sim 3^{미만}$	6	B
3 ～ 5	A	0.25
5 ～ 7	20	0.5
7 ～ 9	4	0.1
합계	40	C

GUIDE

(어떤 계급의 상대도수)=$\dfrac{(그\ 계급의\ 도수)}{(전체\ 도수)}$ 임을 이용하여 상대도수를 구한다.

1-1 오른쪽 그림은 어느 영화 동아리 회원들이 지난 여름에 본 영화 편수를 조사하여 만든 히스토그램이다. 8편 이상 10편 미만인 계급의 상대도수를 구하여라.

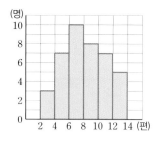

1-2 다음 중 상대도수에 대한 설명으로 옳지 <u>않은</u> 것은?

① 상대도수의 총합은 항상 1이다.

② 상대도수는 그 계급의 도수에 정비례한다.

③ (어떤 계급의 도수)=(그 계급의 상대도수)$\times 100$

④ 전체 도수가 다른 두 집단의 분포 상태를 비교할 때 편리하다.

⑤ 전체 도수에 대한 각 계급의 도수의 비율을 상대도수라 한다.

1-3 다음은 승규네 반 학생들의 오른쪽 눈의 시력을 조사하여 나타낸 표의 일부이다. 물음에 답하여라.

시력	학생 수(명)	상대도수
$0.4^{이상} \sim 0.8^{미만}$	12	0.3
0.8 ～ 1.2	10	A

(1) 승규네 반의 전체 학생 수를 구하여라.

(2) A의 값을 구하여라.

1-4 다음 표는 예진이네 학교 1학년 남학생과 여학생이 하루 동안 보낸 문자메시지의 횟수를 조사하여 나타낸 것이다. 물음에 답하여라.

보낸 횟수(회)	남학생(명)	여학생(명)
$1^{이상} \sim 3^{미만}$	13	17
3 ～ 5	10	5
5 ～ 7	9	9
7 ～ 9	4	5
9 ～ 11	3	2
11 ～ 13	1	12
합계	40	50

(1) 보낸 횟수가 5회 이상 7회 미만인 학생의 비율은 남학생과 여학생 중 어느 쪽이 더 높은지 구하여라.

(2) 남학생과 여학생의 상대도수가 같은 계급을 구하여라.

1-5 다음 표는 지연이네 반 학생들의 일주일 동안의 독서 시간을 조사하여 나타낸 상대도수의 분포표이다. 독서 시간이 6시간 이상인 학생은 전체의 몇 %인지 구하여라.

독서 시간(시간)	상대도수
$0^{이상} \sim 2^{미만}$	0.15
2 ～ 4	0.35
4 ～ 6	0.25
6 ～ 8	
8 ～ 10	
합계	1

오른쪽 그림은 어느 반 학생 40명의 허리 둘레를 조사하여 나타낸 상대도수의 그래프이다. 허리 둘레가 28인치 이상인 학생 수는?

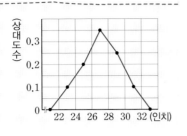

① 10명   ② 12명   ③ 14명

④ 16명   ⑤ 18명

GUIDE

(어떤 계급의 도수)=(전체 도수)×(그 계급의 상대도수)임을 이용하여 구한다.

2-1 오른쪽 그림은 현주네 학교 학생 200명을 대상으로 1시간 동안 읽은 책의 쪽수를 조사하여 나타낸 상대도수의 그래프이다. 다음 물음에 답하여라.

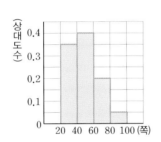

(1) 도수가 가장 큰 계급을 구하여라.

(2) 1시간에 40쪽 이상 80쪽 미만을 읽은 학생은 전체의 몇 %인지 구하여라.

(3) 상대도수가 가장 작은 계급의 도수를 구하여라.

2-2 오른쪽 그림은 수연이네 반 학생 20명의 수학 성적을 조사하여 나타낸 상대도수의 그래프이다. 다음 물음에 답하여라.

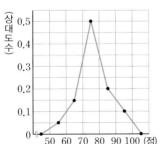

(1) 수학 성적이 70점 미만인 학생 수를 구하여라.

(2) 학생 수가 4명인 계급을 구하여라.

2-3 오른쪽 그림은 은지네 반 학생들의 한 달 통신비를 조사하여 나타낸 상대도수의 그래프이다. 도수가 가장 큰 계급에 속하는 학생 수가 12명일 때, 다음 물음에 답하여라.

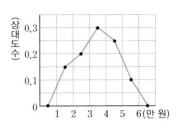

(1) 은지네 반의 전체 학생 수를 구하여라.

(2) 통신비가 많은 쪽에서 10번째인 학생이 속하는 계급의 상대도수를 구하여라.

2-4 오른쪽 그림은 종범이네 학교 학생 200명의 체육 성적을 조사하여 나타낸 상대도수의 그래프인데 일부가 찢어져 보이지 않는다. 체육 성적이 70점 이상 80점 미만인 학생 수는?

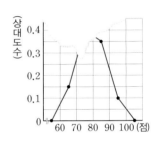

① 60명   ② 65명   ③ 70명

④ 75명   ⑤ 80명

2-5 오른쪽 그림은 A, B 두 반 학생들의 몸무게를 조사하여 나타낸 상대도수의 그래프이다. A반의 상대도수가 B반의 상대도수보다 높은 계급의 개수는?

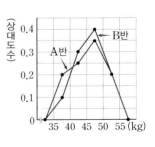

① 0개   ② 1개   ③ 2개

④ 3개   ⑤ 4개

정답 및 풀이 40쪽

01 다음 중 전체 도수가 다른 두 집단의 분포 상태를 비교하는 데 가장 편리한 것은?

① 줄기와 잎 그림   ② 평균
③ 도수분포표   ④ 히스토그램
⑤ 상대도수

02 어느 표에서 어떤 계급의 상대도수가 0.15이고 전체 도수가 40일 때, 이 계급의 도수는?

① 4   ② 6   ③ 8
④ 10   ⑤ 12

[03~05] 다음 표는 은혜네 반 학생들의 일주일 동안의 인터넷 사용 시간을 조사하여 나타낸 것이다. 물음에 답하여라.

인터넷 사용 시간(시간)	학생 수(명)	상대도수
$0^{이상} \sim 2^{미만}$	2	0.05
2 ~ 4	4	C
4 ~ 6	6	D
6 ~ 8	8	0.2
8 ~ 10	A	0.5
합계	B	E

잘나와요
03 $A \sim E$의 값으로 옳지 <u>않은</u> 것은?

① $A = 20$ ② $B = 40$ ③ $C = 0.1$
④ $D = 0.12$ ⑤ $E = 1$

04 인터넷 사용 시간이 6시간 이상 학생은 전체의 몇 % 인가?

① 40 %   ② 45 %   ③ 50 %
④ 55 %   ⑤ 70 %

05 인터넷 사용 시간이 적은 쪽에서 10번째인 학생이 속하는 계급의 상대도수는?

① 0.05   ② 0.1   ③ 0.15
④ 0.2   ⑤ 0.5

06 다음 표는 A중학교 학생들의 던지기 기록을 조사하여 나타낸 상대도수의 분포표인데 일부가 찢어져 보이지 않는다. 50 m 이상 60 m 미만인 계급의 학생 수를 구하여라.

던지기 기록(m)	학생 수(명)	상대도수
$40^{이상} \sim 50^{미만}$	3	0.05
50 ~ 60		0.2

07 다음 표는 태민이네 반 학생 50명의 수학 성적을 조사하여 나타낸 상대도수의 분포표이다. 도수가 가장 큰 계급의 도수를 구하여라.

수학 성적(점)	상대도수
$50^{이상} \sim 60^{미만}$	0.04
60 ~ 70	0.2
70 ~ 80	0.28
80 ~ 90	
90 ~ 100	0.16
합계	1

내신 up
08 전체 도수가 다른 두 자료가 있다. 전체 도수의 비가 6 : 5이고, 어떤 계급의 도수의 비가 3 : 4일 때, 이 계급의 상대도수의 비는?

① 2 : 3   ② 3 : 4   ③ 4 : 5
④ 5 : 8   ⑤ 6 : 5

[09~11] 오른쪽 그림은 어느 중학교 1학년 학생들의 줄넘기 기록을 조사하여 나타낸 상대도수의 그래프이다. 줄넘기 기록이 10회 이상 15회 미만인 학생 수가 24명일 때, 다음 물음에 답하여라.

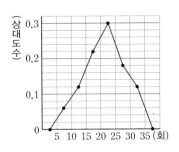

09 잘나와요 1학년 전체 학생 수는?

① 140명　　　② 160명　　　③ 180명

④ 200명　　　⑤ 220명

10 줄넘기 기록이 25회 이상인 학생 수는?

① 40명　　　② 50명　　　③ 60명

④ 70명　　　⑤ 80명

11 줄넘기 기록이 15회 이상 25회 미만인 학생은 전체의 몇 %인가?

① 46 %　　　② 48 %　　　③ 50 %

④ 52 %　　　⑤ 54 %

12 내신up 오른쪽 그림은 어느 중학교 1학년과 2학년 학생들의 주말 동안의 라디오 청취 시간에 대한 상대도수의 그래프이다. 주말

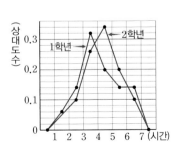

동안의 라디오 청취 시간이 5시간 이상인 학생이 1학년은 70명, 2학년은 90명일 때, 1학년과 2학년의 전체 학생 수를 각각 구하여라.

---------- 172쪽 기출문제로 내신대비 로 반복학습하세요!

서·술·형·문·제　　　　풀이 과정을 자세히 쓰시오.

13 오른쪽 표는 어느 반 학생들의 100 m 달리기 기록에 대한 상대도수의 분포표이다. 달리기 기록이 17초 미만인 학생이 전체의 26 %이고 도수가 가장 큰

달리기 기록(초)	상대도수
$15^{이상}$ ~ $16^{미만}$	A
16 ~ 17	0.1
17 ~ 18	0.22
18 ~ 19	B
19 ~ 20	0.2
합계	1

계급의 학생 수가 16명일 때, 이 반의 전체 학생 수를 구하여라.

[단계] ❶ A의 값 구하기

❷ B의 값 구하기

❸ 전체 학생 수 구하기

답 _____

14 오른쪽 그림은 어느 해 우리나라에서 발생한 지진 40회의 규모에 대한 상대도수의 그래프이다. 규모가 큰 쪽에서 6번째

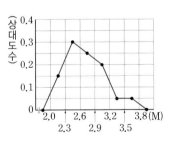

인 지진이 속한 계급의 도수를 구하여라.

답 _____

숨마쿰라우데® 중학수학 [실전문제집]

내신만점
도전편

1-하

기출문제로 내신대비

본문의 각 강마다 있는 [기출문제로 실력 다지기]의 유사 문제를 실어 놓았습니다. 문제를 잘 이해했는지 내 실력을 다시 한 번 점검해 보세요.

내신만점 도전하기

중간·기말고사를 대비할 수 있도록 중단원별 실전대비 문제를 실어 놓았습니다. 서술형 문제와 고난도 문제를 통해 내신만점에 도전해 보세요.

숨마쿰라우데® 중학수학 [실전문제집]

정답 및 풀이 41쪽

01 오른쪽 그림과 같은 입체도형에서 교점의 개수를 a개, 교선의 개수를 b개라 할 때, $a+b$의 값은?

① 13　　　　② 14
③ 15　　　　④ 16
⑤ 17

02 다음 중 옳지 <u>않은</u> 것을 모두 고르면? (정답 2개)

① 한 점을 지나는 직선은 무수히 많다.
② 면은 무수히 많은 선으로 이루어져 있다.
③ 점 M이 $\overline{AB}$의 중점이면 $\overline{AM}=\overline{BM}$이다.
④ 교점은 선과 선이 만날 때에만 생긴다.
⑤ 시작점이 같은 반직선은 모두 같다.

03 다음 그림과 같이 직선 l 위에 세 점 A, B, C가 있을 때, 옳지 <u>않은</u> 것은?

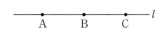

① $\overrightarrow{AB}=\overrightarrow{BC}$　② $\overrightarrow{AB}=\overrightarrow{AC}$　③ $\overline{AB}=\overline{BA}$
④ $\overrightarrow{CA}=\overrightarrow{BA}$　⑤ $\overrightarrow{CA}=\overrightarrow{CB}$

04 다음 그림과 같이 직선 l 위에 네 점 A, B, C, D가 있을 때, $\overrightarrow{AD}$와 같은 것은?

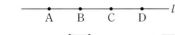

① $\overline{AD}$　　　② $\overleftrightarrow{AD}$　　　③ $\overrightarrow{AB}$
④ $\overrightarrow{DA}$　　　⑤ $\overleftrightarrow{BC}$

05 5개의 점 A, B, C, D, E가 오른쪽 그림과 같이 있을 때, 이 중 두 점을 이어서 만들 수 있는 서로 다른 직선의 개수는?

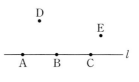

① 5개　　　② 6개　　　③ 7개
④ 8개　　　⑤ 9개

06 오른쪽 그림과 같이 반원 위에 4개의 점 A, B, C, D가 있다. 이 중 두 점을 이어서 만들 수 있는 서로 다른 반직선의 개수를 a개, 선분의 개수를 b개라 할 때, $a+b$의 값은?

① 12　　　　② 13　　　　③ 14
④ 15　　　　⑤ 16

07 오른쪽 그림에서 두 점 A, D 사이의 거리를 a cm, 두 점 B, E 사이의 거리를 b cm, 두 점 C, D 사이의 거리를 c cm라 할 때, $a+c-b$의 값은?

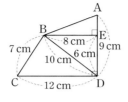

① 10   ② 11   ③ 12

④ 13   ⑤ 14

08 다음 그림에서 두 점 M, N은 선분 AB를 삼등분하는 점일 때, □ 안에 알맞은 수는?

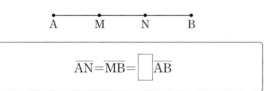

$$\overline{AN}=\overline{MB}=\boxed{}\ \overline{AB}$$

① $\dfrac{1}{3}$ ② $\dfrac{2}{3}$ ③ $\dfrac{1}{2}$

④ $\dfrac{3}{2}$ ⑤ $\dfrac{4}{3}$

09 점 M이 $\overline{AB}$의 중점이고 $\overline{AM}=2x$, $\overline{MB}=5x-12$일 때, $\overline{AM}$의 길이는?

① 4   ② 6   ③ 8

④ 10   ⑤ 12

10 길이가 14 cm인 선분 AB 위에 점 P가 있다. 두 점 C, D는 각각 $\overline{AP}$, $\overline{BP}$의 중점일 때, $\overline{CD}$의 길이는?

① 6 cm   ② 7 cm   ③ 8 cm

④ 9 cm   ⑤ 10 cm

11 다음 그림에서 점 P는 $\overline{AB}$의 중점, 점 Q는 $\overline{AP}$의 중점이고, 두 점 M, N은 $\overline{PB}$의 삼등분점이다. $\overline{MN}=3$ cm일 때, $\overline{QM}$의 길이는?

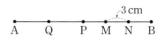

① 4.5 cm   ② 7.5 cm   ③ 9 cm

④ 10 cm   ⑤ 13.5 cm

서·술·형·문·제   풀이 과정을 자세히 쓰시오.

12 오른쪽 그림과 같이 어느 세 점도 한 직선 위에 있지 않은 서로 다른 5개의 점 A, B, C, D, E가 있다. 이 중 두 점을 이어서 만들 수 있는 서로 다른 반직선의 개수를 a개, 직선의 개수를 b개라 할 때, $a-b$의 값을 구하여라.

답 _____

13 다음 그림에서 $\overline{AB}=\dfrac{1}{3}\overline{BC}$, $\overline{AM}=\dfrac{1}{2}\overline{AB}$, $\overline{BN}=\dfrac{1}{2}\overline{BC}$이다. $\overline{MB}=5$ cm일 때, $\overline{MN}$의 길이를 구하여라.

답 _____

01 다음에서 예각은 a개, 둔각은 b개일 때, $a-b$의 값은?

> $30°$, $94°$, $52°$, $90°$, $62.5°$, $140°$, $180°$

① 0   ② 1   ③ 2
④ 3   ⑤ 4

02 오른쪽 그림에서 $\angle x$의 크기는?

① 20°   ② 22°
③ 24°   ④ 26°
⑤ 28°

03 오른쪽 그림에서 $\angle COD=90°$, $\angle AOC=2\angle BOD$일 때, $\angle AOC$의 크기는?

① 30°   ② 40°   ③ 50°
④ 60°   ⑤ 70°

04 오른쪽 그림에서 $\angle AOB=5\angle BOC$, $\angle DOE=5\angle COD$일 때, $\angle BOD$의 크기는?

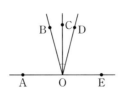

① 10°   ② 15°   ③ 20°
④ 25°   ⑤ 30°

05 오른쪽 그림과 같이 세 직선이 한 점 O에서 만나고 $\angle AOE : \angle EOD : \angle DOB =3 : 5 : 2$일 때, 다음 중 옳지 <u>않은</u> 것은?

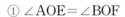

① $\angle AOE=\angle BOF$ ② $\angle AOC=36°$
③ $\angle COB=144°$ ④ $\angle COF$는 직각이다.
⑤ $\angle EOC$는 예각이다.

06 오른쪽 그림에서 $\angle y-\angle x$의 크기는?

① 20°   ② 25°
③ 30°   ④ 35°
⑤ 40°

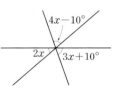

07 오른쪽 그림에서 $\angle x$의 크기는?

① 10°   ② 15°
③ 20°   ④ 25°
⑤ 30°

08 오른쪽 그림과 같이 두 직선 l, m이 점 O에서 만나고 점 O는 점 P에서 직선 l에 내린 수선의 발일 때, $\angle x$의 크기는?

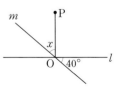

① 30°   ② 35°   ③ 40°
④ 45°   ⑤ 50°

09 오른쪽 그림과 같이 다섯 직선이 한 점에서 만날 때, $\angle a + \angle b + \angle c$의 크기는?

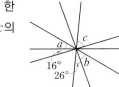

① 132°   ② 134°

③ 136°   ④ 138°

⑤ 140°

10 오른쪽 그림과 같이 네 직선이 만나 생긴 교점이 A, B, C, D일 때, 맞꼭지각은 모두 몇 쌍 생기는가?

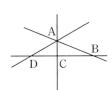

① 8쌍   ② 10쌍

③ 12쌍   ④ 14쌍

⑤ 16쌍

11 오른쪽 그림과 같은 사각형 ABCD에 대한 다음 설명 중 옳은 것을 모두 고르면?

(정답 2개)

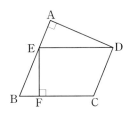

① 점 E에서 $\overline{BC}$에 내린 수선의 발은 점 B이다.

② 점 D에서 $\overline{AB}$에 내린 수선의 발은 점 E이다.

③ 점 E와 $\overline{BC}$ 사이의 거리는 $\overline{EF}$이다.

④ 점 D와 $\overline{AB}$ 사이의 거리는 $\overline{DE}$이다.

⑤ 점 B와 $\overline{EF}$ 사이의 거리는 $\overline{BF}$이다.

12 오른쪽 그림과 같은 삼각형 ABC에서 점 A와 $\overline{BC}$ 사이의 거리를 a, 점 B와 $\overline{AC}$ 사이의 거리를 b라 할 때, $a+b$의 값은?

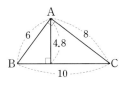

① 10.8   ② 12.8   ③ 14

④ 16   ⑤ 18

풀이 과정을 자세히 쓰시오.

13 오른쪽 그림과 같이 시계가 3시 40분을 가리킬 때, 시침과 분침이 이루는 각 중에서 큰 쪽의 각의 크기를 구하여라.

[단계] ❶ 분침이 숫자 12와 이루는 각의 크기 구하기

❷ 시침이 숫자 12와 이루는 각의 크기 구하기

❸ 시침과 분침이 이루는 각 중에서 큰 쪽의 각의 크기 구하기

....

....

....

답 _____

14 오른쪽 그림에서 $\angle y - \angle x$의 크기를 구하여라.

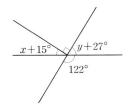

....

....

....

답 _____

정답 및 풀이 42쪽

01 오른쪽 그림에서 직선 l에 있고, 동시에 직선 m 위에 있는 점은?

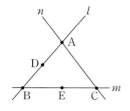

① 점 A   ② 점 B
③ 점 C   ④ 점 D
⑤ 점 E

02 오른쪽 그림은 사다리꼴 ABCD의 각 변을 연장한 것이다. 설명으로 옳지 않은 것은?

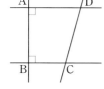

① $\overleftrightarrow{AD} /\!/ \overleftrightarrow{BC}$
② $\overleftrightarrow{AD} \perp \overleftrightarrow{AB}$
③ $\overleftrightarrow{AD}$와 $\overleftrightarrow{DC}$는 수직으로 만난다.
④ 점 B에서 $\overleftrightarrow{AD}$에 내린 수선의 발은 점 A이다.
⑤ 점 D와 $\overleftrightarrow{AB}$ 사이의 거리는 $\overline{AD}$이다.

03 한 평면 위에 있는 서로 다른 세 직선 l, m, n에 대하여 $l \perp m$, $m /\!/ n$일 때, 두 직선 l, n의 위치 관계는?

① 평행하다.   ② 직교한다.
③ 일치한다.   ④ 두 점에서 만난다.
⑤ 꼬인 위치에 있다.

04 오른쪽 그림의 입체도형에서 모서리 BC와 꼬인 위치에 있는 모서리는?

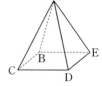

① 모서리 AB   ② 모서리 AC
③ 모서리 BE   ④ 모서리 AD
⑤ 모서리 ED

05 오른쪽 그림의 삼각기둥에 대하여 모서리 AD와 위치 관계가 다른 하나는?

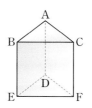

① 모서리 AB   ② 모서리 AC
③ 모서리 DE   ④ 모서리 CF
⑤ 모서리 DF

06 오른쪽 그림의 육각기둥에서 모서리 AG와 평행한 모서리의 개수를 a개, 꼬인 위치에 있는 모서리의 개수를 b개라 할 때, $a+b$의 값은?

① 10   ② 11
③ 12   ④ 13
⑤ 14

07 오른쪽 그림의 삼각기둥에서 점 C와 면 ADEB 사이의 거리는?

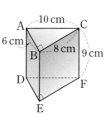

① 6 cm   ② 7 cm
③ 8 cm   ④ 9 cm
⑤ 10 cm

08 오른쪽 그림은 직육면체를 반으로 잘라 만든 입체도형이다. 모서리 AD를 포함하는 면의 개수를 a개, 면 EBCF와 수직인 면의 개수를 b개라 할 때, $a+b$의 값은?

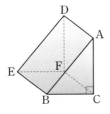

① 3 　　　② 4 　　　③ 5

④ 6 　　　⑤ 7

09 오른쪽 그림과 같은 직육면체에서 모서리 AB에 대한 설명으로 옳지 <u>않은</u> 것은?

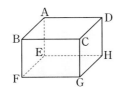

① 만나는 모서리는 4개이다.

② 평행한 모서리는 2개이다.

③ 꼬인 위치에 있는 모서리는 4개이다.

④ 평행한 면은 2개이다.

⑤ 수직인 면은 2개이다.

10 오른쪽 그림은 직육면체에서 삼각뿔을 잘라낸 것이다. 다음 설명 중 옳지 <u>않은</u> 것은?

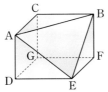

① 교선은 12개이다.

② 모서리 AB와 모서리 BF는 서로 수직으로 만난다.

③ 면 DEFG와 평행한 모서리는 3개이다.

④ 모서리 BE와 꼬인 위치에 있는 모서리는 4개이다.

⑤ 모서리 AE와 면 CGFB는 서로 평행하다.

11 공간에 있는 서로 다른 세 직선 l, m, n과 서로 다른 세 평면 P, Q, R에 대하여 다음 중 옳지 <u>않은</u> 것은?

① $l /\!/ m$, $l /\!/ n$이면 $m /\!/ n$이다.

② $P /\!/ l$, $P /\!/ m$이면 $l /\!/ m$이다.

③ $P /\!/ Q$, $Q /\!/ R$이면 $P /\!/ R$이다.

④ $P /\!/ Q$, $P \perp l$이면 $Q \perp l$이다.

⑤ $P \perp l$, $P \perp m$이면 $l /\!/ m$이다.

서·술·형·문·제　　　풀이 과정을 자세히 쓰시오.

12 오른쪽 그림은 정삼각형과 정사각형의 면으로만 이루어진 입체도형이다. 모서리 BC, 모서리 CG와 동시에 꼬인 위치에 있는 모서리를 모두 구하여라.

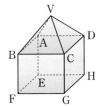

[단계] ❶ 모서리 BC와 꼬인 위치에 있는 모서리 찾기

　　　 ❷ 모서리 CG와 꼬인 위치에 있는 모서리 찾기

　　　 ❸ 모서리 BC, 모서리 CG와 동시에 꼬인 위치에 있는 모서리 찾기

답 ＿＿＿＿＿＿＿

13 오른쪽 그림의 전개도로 만들어진 정육면체에 대하여 면 ABCN과 수직으로 만나는 모서리의 개수를 a개, 모서리 AB와 꼬인 위치에 있는 모서리의 개수를 b개라 할 때, $a+b$의 값을 구하여라.

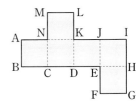

답 ＿＿＿＿＿＿＿

정답 및 풀이 43쪽

01 오른쪽 그림에서 ∠e의 동위각
과 ∠c의 엇각을 차례대로 나열
한 것은?

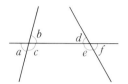

① ∠a, ∠b   ② ∠a, ∠d

③ ∠b, ∠d   ④ ∠b, ∠e

⑤ ∠a, ∠f

02 오른쪽 그림에서 ∠x의 동위각
들의 크기의 합은?

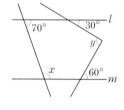

① 200°   ② 208°

③ 216°   ④ 222°

⑤ 226°

03 오른쪽 그림에서 $l /\!/ m$, $r /\!/ s$일
때, ∠x+∠y의 크기는?

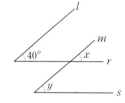

① 40°   ② 50°

③ 60°   ④ 70°

⑤ 80°

04 오른쪽 그림에서 $l /\!/ m$일 때,
∠x+∠y의 크기는?

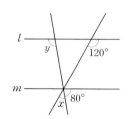

① 110°   ② 120°

③ 130°   ④ 140°

⑤ 150°

05 오른쪽 그림에서 $l /\!/ m$일 때,
∠x+∠y의 크기는?

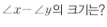

① 105°   ② 110°

③ 115°   ④ 120°

⑤ 125°

06 오른쪽 그림에서 $l /\!/ m$일 때,
∠x−∠y의 크기는?

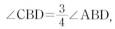

① 10°   ② 15°

③ 20°   ④ 25°

⑤ 30°

07 오른쪽 그림에서 $l /\!/ m$이고
∠CBD=$\frac{3}{4}$∠ABD,

∠BDC=$\frac{3}{4}$∠BDE일 때,

∠BCD의 크기는?

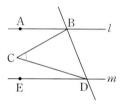

① 30°   ② 35°   ③ 40°

④ 45°   ⑤ 50°

08 오른쪽 그림에서 $l /\!/ m$일 때,
∠x의 크기는?

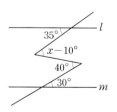

① 35°   ② 40°

③ 45°   ④ 50°

⑤ 55°

09 오른쪽 그림과 같이 직사각형 모양의 색종이를 접었을 때, 다음 중 옳지 <u>않은</u> 것은?

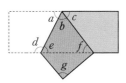

① $\angle a = \angle e$

② $\angle a = \angle b$

③ $\angle c = \angle f$

④ $\angle b = \angle f$

⑤ $\angle b + \angle c + \angle e = 180°$

10 다음 중 두 직선 l, m이 서로 평행하지 <u>않은</u> 것은?

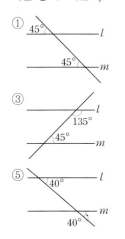

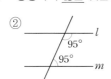

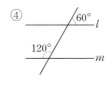

11 오른쪽 그림에서 서로 평행한 직선은 모두 몇 쌍인가?

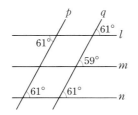

① 1쌍 ② 2쌍

③ 3쌍 ④ 4쌍

⑤ 5쌍

12 분수대 둘레로 산책을 하던 정훈이가 오른쪽 그림과 같이 A 지점에서 왼쪽으로 30°만큼 회전, B 지점에서 왼쪽으로 x°만큼 회전, C 지점에서 왼쪽으로 55°만큼 회전하여 방향을 바꾸었다. $l \parallel m$일 때 x의 값을 구하여라.

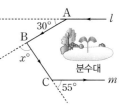

풀이 과정을 자세히 쓰시오.

서·술·형·문·제

13 오른쪽 그림에서 $l \parallel m$이고 $3\angle AOE = \angle BOE$일 때, $\angle DPF$의 크기를 구하여라.

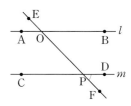

[단계] ❶ $\angle BOE$의 크기 구하기

❷ $\angle BOP$의 크기 구하기

❸ $\angle DPF$의 크기 구하기

답 _____

14 다음 그림에서 $\overline{AB} \parallel \overline{EF}$일 때, $\angle BCD$의 크기를 구하여라.

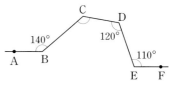

답 _____

01 오른쪽 그림과 같은 입체도형의 교점의 개수를 a개, 교선의 개수를 b개라 할 때, $b-a$의 값은?

① 2   ② 3

③ 4   ④ 5

⑤ 6

02 다음 중 기호로 잘못 나타낸 것은?

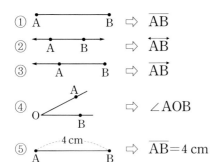

① A   B ⇨ $\overline{AB}$

② A B ⇨ $\overleftrightarrow{AB}$

③ A B ⇨ $\overrightarrow{AB}$

④ O A B ⇨ ∠AOB

⑤ A B 4 cm ⇨ $\overline{AB}=4$ cm

03 오른쪽 그림과 같이 반원 위에 6개의 점 O, A, B, C, D, E가 있다. 이 중 두 점을 이어서 만들 수 있는 직선의 개수는?

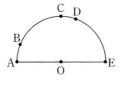

① 13개   ② 15개   ③ 17개

④ 19개   ⑤ 21개

04 다음 그림에서 $\overline{AB}=4\overline{BC}$이고 $\overline{AB}$, $\overline{BC}$의 중점을 각각 M, N이라 하자. $\overline{MN}=15$ cm일 때, $\overline{MB}$의 길이는?

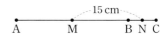

① 8 cm   ② 9 cm   ③ 10 cm

④ 11 cm   ⑤ 12 cm

05 다음 중 항상 예각인 것을 모두 고르면? (정답 2개)

① (평각)－(둔각)   ② (예각)＋(예각)

③ (둔각)－(예각)   ④ (평각)－(예각)

⑤ (둔각)－(직각)

06 오른쪽 그림에서 ∠AOB=$2x$, ∠BOC=$5x+6°$일 때, ∠BOC 의 크기는?

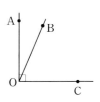

① 56°   ② 60°

③ 66°   ④ 70°

⑤ 72°

07 오른쪽 그림에서 ∠x－∠y의 크기는?

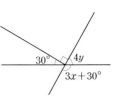

① 5°   ② 10°

③ 15°   ④ 20°

⑤ 25°

08 오른쪽 그림과 같은 직사각형 ABCD의 넓이가 18 cm²이고 $\overline{BD}=6$ cm일 때, 점 A와 $\overline{BD}$ 사이의 거리는?

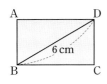

① 1 cm   ② 1.5 cm   ③ 3 cm

④ 4.5 cm   ⑤ 6 cm

09 오른쪽 그림의 전개도를 접어서 삼각기둥을 만들었을 때, 모서리 ID와 꼬인 위치에 있는 모서리를 모두 고르면? (정답 2개)

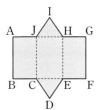

① 모서리 JH   ② 모서리 JC

③ 모서리 HE   ④ 모서리 CE

⑤ 모서리 DE

10 다음의 서로 다른 두 직선 중 공간에서 서로 평행한 두 직선은?

① 한 직선에 수직인 두 직선

② 한 평면에 수직인 두 직선

③ 한 평면에 평행한 두 직선

④ 한 직선과 만나지 않는 두 직선

⑤ 한 직선에 평행한 직선과 수직인 직선

11 오른쪽 그림과 같이 두 직선 l, m과 또 다른 직선 n이 각각 한 점에서 만날 때, 다음 중 옳은 것을 모두 고르면? (정답 2개)

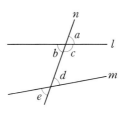

① $l /\!/ m$이면 $\angle c = \angle d$

② $\angle a = \angle b$이면 $l /\!/ m$이다.

③ $\angle b = \angle d$이면 $l /\!/ m$이다.

④ $l /\!/ m$이면 $\angle a = \angle e$이다.

⑤ $\angle b + \angle e = 180°$이면 $l /\!/ m$이다.

12 오른쪽 그림에서 $\angle ABE = x+25°$, $\angle DCE = 3x-45°$일 때, $l /\!/ m$이 되도록 하는 $\angle x$의 크기는?

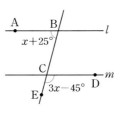

① 30°   ② 35°   ③ 40°

④ 45°   ⑤ 50°

13 오른쪽 그림에서 $l /\!/ m$일 때, $\angle x + \angle y$의 크기는?

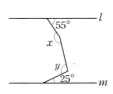

① 250°   ② 255°

③ 260°   ④ 265°

⑤ 270°

14 다음 그림과 같이 한 직선 l 위에 10개의 점 A_1, A_2, A_3, $\cdots$, A_{10}이 있다. 이 중에서 두 점을 선택하여 만들 수 있는 서로 다른 선분의 개수가 a개, 반직선의 개수가 b개일 때, $a+b$의 값을 구하여라.

15 한 직선 위에 네 점 A, B, C, D가 차례로 있다. $\overline{AB} : \overline{BC} : \overline{CD} = 4 : 2 : 1$이고 $\overline{BC}$, $\overline{CD}$의 중점을 각각 M, N이라 하자. $\overline{MN} = 9$ cm일 때, $\overline{AM}$의 길이를 구하여라.

....

....

....

16 시계에서 3시와 4시 사이에 시침과 분침이 이루는 각의 크기가 $90°$인 시각은 3시 몇 분인지 구하여라.

17 오른쪽 그림의 정육면체에서 $\angle AFG - \angle AFH$의 크기를 구하여라.

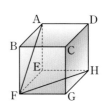

18 오른쪽 그림은 직육면체의 한 꼭짓점에서 작은 직육면체를 잘라낸 입체도형이다. 면 DGJE와 평행한 모서리의 개수를 a개, 모서리 IJ와 꼬인 위치에 있는 모서리의 개수를 b개라 할 때, $a+b$의 값을 구하여라.

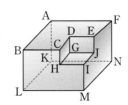

19 오른쪽 그림에서 $l \, /\!/ \, m$이고 사각형 ABCD는 정사각형이다. $\overline{BD}$와 $\overline{AB}$의 연장선이 직선 l, m과 만나는 점을 각각 E, F라 할 때, ∠AEB의 크기를 구하여라.

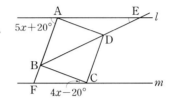

....

....

....

20 오른쪽 그림에서 $l \, /\!/ \, m$일 때, $\angle a + \angle b + \angle c + \angle d$의 크기를 구하여라.

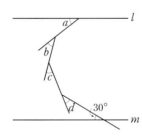

21 오른쪽 그림에서 $l \, /\!/ \, m$, $\overline{BC} \, /\!/ \, \overline{ED}$이고, ∠EDC : ∠FED = 3 : 7일 때, ∠x의 크기를 구하여라.

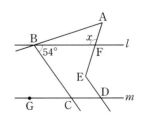

정답 및 풀이 46쪽

01 다음 중 도형을 작도할 때, 컴퍼스의 용도를 모두 고르면?

(정답 2개)

① 원을 그린다.
② 선분의 길이를 옮긴다.
③ 각의 크기를 측정한다.
④ 두 점을 지나는 선을 긋는다.
⑤ 선분의 길이를 연장한다.

02 다음은 선분 AB와 길이가 같은 선분 PQ를 작도하는 과정이다. 작도 순서를 바르게 나열하여라.

> ㉠ 컴퍼스로 $\overline{AB}$의 길이를 잰다.
> ㉡ 눈금 없는 자로 점 P를 지나는 직선 l을 그린다.
> ㉢ 컴퍼스로 점 P를 중심으로 반지름의 길이가 $\overline{AB}$인 원을 그려 직선 l과 만나는 점 Q를 잡는다.

03 다음 그림은 ∠XOY와 크기가 같고 반직선 PQ를 한 변으로 하는 각을 작도한 것이다. ㉠을 작도한 바로 다음에 작도해야 할 것은?

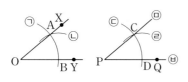

① ㉠   ② ㉢   ③ ㉣
④ ㉤   ⑤ ㉥

04 오른쪽 그림은 한 점 P를 지나고 직선 l에 평행한 직선을 작도한 것이다. 다음 중 옳지 <u>않은</u> 것은?

① $\overline{OA}=\overline{PD}$ ② $\overline{AB}=\overline{CD}$
③ $\overline{OB}=\overline{PC}$ ④ $\overline{AB}=\overline{PD}$
⑤ ∠AOB=∠CPD

05 다음 중 삼각형의 세 변의 길이가 될 수 <u>없는</u> 것을 모두 고르면? (정답 2개)

① 2, 3, 4   ② 4, 4, 6
③ 6, 12, 5   ④ 14, 7, 7
⑤ 4, 6, 8

06 삼각형의 세 변의 길이가 6, $x+1$, $x-1$일 때, 다음 중 x의 값이 될 수 <u>없는</u> 것은?

① 3   ② 4   ③ 5
④ 6   ⑤ 7

07 길이가 5 cm, 9 cm, 10 cm, 14 cm인 4개의 선분 중 3개의 선분으로 만들 수 있는 삼각형의 개수를 구하여라.

08 $\overline{AB}$, $\overline{BC}$, ∠B가 주어졌을 때, △ABC를 작도하는 과정에서 마지막 차례에 해당하는 것은?

① $\overline{AB}$를 긋는다.　　② $\overline{BC}$를 긋는다.

③ $\overline{AC}$를 긋는다.　　④ ∠B를 그린다.

⑤ ∠C를 그린다.

09 $\overline{BC}$의 길이와 ∠B의 크기가 주어졌을 때, △ABC가 하나로 정해지기 위해 필요한 또 하나의 조건을 보기에서 모두 고른 것은?

┤ 보기 ├

ㄱ. $\overline{AB}$의 길이　　　　　ㄴ. ∠C의 크기

ㄷ. $\overline{AC}$의 길이　　　　　ㄹ. ∠A의 크기

① ㄱ　　　　② ㄱ, ㄴ　　　　③ ㄴ, ㄷ

④ ㄱ, ㄴ, ㄷ　　⑤ ㄱ, ㄴ, ㄹ

10 다음과 같은 조건이 주어질 때, △ABC가 하나로 정해지지 <u>않는</u> 것을 모두 고르면? (정답 2개)

① $\overline{AB}$=8 cm, $\overline{BC}$=7 cm, $\overline{AC}$=14 cm

② $\overline{AB}$=4 cm, $\overline{BC}$=4 cm, ∠B=60°

③ ∠A =60°, ∠B=90°, ∠C=30°

④ $\overline{AB}$=10 cm, $\overline{AC}$=9 cm, ∠B =40°

⑤ $\overline{AB}$=14 cm, ∠A =30°, ∠B =125°

11 $\overline{AB}$=5 cm, $\overline{BC}$=8 cm, ∠C=100°가 주어졌을 때, 작도할 수 있는 △ABC의 개수는?

① 0개　　　　② 1개　　　　③ 2개

④ 3개　　　　⑤ 무수히 많다.

풀이 과정을 자세히 쓰시오.

12 세 변의 길이가 모두 자연수이고 둘레의 길이가 10인 서로 다른 삼각형은 모두 몇 개인지 구하여라.

[단계] ❶ 합이 10이 되는 세 자연수의 경우 찾기

❷ 삼각형의 세 변의 길이 사이의 관계 말하기

❸ 서로 다른 삼각형의 개수 구하기

답 _____

13 오른쪽 그림은 점 P를 지나고 직선 l과 평행한 직선을 작도한 것이다. 작도 순서를 나열하고, 평행선의 작도에 이용된 성질을 설명하여라.

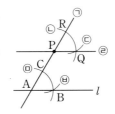

01 합동인 도형에 대한 다음 설명 중 옳지 <u>않은</u> 것은?

① 대응하는 선분의 길이는 서로 같다.

② 대응하는 각의 크기는 서로 같다.

③ 정사각형은 모두 합동이다.

④ 합동인 도형의 넓이는 서로 같다.

⑤ 한 도형을 다른 도형에 완전히 포갤 수 있다.

02 다음 그림에서 △ABC≡△EFD일 때, ∠D의 크기는?

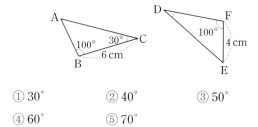

① 30°   ② 40°   ③ 50°

④ 60°   ⑤ 70°

03 다음 그림에서 △ABC≡△DEF가 되도록 하는 조건으로 알맞은 것은?

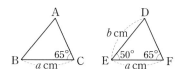

① ∠A=50°   ② ∠B=50°   ③ ∠B=65°

④ $\overline{AB}=b$ cm   ⑤ $\overline{AC}=b$ cm

04 다음 중 두 삼각형이 서로 합동이 <u>아닌</u> 것은?

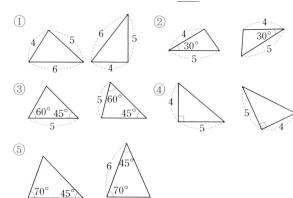

05 다음 중 △ABC와 △DEF가 합동이 되지 <u>않는</u> 것은?

① $\overline{AB}=\overline{DE}$, ∠A=∠D, ∠B=∠E

② $\overline{BC}=\overline{EF}$, ∠A=∠D, ∠C=∠F

③ $\overline{AB}=\overline{DE}$, $\overline{BC}=\overline{EF}$, ∠B=∠E

④ $\overline{AB}=\overline{DE}$, $\overline{AC}=\overline{DF}$, ∠C=∠F

⑤ $\overline{AB}=\overline{DE}$, $\overline{BC}=\overline{EF}$, $\overline{CA}=\overline{FD}$

06 오른쪽 그림에서 $\overline{BF}/\!/\overline{CD}$, $\overline{AD}/\!/\overline{BC}$이고 $\overline{AE}=\overline{ED}$일 때, △AEF와 △DEC가 서로 합동이다. 이때 사용된 삼각형의 합동 조건을 보기에서 골라라.

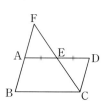

┤ 보기 ├

ㄱ. SSS 합동   ㄴ. SAS 합동

ㄷ. ASA 합동   ㄹ. 알 수 없다.

07 오른쪽 그림에서 삼각형 ABC는 $\overline{AB}=\overline{AC}$인 이등변삼각형이다. 점 D, E가 각각 두 변 AB, AC의 중점일 때, △DBC와 합동인 삼각형과 합동 조건을 차례로 구한 것은?

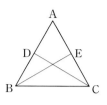

① △ECB, SSS 합동   ② △EAB, SAS 합동

③ △ECB, SAS 합동   ④ △DAC, ASA 합동

⑤ △ECB, ASA 합동

08 오른쪽 그림에서 $\overline{AE}=\overline{DC}$, $\overline{BC}=\overline{BE}$일 때, 다음 중 옳지 <u>않</u>은 것은?

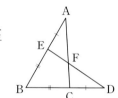

① ∠BAC=∠BDE

② $\overline{AF}=\overline{BC}$

③ ∠BCA=∠BED

④ △ABC≡△DBE

⑤ △AFE≡△DFC

09 오른쪽 그림의 평행사변형 ABCD에서 합동인 삼각형은 모두 몇 쌍인가?

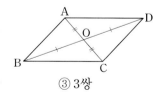

① 1쌍   ② 2쌍   ③ 3쌍

④ 4쌍   ⑤ 5쌍

10 오른쪽 그림에서 △ABC, △BED는 모두 정삼각형이고 ∠DEC=20°일 때, ∠ADC의 크기는?

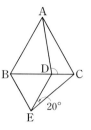

① 90°   ② 95°

③ 100°   ④ 105°

⑤ 110°

풀이 과정을 자세히 쓰시오.

11 오른쪽 그림과 같이 $\overline{AD}/\!/\overline{BC}$인 사다리꼴 ABCD에서 $\overline{AM}$, $\overline{BC}$의 연장선의 교점을 E라 하자. $\overline{AM}=\overline{EM}$일 때, 합동인 두 삼각형을 찾아 기호를 사용하여 나타내고, 이때 사용된 합동 조건을 말하여라.

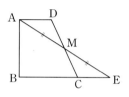

[단계] ❶ 합동인 삼각형 찾기
　　　 ❷ 합동 조건 설명하기

답 _____

12 오른쪽 그림에서 사각형 ABCD는 정사각형이고 삼각형 EBC는 정삼각형일 때, 다음 물음에 답하여라.

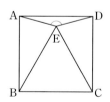

(1) △EAB와 합동인 삼각형을 찾고, 이때 사용된 합동 조건을 말하여라.

(2) ∠AED의 크기를 구하여라.

답 _____

01 오른쪽 그림은 선분 AB를 한 변으로 하는 정삼각형을 작도한 것이다. 이때 이용된 작도 방법은?

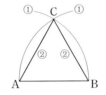

① 크기가 같은 각의 작도
② 길이가 같은 선분의 작도
③ 직교하는 선분의 작도
④ 평행한 선분의 작도
⑤ 길이가 2배인 선분의 작도

02 다음 그림은 $\angle$XOY와 크기가 같은 각을 반직선 AB 위에 작도한 것이다. 다음 중 길이가 <u>다른</u> 하나는?

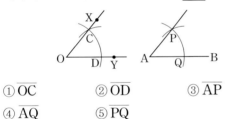

① $\overline{OC}$
② $\overline{OD}$
③ $\overline{AP}$
④ $\overline{AQ}$
⑤ $\overline{PQ}$

03 오른쪽 그림은 점 P를 지나고 직선 l에 평행한 직선을 작도한 것이다. 다음 중 옳지 <u>않은</u> 것은?

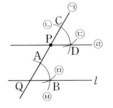

① $\overline{CP}=\overline{AQ}$
② $\overline{CD}=\overline{AB}$
③ $\overline{PD}=\overline{QB}$
④ 작도 순서는 ㉠-㉮-㉡-㉰-㉢-㉣이다.
⑤ 엇각의 크기가 같으면 두 직선은 서로 평행하다는 성질을 이용한 것이다.

04 삼각형의 서로 다른 세 변의 길이가 4, 6, x이고 x가 가장 긴 변의 길이일 때, x의 값의 범위는?

① $2<x<4$
② $4<x<6$
③ $6<x<10$
④ $8<x<12$
⑤ $x>10$

05 다음 그림은 두 변의 길이와 그 끼인각의 크기가 주어졌을 때, 삼각형을 작도하는 과정을 나타낸 것이다. $\triangle$ABC를 작도하는 순서로 옳지 <u>않은</u> 것은?

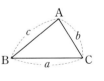

① ㉠-㉣-㉢-㉡
② ㉠-㉢-㉣-㉡
③ ㉢-㉣-㉠-㉡
④ ㉣-㉠-㉢-㉡
⑤ ㉣-㉢-㉠-㉡

06 다음 보기와 같이 선분의 길이와 각의 크기가 주어졌을 때, 오른쪽 그림과 같은 삼각형을 하나로 작도할 수 없는 것을 모두 골라라.

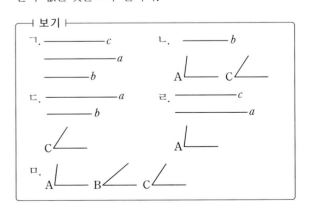

07 다음 중 △ABC가 하나로 정해지는 것은?

① $\overline{AC}=7$ cm, $\overline{BC}=10$ cm, $\angle A=40°$

② $\angle A=45°$, $\angle B=70°$, $\angle C=65°$

③ $\overline{AB}=8$ cm, $\angle A=40°$, $\angle B=80°$

④ $\overline{AB}=6$ cm, $\overline{BC}=4$ cm, $\angle C=30°$

⑤ $\overline{AB}=4$ cm, $\overline{BC}=10$ cm, $\overline{AC}=6$ cm

08 다음 중 $\angle B$의 크기가 추가로 주어져도 △ABC가 하나로 정해지지 <u>않는</u> 것은?

① $\overline{AC}$와 $\angle C$　　　　② $\angle A$와 $\angle C$

③ $\overline{AB}$와 $\overline{BC}$　　　　④ $\angle A$와 $\overline{AB}$

⑤ $\angle C$와 $\overline{BC}$

09 다음 그림에서 △ABC≡△EFD일 때, $x+y$의 값은?

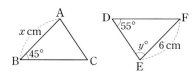

① 70　　　　② 75　　　　③ 82

④ 86　　　　⑤ 88

10 오른쪽 삼각형과 합동이 <u>아닌</u> 삼각형을 보기에서 골라라.

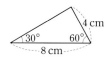

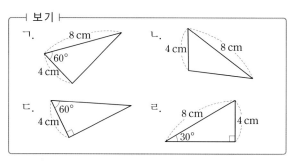

┤ 보기 ├

ㄱ.　ㄴ.　ㄷ.　ㄹ.

11 오른쪽 그림과 같이 $\overline{AB}=\overline{AC}$인 직각이등변삼각형 ABC의 두 꼭짓점 B, C에서 꼭짓점 A를 지나는 직선 l 위에 내린 수선의 발을 각각 D, E라 하자. $\overline{BD}=12$ cm, $\overline{CE}=5$ cm일 때, $\overline{DE}$의 길이는?

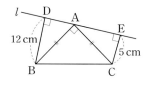

① 12 cm　　　② 14 cm　　　③ 16 cm

④ 17 cm　　　⑤ 19 cm

12 한 변의 길이가 10 cm인 두 정사각형을 오른쪽 그림과 같이 한 정사각형의 대각선의 교점 O에 다른 정사각형의 한 꼭짓점을 놓을 때, 두 정사각형의 겹쳐진 부분의 넓이는?

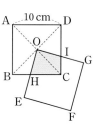

① 15 cm^2　　　② 20 cm^2　　　③ 25 cm^2

④ 30 cm^2　　　⑤ 35 cm^2

13 오른쪽 그림의 ∠XOY와 크기가 같은 각을 다른 종이에 옮겨 작도할 때의 컴퍼스의 사용 횟수는 a번이고, 동위각의 크기가 같을 때 두 직선이 평행함을 이용하여 점 P를 지나고 직선 l에 평행한 직선을 작도할 때의 컴퍼스의 사용 횟수는 b번이다. 이때 $a+b$의 값을 구하여라.

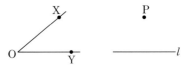

14 오른쪽 그림은 직선 l 위에 있지 않은 점 P를 지나고, 직선 l과 평행인 직선 m을 작도한 것이다. 다음 보기에서 옳지 <u>않은</u> 것을 골라라.

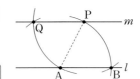

┤ 보기 ├
ㄱ. $\overline{AB}=\overline{PQ}$ 　　ㄴ. $\overline{BP}=\overline{AQ}$
ㄷ. $\overline{AQ}=\overline{PQ}$ 　　ㄹ. $\triangle ABP \equiv \triangle PQA$
ㅁ. $\angle BAP = \angle QPA$

15 길이가 1 cm, 3 cm, 5 cm, 7 cm, 9 cm, 11 cm인 6개의 선분이 있다. 이 중 세 개의 선분으로 삼각형을 만들려고 할 때, 만들 수 있는 서로 다른 삼각형은 모두 몇 개인지 구하여라.

⋯⋯⋯
⋯⋯⋯
⋯⋯⋯

16 $\overline{AB}=12$ cm, $\overline{AC}=10$ cm, ∠B=30°인 조건으로 작도할 수 있는 삼각형 ABC의 개수는 a개, 한 변의 길이가 8 cm, 두 각의 크기가 30°, 70°인 조건으로 작도할 수 있는 삼각형의 개수는 b개이다. 이때 $a+b$의 값을 구하여라.

17 오른쪽 그림의 정사각형 ABCD에서 네 점 P, Q, R, S는 각각 $\overline{AB}$, $\overline{BC}$, $\overline{CD}$, $\overline{DA}$의 중점이다. △ABF와 합동인 삼각형을 모두 찾아라.

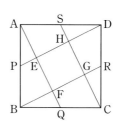

[서술형]

18 오른쪽 그림에서 △ABC와 △CDE는 정삼각형이다. 다음 물음에 답하여라.

(1) ∠ACD＝∠BCE이다. 그 이유를 설명하여라.

(2) △ACD≡△BCE임을 설명하고, 이때 사용된 합동 조건을 말하여라.

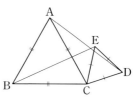

....

....

....

19 오른쪽 그림과 같이 정삼각형 ABC에서 변 BC의 연장선 위에 점 D를 잡고 $\overline{AD}$를 한 변으로 하는 정삼각형 ADE를 그렸다. $\overline{BC}=3$ cm, $\overline{CD}=4$ cm일 때, $\overline{CE}$의 길이를 구하여라.

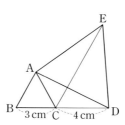

20 오른쪽 그림의 정사각형 ABCD에서 ∠EAF＝45°, ∠AEF＝72°일 때, ∠x의 크기를 구하여라.

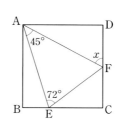

07 다각형의 내각, 외각과 대각선

정답 및 풀이 49쪽

01 다음 중 다각형인 것은? (정답 2개)

①   ②   ③

④   ⑤

02 오른쪽 그림의 사각형 ABCD에서 $\angle A$의 외각의 크기는?

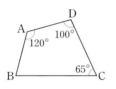

① $60°$ ② $65°$

③ $70°$ ④ $75°$

⑤ $80°$

03 다음 중 정다각형에 대한 설명으로 옳지 <u>않은</u> 것은?

① 모든 변의 길이는 같다.
② 모든 외각의 크기는 같다.
③ 모든 내각의 크기는 같다.
④ 모든 대각선의 길이는 같다.
⑤ 한 꼭짓점에서 내각과 외각의 크기의 합은 $180°$이다.

04 정육각형의 한 내각의 크기를 $a°$, 한 외각의 크기를 $b°$라 할 때, $a+b$의 값은?

① 90 ② 120 ③ 180

④ 240 ⑤ 360

05 십각형의 한 꼭짓점에서 그을 수 있는 대각선의 개수는?

① 5개 ② 6개 ③ 7개

④ 8개 ⑤ 9개

06 다음 두 조건을 모두 만족하는 다각형은?

> (가) 내각의 크기가 모두 같고 변의 길이가 모두 같다.
> (나) 한 꼭짓점에서 그을 수 있는 대각선의 개수는 5개이다.

① 육각형 ② 팔각형 ③ 정육각형
④ 정칠각형 ⑤ 정팔각형

07 육각형의 한 꼭짓점에서 대각선을 모두 그을 때, 육각형은 몇 개의 삼각형으로 나누어지는가?

① 3개 ② 4개 ③ 5개

④ 6개 ⑤ 7개

08 어떤 다각형의 내부의 한 점에서 각 꼭짓점에 선분을 그을 때 생기는 삼각형의 개수가 7개일 때, 이 다각형의 꼭짓점의 개수는?

① 7개 ② 8개 ③ 9개

④ 10개 ⑤ 11개

09 팔각형의 한 꼭짓점에서 그을 수 있는 대각선의 개수는 m개이고, 이때 생기는 삼각형의 개수는 n개일 때, $m+n$의 값은?

① 8   ② 9   ③ 10
④ 11   ⑤ 12

10 십각형의 대각선의 총 개수는?

① 20개   ② 25개   ③ 30개
④ 35개   ⑤ 40개

11 어떤 다각형의 한 꼭짓점에서 그을 수 있는 대각선의 개수가 8개일 때, 이 다각형의 대각선의 총 개수는?

① 24개   ② 28개   ③ 32개
④ 36개   ⑤ 44개

12 한 꼭짓점에서 대각선을 모두 그을 때 생기는 삼각형의 개수가 7개인 다각형의 대각선의 총 개수는?

① 14개   ② 21개   ③ 27개
④ 32개   ⑤ 35개

13 대각선의 총 개수가 65개인 다각형은?

① 십각형   ② 십일각형   ③ 십이각형
④ 십삼각형   ⑤ 십사각형

서·술·형·문·제

풀이 과정을 자세히 쓰시오.

14 꼭짓점의 개수가 x개, 변의 개수가 y개이고, $x+y=24$를 만족하는 다각형이 있다. 이 다각형의 한 꼭짓점에서 그을 수 있는 대각선의 개수를 m개, 대각선의 총 개수를 n개라 할 때, $n-m$의 값을 구하여라.

[단계] ❶ x, y의 값 구하기
❷ m, n의 값 구하기
❸ $n-m$의 값 구하기

답 _____

15 오른쪽 그림과 같이 식탁에 5명의 학생이 앉아 있다. 학생들끼리 서로 한 번씩 악수를 한다면 악수는 총 몇 번을 하게 되는지 구하여라.

답 _____

정답 및 풀이 50쪽

01 오른쪽 그림과 같은 △ABC에서 ∠x의 크기는?

① 30° ② 35°
③ 40° ④ 45°
⑤ 50°

02 삼각형의 세 내각의 크기의 비가 7 : 2 : 9이면 어떤 삼각형인가?

① 예각삼각형 ② 직각삼각형
③ 둔각삼각형 ④ 이등변삼각형
⑤ 직각이등변삼각형

03 삼각형의 세 내각의 크기의 비가 4 : 5 : 3일 때, 가장 큰 외각의 크기는?

① 115° ② 120° ③ 135°
④ 140° ⑤ 155°

04 오른쪽 그림과 같은 △ABC에서 ∠x의 크기는?

① 10° ② 15°
③ 20° ④ 25°
⑤ 30°

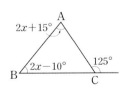

05 오른쪽 그림에서 ∠x + ∠y의 크기는?

① 70° ② 80°
③ 90° ④ 100°
⑤ 110°

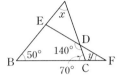

06 오른쪽 그림의 △ABC에서 ∠B와 ∠C의 이등분선의 교점을 I라 하자. ∠BIC = 110°일 때, ∠x의 크기는?

① 40° ② 45°
③ 50° ④ 55°
⑤ 60°

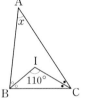

07 다음 중 오른쪽 그림에서 ∠x의 크기와 같은 것은?

① ∠a + ∠c
② ∠a + ∠b + ∠d
③ ∠b + ∠c + ∠d
④ ∠c + ∠d + ∠e
⑤ ∠a + ∠b + ∠c + ∠d + ∠e

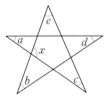

08 대각선의 총 개수가 35개인 다각형의 내각의 크기의 합은?

① 1260° ② 1440° ③ 1620°
④ 1800° ⑤ 1980°

09 내각의 크기의 합이 $1080°$인 다각형의 꼭짓점의 개수는?

   ① 8개   ② 9개   ③ 10개

   ④ 11개   ⑤ 12개

10 오른쪽 그림에서 $\angle x + \angle y$의 크기는?

   ① $150°$ ② $160°$

   ③ $165°$ ④ $180°$

   ⑤ $200°$

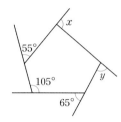

11 오른쪽 그림에서
$\angle a + \angle b + \angle c + \angle d + \angle e + \angle f$
의 크기는?

   ① $600°$ ② $630°$ ③ $650°$

   ④ $680°$ ⑤ $720°$

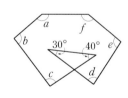

12 한 외각의 크기가 $45°$인 정다각형의 내각의 크기의 합은?

   ① $1080°$ ② $1260°$ ③ $1440°$

   ④ $1620°$ ⑤ $1800°$

13 다음 설명 중 옳지 <u>않은</u> 것은?

   ① 정오각형의 내각의 크기의 합은 $540°$이다.

   ② 정육각형의 한 외각의 크기는 $40°$이다.

   ③ 정팔각형의 한 내각의 크기는 $135°$이다.

   ④ 내각의 크기의 합이 $1260°$인 다각형은 구각형이다.

   ⑤ 한 외각의 크기가 $36°$인 정다각형은 정십각형이다.

서·술·형·문·제   풀이 과정을 자세히 쓰시오.

14 다음 그림에서 $\overline{AB} = \overline{AC} = \overline{CD} = \overline{DE}$이고 $\angle FDE = 96°$일 때, $\angle x$의 크기를 구하여라.

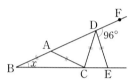

[단계]   ❶ $\angle CAD$의 크기를 $\angle x$로 나타내기

        ❷ $\angle DEC$의 크기를 $\angle x$로 나타내기

        ❸ $\angle x$의 크기 구하기

답 _____

15 오른쪽 그림에서 사각형 ABCD는 정사각형이고, 삼각형 PBC는 정삼각형일 때, $\angle x + \angle y$의 크기를 구하여라.

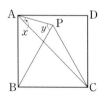

답 _____

01 다음 보기에서 다각형은 모두 몇 개인가?

┤ 보기 ├
ㄱ. 삼각형　　ㄴ. 원　　ㄷ. 육각형
ㄹ. 사각뿔　　ㅁ. 마름모　　ㅂ. 원기둥

① 1개　　② 2개　　③ 3개
④ 4개　　⑤ 5개

02 다음 중 다각형에 대한 설명으로 옳지 <u>않은</u> 것은?

① 다각형을 이루는 선분을 변이라고 한다.
② 두 개 이상의 선분 또는 곡선으로 둘러싸인 평면도형을 다각형이라고 한다.
③ 다각형에서 이웃하는 두 변으로 이루어진 각을 내각이라고 한다.
④ 다각형에서 한 변과 그 변에 이웃하는 다른 한 변의 연장선이 이루는 각을 외각이라고 한다.
⑤ 다각형의 대각선의 총 개수는 변의 개수에 따라 달라진다.

03 다음 세 조건을 모두 만족하는 다각형은?

㈎ 모든 변의 길이가 같다.
㈏ 모든 내각의 크기가 같다.
㈐ 꼭짓점의 개수와 변의 개수의 합이 12개이다.

① 육각형　　② 팔각형　　③ 십이각형
④ 정육각형　　⑤ 정팔각형

04 어떤 다각형의 한 꼭짓점에서 그을 수 있는 대각선의 개수를 a개, 이때 생기는 삼각형의 개수를 b개라 할 때, $b-a$의 값은?

① 1　　② 2　　③ 3
④ 4　　⑤ 5

05 구각형의 대각선의 총 개수와 십각형의 대각선의 총 개수의 합은?

① 40개　　② 48개　　③ 55개
④ 58개　　⑤ 62개

06 십이각형의 한 꼭짓점에서 그을 수 있는 대각선의 개수는 a개, 내부의 한 점에서 각 꼭짓점에 선분을 그었을 때 생기는 삼각형의 개수는 b개일 때, $a+b$의 값은?

① 13　　② 15　　③ 18
④ 20　　⑤ 21

07 오른쪽 그림에서 $\angle x$의 크기는?

① 20°　　② 25°
③ 30°　　④ 35°
⑤ 40°

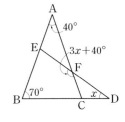

08 오른쪽 그림과 같은 △ABC 에서 $\overline{AC}=\overline{CD}=\overline{DB}$이고 $\angle A=70°$일 때, $\angle x$의 크기는?

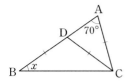

① 30° ② 35° ③ 40°
④ 45° ⑤ 50

09 오른쪽 그림에서 $\angle x$의 크기는?

① 110° ② 115°
③ 120° ④ 125°
⑤ 130°

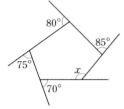

10 오른쪽 그림에서 $\angle a+\angle b+\angle c+\angle d+\angle e+\angle f$의 크기는?

① 180° ② 170°
③ 360° ④ 450°
⑤ 540°

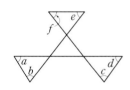

11 삼각형의 세 외각의 크기의 비가 2 : 3 : 4일 때, 삼각형의 세 내각의 크기의 비는?

① 4 : 3 : 1 ② 4 : 3 : 2 ③ 4 : 3 : 3
④ 5 : 3 : 1 ⑤ 5 : 3 : 2

12 오른쪽 그림의 사각형 ABCD에서 $\angle C$와 $\angle D$의 이등분선의 교점을 E라 할 때, $\angle x$의 크기는?

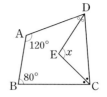

① 80° ② 85°
③ 90° ④ 95°
⑤ 100°

13 오른쪽 그림은 n각형의 내부의 한 점 O에서 각 꼭짓점에 선분을 그은 것이다. 다음 중 옳지 <u>않은</u> 것은?

① n개의 삼각형이 생긴다.
② 점 O에 모인 각의 크기의 총합은 180°이다.
③ 모든 삼각형들의 내각의 크기의 총합은 $180°\times n$이다.
④ n각형의 내각의 크기의 합은 $180°\times(n-2)$이다.
⑤ n각형의 외각의 크기의 합은 360°이다.

14 내각의 크기의 합이 1500°보다는 크고 1700°보다는 작은 다각형은?

① 팔각형 ② 구각형 ③ 십각형
④ 십일각형 ⑤ 십이각형

15 내각의 크기의 합이 1440°인 정다각형의 한 외각의 크기는?

① 24° ② 30° ③ 36°
④ 40° ⑤ 45°

16 오른쪽 그림은 길이가 같은 30개의 막대를 이어 붙여 만든 도형이다. 이 도형에서 찾을 수 있는 정다각형의 개수를 구하여라.

17 오른쪽 그림에서 $\angle a + \angle b + \angle c + \angle d + \angle e + \angle f + \angle g + \angle h$의 크기를 구하여라.

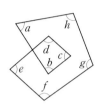

서술형
18 오른쪽 그림은 어느 정다각형의 일부분이다. 이 정다각형의 대각선의 총 개수를 구하여라.

....

....

....

19 오른쪽 그림에서 $\angle a + \angle b + \angle c + \angle d + \angle e + \angle f$의 크기를 구하여라.

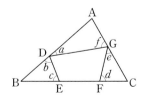

서술형

20 오른쪽 그림과 같이 삼각형 ABC에서 ∠A의 삼등분선이
변 BC와 만나는 점을 각각 D, E라 할 때, ∠x의 크기를
구하여라.

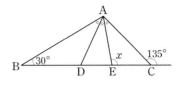

....

....

....

21 오른쪽 그림에서 ∠DBO＝∠CBO, ∠BCO＝∠ECO일 때, ∠x의
크기를 구하여라.

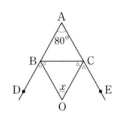

서술형

22 오른쪽 그림과 같은 정팔각형에서 대각선 BD와 CE의 교점을 P라 할
때, ∠EPD의 크기를 구하여라.

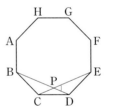

....

....

....

23 오른쪽 그림에서 $l /\!/ m$이고 오각형 ABCDE는 정오각형일 때, ∠x
의 크기를 구하여라.

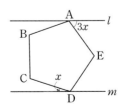

정답 및 풀이 54쪽

01 오른쪽 그림의 원 O에서 ①~⑤에 대한 설명으로 옳지 <u>않은</u> 것은?

① 호 AB
② 현 BC
③ $\overline{OC}$, $\overline{OD}$, $\overparen{CD}$로 이루어진 부채꼴
④ $\overline{AE}$, $\overparen{AE}$로 이루어진 활꼴
⑤ 호 AB에 대한 중심각

02 오른쪽 그림에서 ∠AOB의 크기가 2배로 될 때 함께 2배로 되는 것을 보기에서 모두 고른 것은?

┤ 보기 ├
ㄱ. 호 AB의 길이   ㄴ. 현 AB의 길이
ㄷ. 부채꼴 OAB의 넓이   ㄹ. △OAB의 넓이

① ㄱ, ㄴ   ② ㄱ, ㄷ   ③ ㄴ, ㄷ
④ ㄷ, ㄹ   ⑤ ㄱ, ㄴ, ㄷ

03 오른쪽 그림의 원 O에서 $\overparen{PQ}=\overparen{PR}$, $\overline{OQ}=4$ cm, $\overline{PQ}=7$ cm일 때, 색칠한 부분의 둘레의 길이는?

① 16 cm   ② 18 cm
③ 20 cm   ④ 22 cm
⑤ 24 cm

04 오른쪽 그림의 원 O에서 x의 값은?

① 12   ② 14
③ 16   ④ 18
⑤ 20

05 오른쪽 그림의 원 O에서 x의 값은?

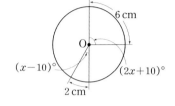

① 20   ② 25
③ 30   ④ 35
⑤ 40

06 오른쪽 그림에서 $\overparen{AB} : \overparen{BC} : \overparen{CA} = 2 : 3 : 4$일 때, ∠BOC의 크기는?

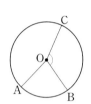

① 100°   ② 120°
③ 130°   ④ 150°
⑤ 160°

07 오른쪽 그림에서 $\overparen{AB}$의 길이는 $\overparen{BC}$의 길이의 3배일 때, ∠AOB의 크기는?

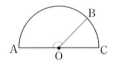

① 120°   ② 125°   ③ 130°
④ 135°   ⑤ 140°

08 오른쪽 그림의 반원 O에서 $\overparen{BC}=2$ cm, $\overparen{AC}=10$ cm일 때, ∠BOC의 크기는?

① 20°   ② 25°
③ 30°   ④ 35°
⑤ 40°

09 오른쪽 그림의 반원 O에서 $\overline{AC} /\!/ \overline{OD}$, $\angle BOD = 20°$, $\overset{\frown}{BD} = 3$ cm일 때, $\overset{\frown}{AC}$의 길이는?

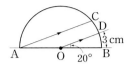

① 18 cm   ② 21 cm   ③ 24 cm

④ 27 cm   ⑤ 30 cm

10 오른쪽 그림의 원 O에서 $\overline{AB} /\!/ \overline{CD}$이고 $\angle AOB = 120°$일 때, $\overset{\frown}{AB}$의 길이는 $\overset{\frown}{AC}$의 길이의 몇 배인가?

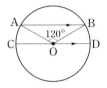

① 2배   ② $\dfrac{5}{2}$배

③ 3배   ④ $\dfrac{7}{2}$배

⑤ 4배

11 오른쪽 그림에서 $\overline{AC}$는 원 O의 지름이고 $\overset{\frown}{AB} : \overset{\frown}{BC} = 3 : 2$일 때, $\angle OAB$의 크기는?

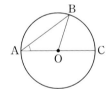

① 36°   ② 38°

③ 40°   ④ 42°

⑤ 45°

12 오른쪽 그림의 원 O에서 $\angle AOB = 60°$이고 부채꼴 AOB의 넓이는 8 cm², 부채꼴 COD의 넓이는 12 cm²일 때, $\angle x$의 크기는?

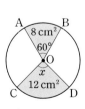

① 80°   ② 85°   ③ 90°

④ 95°   ⑤ 100°

13 다음 중 한 원에 대한 설명으로 옳지 <u>않은</u> 것은?

① 중심각의 크기가 같으면 현의 길이도 같다.

② 중심각의 크기가 같으면 호의 길이도 같다.

③ 부채꼴의 넓이가 같으면 중심각의 크기도 같다.

④ 중심각의 크기와 현의 길이는 정비례한다.

⑤ 중심각의 크기와 부채꼴의 넓이는 정비례한다.

서·술·형·문·제   풀이 과정을 자세히 쓰시오.

14 오른쪽 그림의 원 O에서 $\overline{BD}$, $\overline{CE}$는 원 O의 지름이고 $\overset{\frown}{AB} : \overset{\frown}{CD} : \overset{\frown}{DE} = 3 : 7 : 2$일 때, $\angle AOE$의 크기를 구하여라.

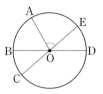

[단계] ❶ $\angle DOE$의 크기 구하기
❷ $\angle AOB$의 크기 구하기
❸ $\angle AOE$의 크기 구하기

답 _____

15 다음 그림과 같이 원 O의 지름 AB의 연장선과 현 CD의 연장선의 교점을 P라 하자. $\overline{PC} = \overline{CO}$, $\angle APC = 25°$일 때, $\overset{\frown}{AC} : \overset{\frown}{BD}$를 가장 간단한 자연수의 비로 나타내어라.

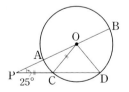

답 _____

기출문제로
내신대비

정답 및 풀이 55쪽

01 오른쪽 그림에서 색칠한 부분의 둘레의 길이는?

① 3π cm   ② 5π cm

③ 8π cm   ④ 12π cm

⑤ 16π cm

02 오른쪽 그림에서 합동인 3개의 작은 원의 넓이의 합이 12π cm²일 때, 색칠한 부분의 넓이는?

① 18π cm²   ② 24π cm²

③ 28π cm²   ④ 32π cm²

⑤ 36π cm²

03 오른쪽 그림에서 색칠한 부분의 넓이는?

① 12π cm²   ② 15π cm²

③ 18π cm²   ④ 20π cm²

⑤ 24π cm²

04 오른쪽 그림에서 색칠한 부분의 둘레의 길이와 넓이를 차례로 구하면?

① 10π cm, 30π cm²

② 20π cm, 50π cm²

③ 30π cm, 75π cm²

④ 40π cm, 80π cm²

⑤ 50π cm, 100π cm²

05 반지름의 길이가 12 cm이고 중심각의 크기가 120°인 부채꼴의 호의 길이는?

① 6π cm   ② 8π cm   ③ 10π cm

④ 12π cm   ⑤ 15π cm

06 오른쪽 그림과 같은 부채꼴의 넓이는?

① 3π cm²   ② 4π cm²

③ 5π cm²   ④ 6π cm²

⑤ 7π cm²

07 오른쪽 그림의 부채꼴에서 x의 값은?

① 100   ② 112

③ 120   ④ 132

⑤ 144

08 반지름의 길이가 5 cm이고 중심각의 크기가 108°인 부채꼴의 둘레의 길이는?

① $(\pi+6)$ cm   ② $(2\pi+8)$ cm

③ $(3\pi+10)$ cm   ④ $(4\pi+12)$ cm

⑤ $(5\pi+14)$ cm

09 오른쪽 그림의 부채꼴에서 색칠한 부분의 둘레의 길이는?

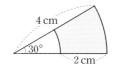

① $(\pi+4)$ cm

② $(\pi+8)$ cm

③ $(2\pi+4)$ cm

④ $(2\pi+8)$ cm

⑤ $(3\pi+4)$ cm

10 오른쪽 그림과 같이 반지름의 길이가 3 cm인 두 원 O와 O′이 서로 다른 원의 중심을 지날 때, 색칠한 부분의 둘레의 길이는?

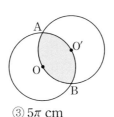

① 3π cm ② 4π cm ③ 5π cm

④ 6π cm ⑤ 8π cm

11 오른쪽 그림에서 색칠한 부분의 넓이는?

① 3π cm² ② 4π cm²

③ 5π cm² ④ 6π cm²

⑤ 7π cm²

12 오른쪽 그림과 같이 한 변의 길이가 8 cm인 정사각형에서 색칠한 부분의 넓이는?

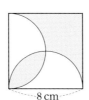

① 28 cm² ② 32 cm²

③ 36 cm² ④ 42 cm²

⑤ 48 cm²

13 오른쪽 그림의 정사각형에서 색칠한 부분의 넓이는?

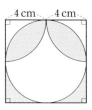

① 2π cm² ② 4π cm²

③ 6π cm² ④ 8π cm²

⑤ 10π cm²

서·술·형·문·제   풀이 과정을 자세히 쓰시오.

14 오른쪽 그림과 같이 반지름의 길이가 6 cm인 두 원 O, O′이 서로 다른 원의 중심을 지나고 있다. 이때 색칠한 부분의 넓이를 구하여라.

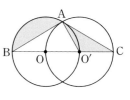

[단계] ❶ 색칠한 부분을 모아 부채꼴 만들기

❷ 부채꼴의 중심각의 크기 구하기

❸ 색칠한 부분의 넓이 구하기

답 _____

15 오른쪽 그림과 같이 반지름의 길이가 2 cm인 원을 한 변의 길이가 15 cm인 정삼각형의 세 변을 따라 한 바퀴 굴렸을 때, 원이 지나간 자리의 넓이를 구하여라.

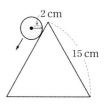

답 _____

정답 및 풀이 56쪽

01 다음 중 원에 대한 설명으로 옳지 <u>않은</u> 것은?

① 원에서 길이가 가장 긴 현은 지름이다.

② 현이 지름인 호는 반원이다.

③ 현과 호로 이루어진 도형은 부채꼴이다.

④ 원의 중심과 원 위의 한 점을 이은 선분을 반지름이라 한다.

⑤ 원 위의 한 점에서 다른 한 점까지의 부분을 호라 한다.

02 오른쪽 그림의 부채꼴에서 $\angle AOB=60°$, $\angle BOC=20°$일 때, 다음 중 옳은 것은?

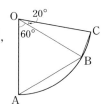

① $\overline{AB}=3\overline{BC}$

② $\overarc{AC}=3\overarc{BC}$

③ $\overline{OA}=\overline{AB}$

④ $\overarc{AB}=2\overarc{BC}$

⑤ (△AOB의 넓이)=3(△BOC의 넓이)

03 오른쪽 그림의 원 O에서 $x+y$의 값은?

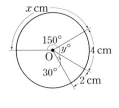

① 40 　　② 50

③ 60 　　④ 70

⑤ 80

04 오른쪽 그림에서 $\overarc{AB}:\overarc{BC}:\overarc{CA}=3:5:7$일 때, $\angle AOB$의 크기는?

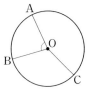

① 62° 　　② 72°

③ 84° 　　④ 120°

⑤ 168°

05 오른쪽 그림의 원 O에서 $\overarc{AC}=3$ cm, $\overarc{BC}=12$ cm일 때, $\angle ACO$의 크기는?

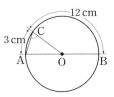

① 30° 　　② 45°

③ 60° 　　④ 72°

⑤ 80°

06 오른쪽 그림의 원 O에서 $\overline{AD}\,/\!/\,\overline{OC}$이고 $\angle ADO=30°$, $\overarc{CD}=3$ cm일 때, $\overarc{AB}$의 길이는?

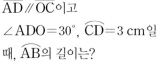

① 5 cm 　　② 6 cm 　　③ 7 cm

④ 8 cm 　　⑤ 9 cm

07 오른쪽 그림의 반원에서 점 C는 $\overline{AB}$의 연장선과 $\overline{DE}$의 연장선의 교점이고 $\overline{OD}=\overline{CD}$일 때, $\overarc{BD}:\overarc{AE}$는?

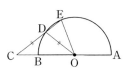

① 1 : 2 　　② 1 : 3 　　③ 2 : 3

④ 3 : 4 　　⑤ 3 : 5

08 오른쪽 그림에서 합동인 4개의 작은 원의 넓이의 합이 36π cm²일 때, 큰 원의 둘레의 길이는 4개의 작은 원의 둘레의 길이의 합의 몇 배인가? (단, 작은 원의 중심은 모두 큰 원의 지름 위에 있다.)

① 1배 ② 2배 ③ 3배
④ 4배 ⑤ 5배

09 오른쪽 그림에서 원 O의 반지름의 길이는 6 cm이고, $\overset{\frown}{AB} : \overset{\frown}{BC} : \overset{\frown}{CA} = 3 : 4 : 5$이다. 색칠한 부채꼴의 넓이는?

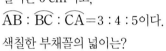

① 4π cm² ② 5π cm² ③ 8π cm²
④ 9π cm² ⑤ 12π cm²

10 오른쪽 그림과 같은 부채꼴의 넓이는?

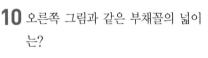

① 10 cm² ② 15 cm²
③ 30 cm² ④ 10π cm²
⑤ 15π cm²

11 오른쪽 그림의 원 O에서 $\overline{OD}=3$ cm, $\overline{BD}=3$ cm이고, 작은 부채꼴 OAB의 넓이가 12π cm²일 때, 색칠한 부분의 넓이는?

① 21π cm² ② 24π cm² ③ 27π cm²
④ 30π cm² ⑤ 33π cm²

12 오른쪽 그림의 사각형 ABCD는 한 변의 길이가 12 cm인 정사각형일 때, 색칠한 부분의 넓이는?

① 12π cm² ② 24π cm²
③ $(4\pi+6)$ cm² ④ $(6\pi+15)$ cm²
⑤ $(9\pi+18)$ cm²

13 오른쪽 그림과 같이 한 변의 길이가 8 cm인 정사각형에서 색칠한 부분의 넓이는?

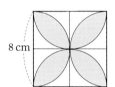

① $(12\pi-36)$ cm²
② $(16\pi-48)$ cm²
③ $(16\pi-54)$ cm²
④ $(32\pi-64)$ cm²
⑤ $(32\pi-72)$ cm²

14 오른쪽 그림과 같이 한 변의 길이가 10 cm인 정사각형에서 색칠한 부분의 넓이는?

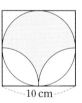

① 25 cm² ② $(4\pi+9)$ cm²
③ 36 cm² ④ $(10\pi+18)$ cm²
⑤ 50 cm²

15 오른쪽 그림과 같이 반지름의 길이가 10 cm인 반원에서 색칠한 부분의 넓이는?

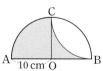

① 50 cm² ② 50π cm² ③ 75 cm²
④ 75π cm² ⑤ 100 cm²

서술형

16 오른쪽 그림과 같이 한 변의 길이가 10 cm인 정오각형에서 색칠한 부분의 둘레의 길이와 넓이를 각각 구하여라.

10 cm

....

....

....

17 오른쪽 그림 [가], [나]는 반지름의 길이가 3 cm인 원기둥 모양의 캔 3개를 묶은 것이다. 어느 쪽에 사용된 끈이 몇 cm 더 긴지 구하여라. (단, 끈의 매듭의 길이는 생각하지 않는다.)

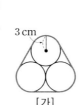
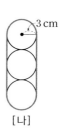

3 cm

3 cm

[가]   [나]

18 오른쪽 그림과 같이 반지름의 길이가 8 cm인 두 원 O, O′이 서로 다른 원의 중심을 지나고 있다. 이때 색칠한 부분의 넓이를 구하여라.

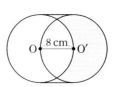

O 8 cm O′

서술형

19 오른쪽 그림은 $\overline{AD}$를 한 변으로 하는 정사각형과 $\overline{AD}$를 지름으로 하는 반원을 붙여 놓은 것이다. 이때 색칠한 부분의 넓이를 구하여라.

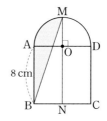

M
A   O   D
8 cm
B   N   C

....

....

....

20 오른쪽 그림과 같이 한 변의 길이가 6 cm인 정사각형 ABCD에서 색칠한 부분의 둘레의 길이를 구하여라.

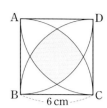

21 오른쪽 그림과 같이 풀밭에 가로의 길이가 5 m, 세로의 길이가 4 m인 창고가 있고, 창고 바깥 한 구석에 강아지가 6 m의 끈으로 묶여 있다. 강아지가 움직일 수 있는 부분의 넓이를 구하여라.

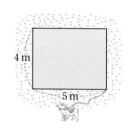

22 오른쪽 그림과 같이 대각선의 길이가 12 cm인 정사각형에서 색칠한 부분의 넓이를 구하여라.

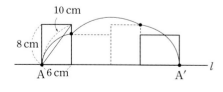

서술형

23 다음 그림과 같이 가로, 세로의 길이가 각각 6 cm, 8 cm이고 대각선의 길이가 10 cm인 직사각형을 직선 l 위에서 점 A가 점 A′에 오도록 회전시켰을 때, 점 A가 움직인 거리를 구하여라.

정답 및 풀이 58쪽

01 다음 보기에서 다면체인 것의 개수는?

┌ 보기 ├
ㄱ. 육각형　　ㄴ. 삼각뿔　　ㄷ. 직육면체
ㄹ. 원뿔　　　ㅁ. 원기둥　　ㅂ. 정사면체

① 2개　　　② 3개　　　③ 4개
④ 5개　　　⑤ 6개

02 다음 중 면의 개수가 가장 많은 입체도형은?

① 삼각뿔　　② 사각뿔대　　③ 사각기둥
④ 사각뿔　　⑤ 오각뿔대

03 다음 중 육면체가 아닌 것은?

① 사각기둥　　② 사각뿔대　　③ 오각뿔
④ 정육면체　　⑤ 육각뿔

04 다음 중 옆면의 모양이 사각형이 아닌 것은?

① 삼각기둥　　　　② 사각뿔대
③ 사각뿔　　　　　④ 오각기둥
⑤ 정육면체

05 다음 중 다면체와 그 옆면의 모양을 바르게 짝지은 것은?

① 삼각기둥−직사각형　　② 삼각뿔대−삼각형
③ 직육면체−육각형　　　④ 오각뿔−오각형
⑤ 오각기둥−사다리꼴

06 다음 중 모서리의 개수가 가장 많은 입체도형은?

① 사각뿔　　　　　② 오각기둥
③ 정오각뿔　　　　④ 육각뿔대
⑤ 팔각뿔

07 다음 중 다면체와 그 꼭짓점의 개수가 잘못 짝지어진 것은?

① 삼각기둥−6개　　② 사각뿔−5개
③ 육각뿔대−7개　　④ 칠각뿔−8개
⑤ 팔각기둥−16개

08 오른쪽 그림의 입체도형에서 면의 개수를 a개, 모서리의 개수를 b개, 꼭짓점의 개수를 c개라 할 때, $a+b+c$의 값은?

① 15　　　　　② 18
③ 20　　　　　④ 24
⑤ 28

09 꼭짓점의 개수가 12개인 각기둥의 모서리의 개수는?

① 12개   ② 15개   ③ 18개

④ 20개   ⑤ 24개

10 다음 중 각뿔에 대한 설명으로 옳지 <u>않은</u> 것은?

① 옆면은 모두 삼각형이다.

② 옆면과 밑면이 수직으로 만난다.

③ n각뿔의 모서리의 개수는 $2n$개이다.

④ 면의 개수와 꼭짓점의 개수가 같다.

⑤ 사각뿔을 밑면에 평행하게 자른 단면은 사각형이다.

11 다음 세 조건을 모두 만족하는 입체도형은?

> (가) 정다면체이다.
> (나) 각 면은 정삼각형이다.
> (다) 한 꼭짓점에 모이는 면의 개수가 3개이다.

① 정사면체   ② 정육면체   ③ 정팔면체

④ 정십이면체   ⑤ 정이십면체

12 정육면체의 각 면의 한가운데에 있는 점을 연결하였을 때 만들어지는 입체도형은?

① 정사면체   ② 정육면체   ③ 정팔면체

④ 정십이면체   ⑤ 정이십면체

13 다음 중 정다면체에 대한 설명으로 옳지 <u>않은</u> 것은?

① 모든 면은 합동인 정다각형이다.

② 각 꼭짓점에 모이는 면의 개수는 같다.

③ 면의 모양이 정삼각형인 정다면체는 정사면체, 정팔면체, 정이십면체이다.

④ 한 꼭짓점에 모인 정다각형의 내각의 크기의 합이 360°를 넘지 않아야 정다면체를 만들 수 있다.

⑤ 정다면체를 둘러싸고 있는 정다각형의 모양에 따라 정다면체의 이름이 결정된다.

서·술·형·문·제

풀이 과정을 자세히 쓰시오.

14 모서리의 개수가 18개인 각뿔대의 면의 개수를 a개, 꼭짓점의 개수를 b개라 할 때, $a+b$의 값을 구하여라.

답 _____

15 오른쪽 그림과 같은 정육면체를 세 꼭짓점 A, F, H를 지나는 평면으로 자를 때 나누어지는 두 입체도형의 면의 개수의 합을 구하여라.

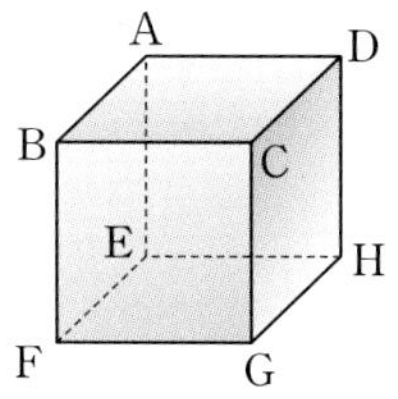

답 _____

정답 및 풀이 59쪽

01 다음 중 회전체가 <u>아닌</u> 것을 모두 고르면? (정답 2개)

① 원기둥   ② 오각기둥   ③ 원뿔

④ 원뿔대   ⑤ 정십이면체

02 오른쪽 그림과 같은 평면도형을 직선 l을 축으로 하여 1회전시킬 때 생기는 입체도형의 이름과 모선이 되는 선분을 바르게 짝지은 것은?

① 구, $\overline{AD}$ ② 반구, $\overline{AB}$

③ 원뿔, $\overline{AD}$ ④ 원뿔대, $\overline{AB}$

⑤ 원뿔대, $\overline{BC}$

03 오른쪽 그림과 같은 직각삼각형 ABC를 $\overline{AB}$를 축으로 하여 1회전시킬 때 생기는 회전체는?

①   ②

③   ④   ⑤

04 오른쪽 그림의 회전체는 다음 중 어느 평면도형을 회전시킨 것인가?

①   ②

③   ④   ⑤

05 다음 중 원뿔을 회전축을 포함하는 평면으로 자른 단면의 모양과 밑면과 평행한 평면으로 자른 단면의 모양을 차례로 나열한 것은?

① 원, 이등변삼각형   ② 이등변삼각형, 원

③ 원, 사다리꼴   ④ 사다리꼴, 원

⑤ 직사각형, 원

06 오른쪽 그림의 전개도로 만들 수 있는 회전체에 대한 다음 설명 중 옳은 것은?

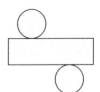

① 회전체의 이름은 원뿔대이다.

② 어떤 평면으로 잘라도 자른 단면의 모양은 항상 원이다.

③ 회전축에 수직인 평면으로 자른 단면의 모양은 사다리꼴이다.

④ 회전축을 포함하는 평면으로 자른 단면의 모양은 직사각형이다.

⑤ 두 밑면은 평행하고, 모양은 같으나 크기는 서로 다르다.

07 오른쪽 그림과 같이 $\overline{AB}=\overline{AC}$ 인 이등변삼각형 ABC를 직선 BC를 축으로 하여 1회전시킬 때 생기는 회전체를 회전축을 포함하는 평면으로 자를 때 생기는 단면의 모양은?

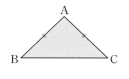

① 원
② 이등변삼각형
③ 직사각형
④ 정사각형
⑤ 마름모

08 오른쪽 그림과 같은 전개도로 만들어지는 입체도형의 이름과 이 입체도형을 회전축을 포함하는 평면으로 자를 때 생기는 단면의 모양을 옳게 짝지은 것은?

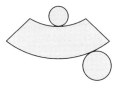

① 원뿔 – 원
② 원뿔 – 직사각형
③ 원뿔대 – 사다리꼴
④ 원뿔대 – 이등변삼각형
⑤ 원기둥 – 정사각형

09 다음 중 회전체에 대한 설명으로 옳지 않은 것은?

① 구, 원뿔, 원기둥, 원뿔대는 모두 회전체이다.
② 평면도형을 한 직선을 회전축으로 하여 1회전시킬 때 생기는 입체도형을 회전체라 한다.
③ 회전체에서 회전하면서 옆면을 만드는 선분을 모선이라 한다.
④ 회전체를 회전축을 포함하는 평면으로 자를 때 생기는 단면은 모두 합동이다.
⑤ 회전체를 회전축에 수직인 평면으로 자를 때 생기는 단면은 항상 합동인 원이다.

10 오른쪽 그림과 같은 직사각형을 직선 l을 축으로 하여 1회전시켜 얻은 회전체가 있다. 이 회전체를 회전축을 포함하는 평면으로 자른 단면의 넓이는?

① 24 cm²
② 36 cm²
③ 48 cm²
④ 56 cm²
⑤ 64 cm²

서·술·형·문·제   풀이 과정을 자세히 쓰시오.

11 오른쪽 그림과 같은 직각삼각형 ABC를 $\overline{AC}$, $\overline{BC}$를 각각 축으로 하여 1회전시켜 얻은 두 회전체가 있다. 이 두 회전체를 회전축을 포함하는 평면으로 각각 잘랐을 때, 그 단면의 넓이의 비를 가장 작은 자연수의 비로 나타내어라.

[단계] ❶ $\overline{AC}$가 회전축인 회전체의 단면의 넓이 구하기
❷ $\overline{BC}$가 회전축인 회전체의 단면의 넓이 구하기
❸ 두 단면의 넓이의 비 구하기

답 _____

12 오른쪽 그림과 같은 평면도형을 직선 l을 축으로 하여 1회전시켜 얻은 회전체의 전개도에서 옆면이 되는 직사각형의 넓이를 구하여라.

답 _____

01 다음 중 면의 개수가 가장 적은 다면체는?

① 삼각뿔대　　　② 삼각기둥　　　③ 사면체
④ 사각뿔　　　　⑤ 사각뿔대

02 다음 중 다면체와 그 모서리의 개수를 잘못 짝지은 것은?

① 오각뿔 – 10개　　　② 육각기둥 – 18개
③ 칠각뿔대 – 21개　　④ 정팔면체 – 12개
⑤ 팔각뿔 – 24개

03 다음 다면체 중 꼭짓점의 개수가 가장 많은 것은?

① 삼각뿔대　　　　② 사각기둥
③ 오각뿔　　　　　④ 육각기둥
⑤ 칠각뿔

04 꼭짓점의 개수가 24개인 각기둥은 몇 면체인가?

① 십이면체　　　　② 십삼면체
③ 십사면체　　　　④ 십오면체
⑤ 십육면체

05 다음 중 육각뿔대에 대한 설명으로 옳은 것은?

① 육면체이다.
② 모서리의 개수는 12개이다.
③ 옆면의 모양은 직사각형이다.
④ 밑면에 평행한 평면으로 자른 단면의 모양은 사다리꼴이다.
⑤ 두 밑면은 육각형이지만 합동은 아니다.

06 오른쪽 그림은 어느 입체도형의 전개도인가?

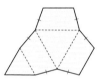

① 삼각뿔　　　　② 삼각기둥
③ 삼각뿔대　　　④ 사각뿔
⑤ 사각뿔대

07 다음 정다면체 중 평행한 모서리가 <u>없는</u> 것은?

① 정사면체　　② 정육면체　　③ 정팔면체
④ 정십이면체　⑤ 정이십면체

08 정십이면체는 한 꼭짓점에 정오각형이 a개씩 모이고, 모서리의 개수는 b개, 꼭짓점의 개수는 c개라 할 때, $a+b+c$의 값은?

① 50　　　　② 53　　　　③ 55
④ 60　　　　⑤ 62

09 오른쪽 그림의 도형을 직선 *l*을 축으로 하여 1회전시킬 때 생기는 회전체는?

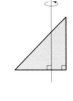

①   ②

③   ④   ⑤

10 오른쪽 그림의 회전체는 다음 중 어떤 도형을 회전시켜서 만든 것인가?

①   ②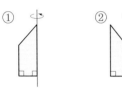

③   ④   ⑤

11 오른쪽 그림과 같은 원기둥을 평면 ①~⑤로 각각 잘랐을 때, 생기는 단면의 모양으로 옳지 않은 것은?

①   ②

③   ④   ⑤

12 다음 중 원뿔대를 여러 방향으로 자를 때 나올 수 <u>없는</u> 단면은?

①   ②   ③

④   ⑤

13 다음 그림은 원뿔대와 그 전개도이다. 다음 중 색칠한 밑면의 둘레의 길이와 같은 길이를 나타내는 것은?

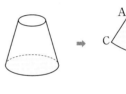

① $\overline{AB}$ ② $\overarc{AB}$ ③ $\overline{AC}$
④ $\overline{BD}$ ⑤ $\overarc{CD}$

14 다음 중 구에 대한 설명으로 옳지 <u>않은</u> 것은?

① 전개도를 그릴 수 없다.
② 회전축이 무수히 많다.
③ 지름을 포함하는 평면으로 자른 단면이 가장 크다.
④ 어떤 평면으로 잘라도 그 단면이 항상 합동인 원이다.
⑤ 회전축을 포함한 평면과 회전축에 수직인 평면으로 자른 단면은 모두 원이다.

15 크기와 모양이 같은 사각뿔 2개를 가지고, 합동인 한 옆면을 서로 맞붙여서 새로운 다면체를 만들었다. 이 다면체의 면의 개수를 a개, 꼭짓점의 개수를 b개, 모서리의 개수를 c개라 할 때, $a+b+c$의 값을 구하여라.

16 n각뿔의 면의 개수를 a개, n각뿔대의 모서리의 개수를 b개, n각기둥의 꼭짓점의 개수를 c개, n각뿔의 꼭짓점의 개수를 d개라 할 때, $a+b+c+d$의 값을 n을 이용하여 나타내어라.

17 오른쪽 그림과 같은 정육면체를 평면으로 자른 단면의 모양이 될 수 <u>없는</u> 것을 다음 보기에서 모두 골라라.

┤ 보기 ├
ㄱ. 정삼각형 　　　　　 ㄴ. 직사각형 　　　　　 ㄷ. 정사각형
ㄹ. 마름모 　　　　　 ㅁ. 정오각형

18 오른쪽 그림과 같은 전개도로 만들어지는 정다면체의 면의 개수를 a개, 꼭짓점의 개수를 b개, 모서리의 개수를 c개, 한 꼭짓점에 모이는 면의 개수를 d개라 할 때, $a+b+c+d$의 값을 구하여라.

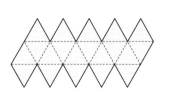

....

....

....

19 정다면체의 꼭짓점의 개수를 v개, 모서리의 개수를 e개, 면의 개수를 f개라 할 때, $v-e+f=2$를 만족한다. 정다면체 중 $3f=2e$, $2v=e$인 관계가 성립하는 정다면체의 이름을 말하여라.

20 오른쪽 그림과 같은 원뿔대의 전개도에서 옆면의 둘레의 길이를 구하여라.

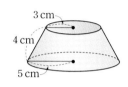

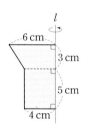

서술형

21 오른쪽 그림과 같은 평면도형을 직선 l을 축으로 하여 1회전시켜 회전체를 만들었다. 이 회전체를 회전축을 포함하는 평면으로 잘랐을 때 생기는 단면의 넓이를 구하여라.

22 오른쪽 그림과 같이 직각이등변삼각형 ABC를 직선 l로부터 4 cm 떨어진 위치에서 직선 l을 축으로 하여 1회전시켜 회전체를 만들었다. 이 회전체를 회전축에 수직인 평면으로 자를 때 생기는 단면 중 가장 큰 단면의 넓이를 구하여라.

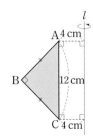

정답 및 풀이 62쪽

01 오른쪽 그림과 같은 삼각기둥의 겉넓이는?

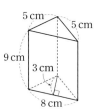

① 160 cm²   ② 178 cm²

③ 186 cm²   ④ 212 cm²

⑤ 220 cm²

02 오른쪽 그림과 같은 직육면체의 겉넓이는?

① 96 cm²   ② 105 cm²

③ 124 cm²   ④ 138 cm²

⑤ 142 cm²

03 오른쪽 그림과 같은 사각기둥의 겉넓이가 184 cm²일 때, h의 값은?

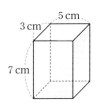

① 8   ② 9

③ 10   ④ 11   ⑤ 12

04 어떤 정육면체의 각 모서리의 길이를 2배로 늘여 새로운 정육면체를 만들 때, 만들어진 정육면체의 겉넓이는 처음 정육면체의 겉넓이의 몇 배가 되는가?

① 2배   ② 4배   ③ 6배

④ 8배   ⑤ 10배

05 오른쪽 그림과 같은 원기둥의 겉넓이는?

① 120π cm²   ② 130π cm²

③ 140π cm²   ④ 150π cm²

⑤ 160π cm²

06 높이가 밑면인 원의 반지름의 길이의 2배인 원기둥의 겉넓이가 96π cm²일 때, 이 원기둥의 밑면의 반지름의 길이는?

① 3 cm   ② 4 cm   ③ 5 cm

④ 6 cm   ⑤ 7 cm

07 오른쪽 그림과 같이 두 원기둥이 붙어 있는 입체도형의 겉넓이는?

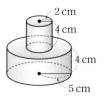

① 106π cm²   ② 108π cm²

③ 110π cm²   ④ 112π cm²

⑤ 115π cm²

08 오른쪽 그림과 같은 삼각기둥의 부피는?

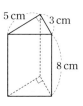

① 60 cm³   ② 64 cm³

③ 68 cm³   ④ 70 cm³

⑤ 72 cm³

09 밑면이 오른쪽 그림과 같고, 부피가 133 cm³인 오각기둥의 높이는?

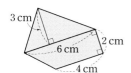

① 5 cm   ② 6 cm

③ 7 cm   ④ 8 cm

⑤ 9 cm

10 오른쪽 그림은 직육면체에서 작은 직육면체 모양을 잘라 낸 입체도형이다. 이 입체도형의 부피는?

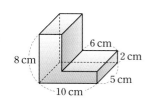

① 180 cm³   ② 190 cm³

③ 200 cm³   ④ 210 cm³

⑤ 220 cm³

11 오른쪽 그림과 같은 원기둥의 부피는?

① 60π cm³   ② 65π cm³

③ 68π cm³   ④ 72π cm³

⑤ 76π cm³

12 오른쪽 그림과 같이 구멍이 뚫린 입체도형의 부피는?

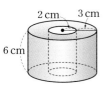

① 112π cm³   ② 115π cm³

③ 118π cm³   ④ 120π cm³

⑤ 126π cm³

13 오른쪽 그림과 같은 평면도형을 직선 l을 축으로 하여 1회전시킬 때 생기는 회전체의 부피는?

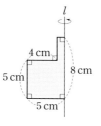

① 120π cm³   ② 125π cm³

③ 128π cm³   ④ 130π cm³

⑤ 132π cm³

서·술·형·문·제   풀이 과정을 자세히 쓰시오.

14 오른쪽 그림은 한 변의 길이가 6 cm인 정사각형을 밑면으로 하고 높이가 10 cm인 사각기둥에서 밑면의 반지름의 길이가 2 cm인 원기둥 모양의 구멍을 뚫은 입체도형이다. 이 입체도형의 겉넓이를 구하여라.

[단계] ❶ 밑넓이 구하기

❷ 바깥쪽과 안쪽의 옆넓이 구하기

❸ 겉넓이 구하기

답 _____

15 오른쪽 그림과 같은 직사각형을 직선 l을 축으로 하여 1회전시킬 때 생기는 입체도형의 부피를 구하여라.

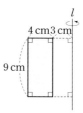

답 _____

01 오른쪽 그림의 전개도에서 모든 삼각형이 합동인 이등변삼각형일 때, 이 전개도로 만들어지는 입체도형의 겉넓이는?

① 62 cm² ② 64 cm²

③ 66 cm² ④ 68 cm²

⑤ 70 cm²

02 오른쪽 그림과 같이 밑면이 정사각형이고, 옆면이 모두 합동인 삼각형으로 이루어진 정사각뿔의 겉넓이는?

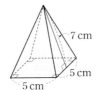

① 74 cm² ② 86 cm²

③ 95 cm² ④ 102 cm²

⑤ 115 cm²

03 오른쪽 그림과 같이 사각기둥과 사각뿔을 붙여서 만든 입체도형의 겉넓이는?

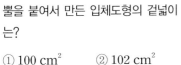

① 100 cm² ② 102 cm²

③ 105 cm² ④ 108 cm²

⑤ 110 cm²

04 오른쪽 그림과 같이 두 밑면이 모두 정사각형이고, 옆면이 모두 합동인 사각뿔대의 겉넓이는?

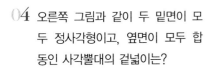

① 56 cm² ② 60 cm²

③ 64 cm² ④ 72 cm²

⑤ 85 cm²

05 오른쪽 그림과 같은 원뿔의 겉넓이는?

① 24π cm² ② 28π cm²

③ 33π cm² ④ 36π cm²

⑤ 45π cm²

06 오른쪽 그림과 같은 원뿔대의 겉넓이는?

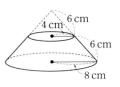

① 144π cm² ② 146π cm²

③ 148π cm² ④ 150π cm²

⑤ 152π cm²

07 오른쪽 그림과 같이 밑면의 반지름의 길이가 2 cm인 원뿔을 꼭짓점 O를 중심으로 하여 5바퀴를 돌렸더니 원래의 자리에 되돌아왔다. 이때 이 원뿔의 겉넓이는?

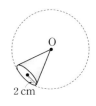

① 20π cm² ② 24π cm² ③ 27π cm²

④ 30π cm² ⑤ 34π cm²

08 부피가 72 cm³, 밑넓이가 24 cm²인 삼각뿔의 높이는?

① 8 cm ② 9 cm ③ 10 cm

④ 11 cm ⑤ 12 cm

09 오른쪽 그림은 한 모서리의 길이가 6 cm 인 정육면체의 일부분을 잘라낸 것이다. 이 입체도형의 부피는?

① 170 cm³   ② 180 cm³

③ 190 cm³   ④ 200 cm³

⑤ 210 cm³

10 오른쪽 그림과 같이 직육면체 모양의 그릇에 물을 가득 채운 후 그릇을 기울여 물을 흘려 보냈다. 남아 있는 물의 부피가 8 cm³일 때, x의 값은?

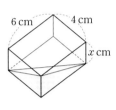

① 1.5   ② 2   ③ 2.4

④ 2.6   ⑤ 3

11 밑면인 원의 지름의 길이가 10 cm이고, 높이가 12 cm인 원뿔의 부피는?

① 72π cm³   ② 86π cm³   ③ 98π cm³

④ 100π cm³   ⑤ 112π cm³

12 밑넓이의 비가 2 : 3인 각기둥과 원뿔이 있다. 이 두 입체도형의 높이가 같을 때, 각기둥과 원뿔의 부피의 비는?

① 1 : 2   ② 2 : 1   ③ 2 : 3

④ 3 : 2   ⑤ 3 : 4

13 오른쪽 그림과 같은 사각뿔대의 부피는?

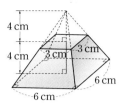

① 70 cm³   ② 74 cm³

③ 78 cm³   ④ 80 cm³

⑤ 84 cm³

서·술·형·문·제   풀이 과정을 자세히 쓰시오.

14 오른쪽 그림과 같은 정육면체에서 $\overline{AB}$, $\overline{BC}$의 중점을 각각 P, Q라 할 때, 면 PFQ에 의해 나누어지는 두 입체도형에 대하여 큰 입체도형의 부피는 작은 입체도형의 부피의 몇 배인지 구하여라.

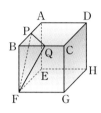

[단계] ❶ 작은 입체도형의 부피 구하기

❷ 큰 입체도형의 부피 구하기

❸ 큰 입체도형의 부피가 작은 입체도형의 부피의 몇 배인지 구하기

답 _____

15 높이가 12 cm, 부피가 100π cm³, 옆넓이가 60π cm²인 원뿔의 전개도에서 옆면인 부채꼴의 중심각의 크기를 구하여라.

답 _____

15 구의 겉넓이와 부피

정답 및 풀이 65쪽

01 반지름의 길이가 각각 r, $2r$인 두 구의 겉넓이의 비는?

① 1 : 2   ② 1 : 4   ③ 2 : 3

④ 3 : 5   ⑤ 4 : 9

02 겉넓이가 196π cm²인 구의 반지름의 길이는?

① 5 cm   ② 6 cm   ③ 7 cm

④ 8 cm   ⑤ 9 cm

03 오른쪽 그림과 같은 반원을 직선 l을 축으로 1회전시킬 때 생기는 입체도형의 겉넓이는?

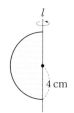

① 32π cm²   ② 45π cm²

③ 56π cm²   ④ 64π cm²

⑤ 75π cm²

04 오른쪽 그림과 같이 반지름의 길이가 5 cm인 반구의 겉넓이는?

① 50π cm²   ② 62π cm²

③ 75π cm²   ④ 84π cm²

⑤ 92π cm²

05 오른쪽 그림은 반지름의 길이가 8 cm인 구의 $\dfrac{1}{4}$을 잘라내고 남은 입체도형이다. 이 입체도형의 겉넓이는?

① 216π cm²   ② 222π cm²

③ 236π cm²   ④ 248π cm²

⑤ 256π cm²

06 오른쪽 그림은 반지름의 길이가 4 cm인 구의 $\dfrac{1}{8}$을 잘라내고 남은 입체도형이다. 이 입체도형의 부피는?

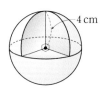

① $\dfrac{182}{3}\pi$ cm³   ② $\dfrac{194}{3}\pi$ cm³

③ $\dfrac{208}{3}\pi$ cm³   ④ $\dfrac{215}{3}\pi$ cm³   ⑤ $\dfrac{224}{3}\pi$ cm³

07 오른쪽 그림과 같은 반구의 겉넓이가 108π cm²일 때, 이 반구와 반지름의 길이가 같은 구의 부피는?

① 265π cm³   ② 288π cm³

③ 292π cm³   ④ 308π cm³

⑤ 324π cm³

08 오른쪽 그림과 같이 중심이 같은 두 개의 반원으로 이루어진 평면도형을 직선 l을 축으로 하여 1회전시킬 때 생기는 입체도형의 부피는?

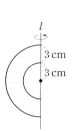

① 252π cm³   ② 256π cm³

③ 262π cm³   ④ 268π cm³

⑤ 274π cm³

09 오른쪽 그림과 같은 입체도형의 부피는?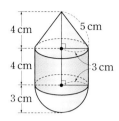

① 55π cm^3 ② 58π cm^3

③ 62π cm^3 ④ 66π cm^3

⑤ 68π cm^3

10 다음 그림에서 구의 부피는 원뿔의 부피의 $\frac{4}{3}$배이다. 원뿔의 높이는?

① 9 cm   ② 10 cm   ③ 11 cm

④ 12 cm   ⑤ 13 cm

11 오른쪽 그림과 같이 지름의 길이가 2 cm, 높이가 2 cm인 원기둥 안에 구와 원뿔이 꼭 맞게 들어 있다. 다음 보기에서 옳은 것을 모두 고른 것은?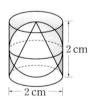

┤ 보기 ├

ㄱ. 구의 부피는 원기둥의 부피의 $\frac{2}{3}$이다.

ㄴ. 원뿔의 부피는 구의 부피의 $\frac{1}{3}$이다.

ㄷ. 원기둥의 부피는 원뿔의 부피의 $\frac{3}{2}$배이다.

ㄹ. 원기둥, 구, 원뿔의 부피의 비는 3 : 2 : 1이다.

① ㄱ, ㄴ   ② ㄴ, ㄷ   ③ ㄱ, ㄹ

④ ㄷ, ㄹ   ⑤ ㄱ, ㄴ, ㄹ

12 오른쪽 그림과 같이 원기둥 안에 반지름의 길이가 2 cm인 구 3개가 꼭 맞게 들어 있다. 이때 빈 공간의 부피는?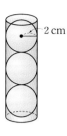

① 8π cm^3 ② 12π cm^3

③ 16π cm^3 ④ 20π cm^3

⑤ 24π cm^3

서·술·형·문·제   풀이 과정을 자세히 쓰시오.

13 오른쪽 그림과 같이 반지름의 길이가 6 cm인 구에 정팔면체가 꼭 맞게 들어 있다. 이때 구와 정팔면체의 부피의 비를 가장 간단한 비로 나타내어라.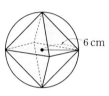

[단계] ❶ 구의 부피 구하기

❷ 정팔면체의 부피 구하기

❸ 구와 정팔면체의 부피의 비 구하기

답 _____

14 오른쪽 그림에서 색칠한 부분을 직선 l을 축으로 하여 1회전시킨 입체도형의 부피를 구하여라.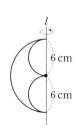

답 _____

01 오른쪽 그림과 같은 삼각기둥의 겉넓이는?

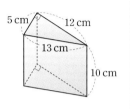

① 264 cm² ② 280 cm²

③ 320 cm² ④ 345 cm²

⑤ 360 cm²

02 오른쪽 그림의 직사각형을 직선 l을 축으로 하여 1회전시켰을 때 생기는 입체도형의 옆넓이는?

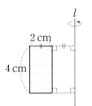

① 40π cm² ② 45π cm²

③ 48π cm² ④ 50π cm²

⑤ 52π cm²

03 어떤 원기둥을 회전축을 포함하는 평면으로 잘랐더니 그 단면의 모양이 한 변의 길이가 8 cm인 정사각형이었다. 이 원기둥의 겉넓이는?

① 32π cm² ② 56π cm² ③ 74π cm²

④ 96π cm² ⑤ 112π cm²

04 오른쪽 그림과 같은 전개도로 만들어지는 입체도형의 부피는?

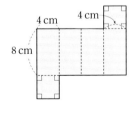

① 128 cm³ ② 152 cm³

③ 184 cm³ ④ 234 cm³

⑤ 256 cm³

05 오른쪽 그림과 같은 기둥의 부피는?

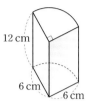

① 102π cm³ ② 108π cm³

③ 114π cm³ ④ 116π cm³

⑤ 120π cm³

06 다음 그림과 같이 두 직육면체 모양의 그릇에 같은 양의 물이 들어 있을 때, x의 값은?

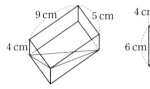

① 1.5 cm ② 2 cm ③ 2.5 cm

④ 3 cm ⑤ 3.5 cm

07 오른쪽 그림과 같은 입체도형의 부피는?

① 346π cm³ ② 362π cm³

③ 386π cm³ ④ 408π cm³

⑤ 432π cm³

08 오른쪽 그림과 같은 부채꼴을 옆면으로 하는 원뿔의 부피가 12π cm³일 때, 이 원뿔의 높이는?

① 3 cm ② 3.5 cm

③ 4 cm ④ 4.2 cm

⑤ 4.5 cm

09 오른쪽 그림과 같이 밑면인 원의 반지름의 길이가 6 cm, 높이가 h cm인 원뿔 모양의 빈 그릇에 1분에 20π cm^{3}씩 물을 넣으면 그릇을 가득 채우는 데 9분이 걸린다. 이때 h의 값은?

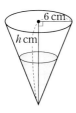

① 12   ② 13   ③ 14

④ 15   ⑤ 16

10 오른쪽 그림과 같이 두 밑면이 모두 정사각형인 사각뿔대의 부피가 78 cm^{3}일 때, 이 사각뿔대의 높이는?

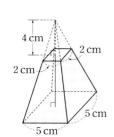

① 5 cm   ② 6 cm

③ 7 cm   ④ 8 cm

⑤ 9 cm

11 다음 그림과 같이 높이가 12 cm이고, 밑면이 합동인 원뿔 모양의 그릇 (가)와 원기둥 모양의 그릇 (나)가 있다. 그릇 (가)에 물을 담아 그릇 (나)에 부어 물을 가득 채우려고 한다면 최소한 몇 번을 부어야 그릇 (나)를 가득 채울 수 있겠는가?

(가)   (나)

① 2번   ② 3번   ③ 4번

④ 5번   ⑤ 6번

12 오른쪽 그림의 평행사변형 ABCD를 직선 l을 축으로 하여 1회전시킨 회전체의 부피는?

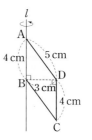

① 36π cm^3 ② 45π cm^3

③ 52π cm^3 ④ 60π cm^3

⑤ 74π cm^3

13 어떤 구의 겉넓이와 그 구를 구의 중심을 지나는 평면으로 자른 단면의 넓이의 비는?

① $2:1$ ② $3:2$ ③ $4:1$

④ $4:3$ ⑤ $5:3$

14 오른쪽 그림과 같은 입체도형의 겉넓이는?

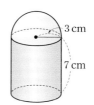

① 42π cm^2 ② 56π cm^2

③ 69π cm^2 ④ 74π cm^2

⑤ 80π cm^2

15 반지름의 길이가 4 cm인 원기둥 모양의 그릇에 높이 12 cm만큼의 물이 들어 있다. 여기에 반지름의 길이가 2 cm인 구 모양의 공 3개를 넣을 때, 물의 높이는? (단, 공은 모두 물에 잠긴다.)

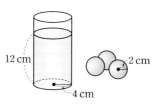

① 13 cm   ② 14 cm   ③ 15 cm

④ 16 cm   ⑤ 17 cm

16 오른쪽 그림과 같이 가로의 길이, 세로의 길이, 높이가 각각
6 cm, 5 cm, 4 cm인 직육면체를 평면 ABFE에 평행인 평면
으로 n번 잘라 $(n+1)$개의 직육면체를 만들었다. 이때 나누어
진 직육면체들의 겉넓이의 총합을 n에 대한 식으로 나타내어라.

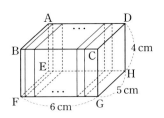

서술형
17 오른쪽 그림과 같이 밑면인 원의 반지름의 길이가 5 cm인 원뿔을 평면 위
에 놓고, 꼭짓점 O를 중심으로 하여 굴렸더니 3번 회전하고 처음 위치로 되
돌아왔다. 이때 이 원뿔의 겉넓이를 구하여라.

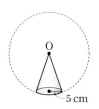

서술형
18 오른쪽 그림과 같은 평면도형을 직선 l을 축으로 하여 1회전시킬 때 생
기는 입체도형의 부피를 구하여라.

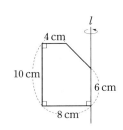

19 오른쪽 그림과 같이 밑면은 반지름의 길이가 4 cm인 부채꼴이고, 높이가
10 cm인 기둥의 겉넓이가 304 cm²일 때, 이 기둥의 부피를 구하여라.

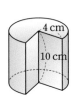

20 오른쪽 그림과 같이 한 모서리의 길이가 6 cm인 정육면체에서 한 변의 길이가 2 cm인 정사각형 모양의 구멍이 각 면의 중앙을 관통하도록 뚫었다. 이 입체도형의 겉넓이를 구하여라.

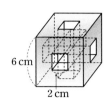

21 오른쪽 그림과 같이 모선의 길이가 12 cm, 밑면인 원의 반지름의 길이가 3 cm인 원뿔이 있다. 이 원뿔의 밑면 위의 한 점 A에서 출발하여 원뿔의 옆면을 한 바퀴 돌아 다시 A로 되돌아오는 가장 짧은 선을 그렸을 때, 옆면에서 선으로 나누어진 부분 중 아랫부분의 넓이를 구하여라.

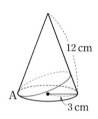

22 오른쪽 그림과 같은 직각삼각형 ABC에서 $\overline{BC}$를 축으로 하여 1회전시킬 때 생기는 회전체의 부피를 V_1, $\overline{AC}$를 축으로 하여 1회전시킬 때 생기는 회전체의 부피를 V_2라 할 때, $V_1 : V_2$를 가장 작은 자연수의 비로 나타내어라.

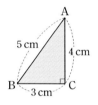

23 오른쪽 그림과 같이 원기둥에 구와 원뿔이 꼭 맞게 들어 있다. 구의 부피가 288π cm³일 때, 원기둥의 부피와 원뿔의 부피의 합을 구하여라.

정답 및 풀이 69쪽

[01~04] 다음은 동현이네 반 학생들이 한 달 동안 읽은 책의 수를 조사하여 나타낸 줄기와 잎 그림이다. 물음에 답하여라.

책의 수   (0|3은 3권)

줄기	잎
0	3 5 6 6 8
1	0 1 1 1 6 9
2	1 4 4 7 7
3	1 2 6 8

01 가장 많은 학생들이 읽은 책의 수는?

① 6권   ② 11권   ③ 19권

④ 24권   ⑤ 32권

02 읽은 책의 수가 15권 이상 25권 미만인 학생의 수는?

① 4명   ② 5명   ③ 6명

④ 7명   ⑤ 8명

03 6번째로 책을 많이 읽은 학생의 책의 수는?

① 16권   ② 19권   ③ 21권

④ 24권   ⑤ 27권

04 책을 20권 이상 읽은 학생은 전체의 몇 %인가?

① 35 %   ② 40 %   ③ 45 %

④ 50 %   ⑤ 55 %

05 다음 중 옳지 않은 것을 모두 고르면? (정답 2개)

① 줄기와 잎 그림에서 잎의 개수는 변량의 개수와 같다.

② 줄기와 잎 그림에서는 변량을 알 수 없다.

③ 도수분포표에서 도수의 총합은 전체 변량의 개수와 같다.

④ 도수분포표를 만들 때, 계급의 개수는 적을수록 좋다.

⑤ 도수분포표에서는 변량을 알 수 없다.

[06~08] 다음 표는 진하네 반 학생 30명의 몸무게를 조사하여 나타낸 도수분포표이다. 물음에 답하여라.

몸무게(kg)	학생 수(명)
40이상 ~ 45미만	9
45 ~ 50	
50 ~ 55	5
55 ~ 60	2
60 ~ 65	2
합계	30

06 몸무게가 50 kg 미만인 학생 수는?

① 9명   ② 13명   ③ 17명

④ 21명   ⑤ 25명

07 몸무게가 7번째로 무거운 학생이 속한 계급을 구하여라.

08 몸무게가 50 kg 이상인 학생은 전체의 몇 %인지 구하여라.

09 다음 표는 현준이네 반 학생들의 영어 성적을 나타낸 도수분포표이다. 다음 중 옳지 <u>않은</u> 것을 모두 고르면? (정답 2개)

영어 성적(점)	학생 수(명)
$50^{이상}$ ~ $60^{미만}$	4
60 ~ 70	2
70 ~ 80	1
80 ~ 90	A
90 ~ 100	5
합계	20

① A의 값은 8이다.

② 성적이 가장 우수한 학생의 성적은 100점이다.

③ 도수가 가장 큰 계급의 도수는 8명이다.

④ 성적이 좋은 쪽에서 10번째인 학생이 속하는 계급은 80점 이상 90점 미만이다.

⑤ 성적이 70점 미만인 학생은 전체의 35 %이다.

10 다음 표는 어느 중학교 1학년 학생 40명의 국어 성적을 조사하여 나타낸 도수분포표이다. 국어 성적이 80점 이상 90점 미만인 학생이 전체의 45 %일 때, $A-B$의 값을 구하여라.

국어 성적(점)	학생 수(명)
$50^{이상}$ ~ $60^{미만}$	4
60 ~ 70	10
70 ~ 80	3
80 ~ 90	A
90 ~ 100	B
합계	40

11 다음 표는 성현이네 반 학생 50명의 몸무게를 조사하여 만든 도수분포표의 일부분이다. 몸무게가 65 kg 이상인 학생이 전체의 58 %일 때, x의 값을 구하여라.

몸무게(kg)	학생 수(명)
$45^{이상}$ ~ $55^{미만}$	9
55 ~ 65	x
65 ~ 75	13

풀이 과정을 자세히 쓰시오.

12 다음은 수정이네 반 학생들의 키를 나타낸 줄기와 잎 그림이다. 수정이의 키는 잎이 가장 많은 줄기에 속한다고 할 때, 수정이보다 키가 작은 학생은 최소 a명, 최대 b명이다. 이때 $a+b$의 값을 구하여라.

키 　　　　　　(11 | 6은 116 cm)

줄기	잎
11	6　7
12	2　5　9
13	0　1　2　6　7
14	3　5　5　6　8　8
15	1　3　3　5

[단계] ❶ 수정이의 키가 속하는 줄기 찾기

❷ a, b의 값 각각 구하기

❸ $a+b$의 값 구하기

답 _____

13 다음 표는 민주네 반 학생들의 1학기 동안 도서관을 이용한 횟수를 조사하여 나타낸 도수분포표이다. 이용 횟수가 8회 미만인 학생이 전체의 65 %일 때, 이용 횟수가 8회 이상 10회 미만인 학생 수를 구하여라.

이용 횟수(회)	학생 수(명)
$2^{이상}$ ~ $4^{미만}$	4
4 ~ 6	6
6 ~ 8	3
8 ~ 10	
10 ~ 12	1
합계	

답 _____

[01~03] 오른쪽 그림은 미라네 반 학생들의 1학기 기말고사 기간 동안의 하루 평균 공부 시간을 조사하여 나타낸 히스토그램이다. 다음 물음에 답하여라.

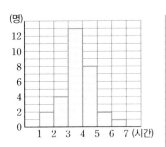

01 위의 히스토그램을 보고 알 수 없는 것은?

① 변량의 총 개수   ② 계급의 개수

③ 계급의 크기   ④ 공부 시간의 분포 상태

⑤ 학생별 공부 시간

02 조사한 학생 수는?

① 28명   ② 29명   ③ 30명

④ 31명   ⑤ 32명

03 공부 시간이 3시간 미만인 학생은 전체의 몇 %인지 구하여라.

04 오른쪽 그림은 동현이네 반 학생들의 몸무게를 조사하여 나타낸 히스토그램이다. 다음 중 옳지 <u>않은</u> 것은?

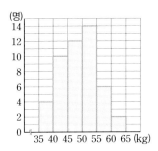

① 이 반의 전체 학생 수는 48명이다.

② 몸무게가 40 kg 이상 50 kg 미만인 학생 수는 22명이다.

③ 몸무게가 10번째로 무거운 학생이 속한 계급은 50 kg 이상 55 kg 미만이다.

④ 몸무게가 45 kg 이상 50 kg 미만인 학생은 전체의 20 %이다.

⑤ 도수가 가장 큰 계급의 직사각형의 넓이는 70이다.

[05~06] 오른쪽 그림은 재형이네 반 학생들의 매달리기 기록을 조사하여 나타낸 도수분포다각형이다. 다음 물음에 답하여라.

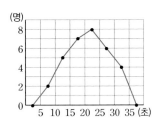

05 계급의 크기를 a초, 기록이 18초인 학생이 속하는 계급의 도수를 b명이라 할 때, $a+b$의 값은?

① 10   ② 11   ③ 12

④ 13   ⑤ 14

06 매달리기 기록이 좋은 쪽에서 10번째인 학생이 속하는 계급의 도수는?

① 4명   ② 5명   ③ 6명

④ 7명   ⑤ 8명

07 오른쪽 그림은 어느 아파트에 사는 사람들의 나이를 조사하여 나타낸 도수분포다각형이다. 도수분포다각형과 가로축으로 둘러싸인 부분의 넓이는?

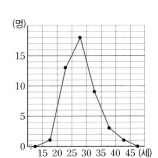

① 200   ② 210

③ 215   ④ 220

⑤ 225

[08~09] 다음 그림은 어느 반 학생들의 수학 성적을 조사하여 나타낸 것이다. 물음에 답하여라.

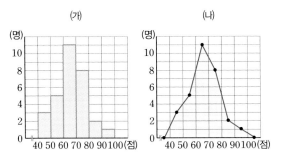

08 다음 중 옳지 않은 것은?

① (가)는 히스토그램, (나)는 도수분포다각형이다.
② 계급의 개수는 6개, 계급의 크기는 10점이다.
③ 색칠한 부분의 넓이는 (가) 쪽이 더 넓다.
④ 전체 학생 수는 30명이다.
⑤ 도수가 가장 큰 계급은 60점 이상 70점 미만이다.

09 수학 성적이 상위 10 % 이내에 드는 학생에게 상을 주려고 한다. 성적이 최소한 몇 점 이상인 학생이 상을 받게 되는가?

① 50점 이상   ② 60점 이상   ③ 70점 이상
④ 80점 이상   ⑤ 90점 이상

10 오른쪽 그림은 어느 중학교 1학년 1반과 2반 학생들의 과학 성적을 조사하여 나타낸 도수분포다각형이다. 다음 보기에서 옳은 것을 모두 골라라.

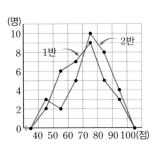

┌─ 보기 ├─
ㄱ. 1반과 2반의 전체 학생 수는 같다.
ㄴ. 각각의 그래프와 가로축으로 둘러싸인 부분의 넓이는 같다.
ㄷ. 2반에서 도수가 가장 큰 계급의 도수는 9명이다.
ㄹ. 70점 이상인 학생 수는 1반이 2반보다 더 많다.

서·술·형·문·제

풀이 과정을 자세히 쓰시오.

11 오른쪽 그림은 어느 지역의 어느 해 9월 한 달 동안의 하루 중 최고 기온을 조사하여 나타낸 히스토그램인데 일부가 찢어져 보이지 않는다. 기온이 12℃ 미만인 날의 수가 16℃ 이상인 날의 수와 같을 때, 기온이 12℃ 이상 16℃ 미만인 날의 수를 구하여라.

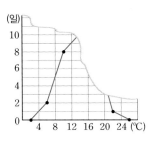

[단계] ❶ 16℃ 이상 20℃ 미만인 날의 수 구하기
       ❷ 12℃ 이상 16℃ 미만인 날의 수 구하기

답 _____

12 오른쪽 그림은 어느 동아리 학생 50명이 약속 장소에서 기다린 시간을 조사하여 나타낸 히스토그램인데 일부가 찢어져 보이지 않는다. 기다린 시간이 40분 이상인 학생이 전체의 16 %일 때, 기다린 시간이 30분 이상 40분 미만인 학생 수를 구하여라.

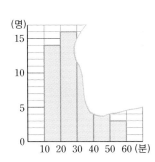

답 _____

01 상대도수에 대한 다음 설명 중 옳지 <u>않은</u> 것은?

① 상대도수는 각 계급의 도수에 대한 전체 도수의 비율이다.

② 상대도수의 총합은 항상 1이다.

③ 각 계급의 상대도수는 그 계급의 도수에 정비례한다.

④ 전체 도수가 다른 두 집단의 분포 상태를 비교할 때 편리하다.

⑤ 계급의 도수는 계급의 상대도수와 전체 도수를 곱한 값이다.

02 오른쪽 그림은 어느 농구팀의 한 시즌 동안의 경기별 득점을 나타낸 히스토그램이다. 득점이 90점 이상 100점 미만인 계급의 상대도수는?

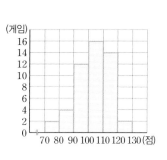

① 0.04   ② 0.1   ③ 0.24

④ 0.28   ⑤ 0.32

03 합창반 학생들의 시력을 조사하여 나타낸 표에서 시력이 0.9 이상 1.1 미만인 학생 수는 6명이고, 이 계급의 상대도수는 0.12이었다. 합창반의 전체 학생 수는?

① 30명   ② 50명   ③ 70명

④ 100명   ⑤ 120명

[04~06] 다음 표는 재영이네 반 학생들의 아버지의 나이를 조사하여 나타낸 것이다. 물음에 답하여라.

나이(세)	학생 수(명)	상대도수
$35^{이상} \sim 38^{미만}$	4	0.1
38 ~ 41	A	0.25
41 ~ 44	B	0.3
44 ~ 47	8	C
47 ~ 50		D
합계		E

04 재영이네 반의 전체 학생 수는?

① 32명   ② 34명   ③ 36명

④ 38명   ⑤ 40명

05 $A \sim E$의 값으로 옳지 <u>않은</u> 것은?

① $A=10$ ② $B=12$ ③ $C=0.2$

④ $D=0.12$ ⑤ $E=1$

06 아버지의 나이가 44세 이상인 학생은 전체의 몇 %인가?

① 20 %   ② 25 %   ③ 30 %

④ 35 %   ⑤ 40 %

07 전체 도수가 다른 두 자료가 있다. 전체 도수의 비가 5 : 4 이고, 어떤 계급의 도수가 서로 같을 때, 이 계급의 상대도수의 비는?

① 3 : 4   ② 4 : 3   ③ 4 : 5

④ 5 : 4   ⑤ 5 : 6

[08~10] 오른쪽 그림은 어느 학교 학생 50명의 하루 운동 시간을 조사하여 나타낸 상대도수의 그래프이다. 다음 물음에 답하여라.

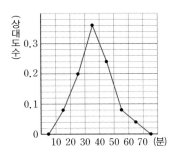

08 운동 시간이 50분 이상인 학생은 전체의 몇 %인가?

① 10 %　　② 11 %　　③ 12 %

④ 13 %　　⑤ 14 %

09 운동 시간이 20분 이상 40분 미만인 학생 수는?

① 20명　　② 22명　　③ 24명

④ 26명　　⑤ 28명

10 운동 시간이 10번째로 많은 학생이 속하는 계급을 구하여라.

[11~12] 오른쪽 그림은 현정이네 반 학생들의 음악 성적을 조사하여 나타낸 상대도수의 그래프인데 일부가 찢어져 보이지 않는다. 40점 미만인 학생 수가 3명일 때, 다음 물음에 답하여라.

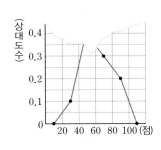

11 현정이네 반의 전체 학생 수는?

① 20명　　② 25명　　③ 30명

④ 35명　　⑤ 40명

12 음악 성적이 40점 이상 60점 미만인 학생 수는?

① 8명　　② 10명　　③ 12명

④ 14명　　⑤ 16명

서·술·형·문·제　　　　　　　　　　풀이 과정을 자세히 쓰시오.

13 다음은 어느 반 학생들의 줄넘기 횟수를 조사하여 나타낸 상대도수의 분포표인데 일부가 훼손되었다. 30회 이상 40회 미만인 계급의 상대도수를 a, 40회 이상 50회 미만인 계급의 학생 수를 b명이라 할 때, $100a+b$의 값을 구하여라.

줄넘기 횟수(회)	학생 수(명)	상대도수
$20^{이상} \sim 30^{미만}$	7	0.14
30　～40	16	
40　～50		0.2

[단계]　❶ 전체 학생 수 구하기
　　　　❷ a, b의 값 각각 구하기
　　　　❸ $100a+b$의 값 구하기

....

....

....

답 ＿＿＿＿＿＿＿＿＿

14 오른쪽 그림은 미주네 반 학생 30명과 정환이네 반 학생 20명을 대상으로 하루 평균 인터넷 사용 시간을 조사하여 나타낸 상대도수의 그래프이다. 두 반에서 학생 수가 서로 같은 계급을 구하여라.

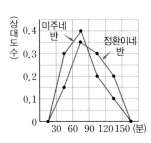

....

....

....

답 ＿＿＿＿＿＿＿＿＿

[01~02] 다음 그림은 슬기네 모둠 학생들의 한 달 동안의 독서량을 조사하여 나타낸 줄기와 잎 그림이다. 물음에 답하여라.

독서량 (0|3은 3권)

줄기	잎
0	3 5 8
1	3 4 4 5 6
2	0 4

01 다음 중 옳지 <u>않은</u> 것은?

① 잎이 가장 많은 줄기는 1이다.
② 조사한 모둠의 학생 수는 10명이다.
③ 한 달 동안의 독서량이 15권 이상인 학생은 4명이다.
④ 16권을 읽은 슬기는 모둠 학생들 중에서 많이 읽은 편이다.
⑤ 책을 가장 많이 읽은 학생과 가장 적게 읽은 학생의 권수의 차는 12권이다.

02 독서량이 10권 미만인 학생은 전체의 몇 %인가?

① 10 %　　② 15 %　　③ 20 %
④ 25 %　　⑤ 30 %

[03~04] 다음 표는 현수네 반 학생들이 지난 한 주 동안 집안 일을 도운 시간을 조사하여 나타낸 도수분포표이다. 물음에 답하여라.

시간(분)	학생 수(명)
0^{이상} ~ 10^{미만}	5
10 ~ 20	
20 ~ 30	10
30 ~ 40	5
40 ~ 50	3
합계	30

03 집안일을 도운 시간이 17분인 학생이 속하는 계급의 도수는?

① 3명　　② 5명　　③ 7명
④ 9명　　⑤ 11명

04 집안 일을 도운 시간이 20분 미만인 학생은 전체의 몇 %인가?

① 20 %　　② 25 %　　③ 30 %
④ 35 %　　⑤ 40 %

05 다음 중 히스토그램에 대한 설명으로 옳지 <u>않은</u> 것은?

① 가로축에 계급을 표시한다.
② 세로축에 도수를 표시한다.
③ 각 직사각형의 넓이는 그 계급의 도수에 정비례한다.
④ 각 직사각형의 세로의 길이는 그 계급의 도수와 같다.
⑤ 직사각형의 넓이의 합은 계급의 개수와 도수의 총합의 곱과 같다.

[06~07] 오른쪽 그림은 성오네 반 학생들의 매달리기 기록을 조사하여 나타낸 히스토그램이다. 다음 물음에 답하여라.

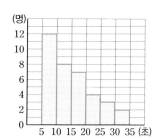

06 6번째로 오래 매달린 학생이 속하는 계급은?

① 5초 이상 10초 미만　　② 10초 이상 15초 미만
③ 15초 이상 20초 미만　　④ 20초 이상 25초 미만
⑤ 25초 이상 30초 미만

07 직사각형의 넓이의 합은?

① 160　　② 170　　③ 180
④ 190　　⑤ 200

08 오른쪽 그림은 어느 중학교 1학년 학생들의 멀리던지기 기록을 조사하여 나타낸 도수분포다각형이다. 다음 설명 중 옳지 <u>않은</u> 것은?

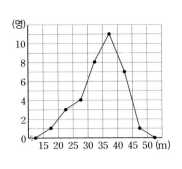

① 조사한 학생 수는 35명이다.
② 계급의 크기는 5 m, 계급의 개수는 7개이다.
③ 도수가 가장 큰 계급은 35 m 이상 40 m 미만이다.
④ 25 m 이상 30 m 미만인 계급의 도수는 4명이다.
⑤ 40 m 이상 던진 학생 수는 7명이다.

09 오른쪽 그림은 승현이네 반 학생들의 50 m 달리기 기록을 조사하여 나타낸 도수분포다각형이다. 이 도수분포다각형과 가로축으로 둘러싸인 넓이는?

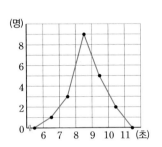

① 14　　　　② 16　　　　③ 18
④ 20　　　　⑤ 22

10 다음 표는 어느 학급 학생들이 하루 동안 수업 시간에 질문한 횟수를 조사하여 나타낸 도수분포표이다. 질문한 횟수가 3회 이상 5회 미만인 계급의 상대도수는?

질문 횟수(회)	학생 수(명)
1^{이상} ~ 3^{미만}	9
3 ~ 5	
5 ~ 7	14
7 ~ 9	4
9 ~ 11	1
합계	40

① 0.26　　　　② 0.28　　　　③ 0.3
④ 0.32　　　　⑤ 0.34

[11~12] 오른쪽 그림은 어느 캠페인에 참여한 사람들의 나이를 조사하여 나타낸 상대도수의 그래프이다. 도수가 가장 큰 계급의 도수가 17명일 때, 다음 물음에 답하여라.

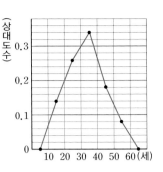

11 캠페인에 참여한 전체 사람 수는?

① 35명　　　　② 40명　　　　③ 45명
④ 50명　　　　⑤ 55명

12 나이가 40세 이상 50세 미만인 사람 수는?

① 6명　　　　② 9명　　　　③ 12명
④ 15명　　　　⑤ 18명

13 오른쪽 그림은 어느 중학교 A반 학생 50명과 B반 학생 40명의 수학 성적에 대한 상대도수의 그래프이다. 다음 중 옳지 <u>않은</u> 것은?

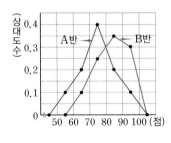

① B반의 성적이 A반의 성적보다 대체로 좋다.
② A반에서 도수가 가장 큰 계급은 70점 이상 80점 미만이다.
③ 성적이 60점 이상 80점 미만인 학생의 비율은 A반이 B반보다 높다.
④ 각 그래프와 가로축으로 둘러싸인 부분의 넓이는 같다.
⑤ 성적이 70점 이상 80점 미만인 학생 수는 A반이 B반보다 15명 더 많다.

14 오른쪽은 현이네 반 학생들의 키를 조사하여 나타낸 줄기와 잎 그림이다. 다음 세 조건을 만족시키는 자연수 ㉠~㉣에 대하여 ㉠+㉡+㉢+㉣의 값을 구하여라.

	키						(14|3은 143 cm)
줄기				잎			
14	3	6	8				
15	㉠	4	0	㉡	5		
16	2	㉢	3	0	0	5	1
17	4	6	5	㉣	3		

㈎ 줄기가 14인 학생들의 키의 합의 2배는 줄기가 17인 학생들의 키의 합과 같다.
㈏ (잎이 ㉠인 학생의 키) : (잎이 ㉣인 학생의 키)=19 : 22
㈐ 잎이 ㉡인 학생의 키와 잎이 ㉢인 학생의 키의 합은 320 cm이고 두 학생의 키의 차는 4 cm이다.

서술형

15 오른쪽 표는 진서네 반 학생들의 몸무게를 조사하여 나타낸 도수분포표이다. $A : B : C = 1 : 2 : 3$일 때, 몸무게가 50 kg 이상인 학생은 전체의 몇 %인지 구하여라.

몸무게(kg)	학생 수(명)
35^{이상} ~ 40^{미만}	A
40 ~ 45	6
45 ~ 50	B
50 ~ 55	C
55 ~ 60	8
합계	50

16 오른쪽 그림은 어느 중학교 1학년 학생들의 윗몸일으키기 횟수를 조사하여 나타낸 히스토그램과 도수분포다각형이다. 히스토그램에서 직사각형의 넓이의 합이 540이고, 가장 큰 도수가 가장 작은 도수의 4배일 때, 윗몸일으키기 횟수가 40회 이상인 학생 수를 구하여라.

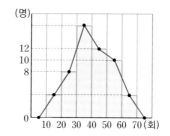

17 오른쪽 그림은 진형이네 반 학생들의 수학 성적을 조사하여 나타 낸 도수분포다각형인데 일부가 훼손되었다. 성적이 60점 이상 70 점 미만인 학생 수가 성적이 50점 이상 60점 미만인 학생 수의 3 배이고, 성적이 80점 이상인 학생이 전체의 10 %일 때, 60점 이 상 70점 미만인 학생 수를 구하여라.

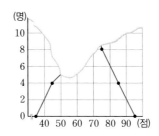

18 오른쪽 표는 호승이네 반 학생들의 기술 실기 점수에 대한 상대도수의 분포표인데 일부가 찢 어져 보이지 않는다. 점수가 18점 미만인 학생 과 18점 이상인 학생 수의 비가 3 : 2일 때, 점 수가 16점 이상 18점 미만인 계급의 상대도수 를 구하여라.

실기 점수(점)	학생 수(명)	상대도수
$12^{이상} \sim 14^{미만}$	5	0.125
14 ~ 16	7	
16 ~ 18		

19 오른쪽 그림은 아름이네 반 학생들이 일주일 동안 마시는 물의 양을 조사하여 나타낸 상대도수의 그래프인데 일부가 훼손되었 다. 물을 8잔 이상 10잔 미만 마시는 학생 수가 9명일 때, 상대도 수가 가장 큰 계급의 학생 수를 구하여라.

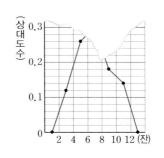

20 오른쪽 그림은 어느 중학교 남학생과 여학생을 각각 100명 씩 뽑아 키를 조사하여 나타낸 상대도수의 그래프이다. 남 학생과 여학생을 모두 합하여 키가 160 cm 이상 170 cm 미만인 학생은 전체의 몇 %인지 구하여라.

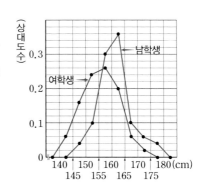

SUMMA CUM LAUDE
MIDDLE SCHOOL MATHEMATICS

보내는 사람

_____

_____

□□□□□

받는 사람

서울시 강남구 논현로 16길 4-3 이룸빌딩

(주)이룸이앤비 기획팀

0 6 3 1 2

www.erumenb.com

숨마쿰라우데
중학수학 실전문제집 1-하

홈페이지를 방문하시면 온라인으로 편리하게 교재 평가에 참여하실 수 있습니다!
(매월 우수 평가자를 선정하여 소정의 교재를 보내드립니다.)
www.erumenb.com

이 름		남☐ 여☐		학교(학원)		학년
Mobile		E-mail				

숨마쿰라우데 중학수학 실전문제집 1-하

■ **교재를 구입하게 된 동기는 무엇입니까?**

① 서점에서 보고 　　② 선생님의 추천 　　③ 방과 후 수업용 　　④ 학원 수업용
⑤ 과외 수업용 　　⑥ 공부방 수업용 　　⑦ 부모, 형제, 친구의 추천 　　⑧ 서점에서 추천

■ **교재의 전체적인 디자인 및 내용 구성에 대한 의견을 들려주세요.**

❍ 표지디자인: 　① 매우 좋다 　　② 좋다 　　③ 보통이다 　　④ 좋지 않다
　그 이유는? _____

❍ 본문디자인: 　① 매우 좋다 　　② 좋다 　　③ 보통이다 　　④ 좋지 않다
　그 이유는? _____

❍ 내용 구성: 　① 매우 좋다 　　② 좋다 　　③ 보통이다 　　④ 좋지 않다
　그 이유는? _____

■ **교재의 세부적인 내용에 대한 의견을 들려주세요.**

[핵심 개념 강의]	내 용	① 매우 좋다	② 좋다	③ 보통이다	④ 좋지 않다
	분 량	① 많다	② 적당하다	③ 조금 부족하다	④ 부족하다
[핵심유형으로 개념 정복하기]	내 용	① 매우 좋다	② 좋다	③ 보통이다	④ 좋지 않다
	분 량	① 많다	② 적당하다	③ 조금 부족하다	④ 부족하다
	난이도	① 쉽다	② 적당하다	③ 약간 어렵다	④ 어렵다
[기출문제로 실력 다지기]	내 용	① 매우 좋다	② 좋다	③ 보통이다	④ 좋지 않다
	분 량	① 많다	② 적당하다	③ 조금 부족하다	④ 부족하다
	난이도	① 쉽다	② 적당하다	③ 약간 어렵다	④ 어렵다
[Part 2 내신만점 도전편]	내 용	① 매우 좋다	② 좋다	③ 보통이다	④ 좋지 않다
	분 량	① 많다	② 적당하다	③ 조금 부족하다	④ 부족하다
	난이도	① 쉽다	② 적당하다	③ 약간 어렵다	④ 어렵다

■ **이 책에 바라는 점을 자유롭게 적어주세요.**

....
....
....

성의껏 작성해서 보내주신 엽서는 뽑아서 선물을 보내드립니다.

기출문제로 개념 잡고 **내신만점** 맞자!

숨마쿰라우데 중학수학
실전문제집

1-하

정답 및 해설

기출문제로 개념 잡고 **내신만점** 맞자!

숨마쿰라우데 중학수학
실전문제집

1-하

정답 및 풀이

이룸이앤비
Education & Books

Ⅴ 기본 도형

01. 점, 선, 면

개·념·확·인   06~07쪽

01 (1) 6개   (2) 8개   (3) 12개
02 (1) $\overline{MN}$ (2) $\overrightarrow{MN}$ (3) $\overleftrightarrow{MN}$
03 $\overleftrightarrow{AB}$와 $\overleftrightarrow{CA}$, $\overrightarrow{AB}$와 $\overrightarrow{AC}$, $\overrightarrow{AC}$와 $\overrightarrow{CA}$, $\overrightarrow{CA}$와 $\overrightarrow{CB}$
04 (1) 6 cm   (2) 10 cm
05 (1) 2, 2   (2) $\frac{1}{2}$, 4
06 (1) 3, 3, 3   (2) $\frac{1}{3}$, 4   (3) 2, $\frac{2}{3}$, 8

핵심유형으로 개·념·정·복·하·기   08~09쪽

핵심유형 1 ④   **1-1** ⑤   **1-2** 15   **1-3** ③
핵심유형 2 ⑤   **2-1** ③   **2-2** ⑤   **2-3** ②
핵심유형 3 2   **3-1** ③
     3-2 직선 : 3개, 반직선 : 6개, 선분 : 3개   **3-3** ③
핵심유형 4 ④   **4-1** ②   **4-2** 12 cm   **4-3** ③

핵심유형 1 교점의 개수는 꼭짓점의 개수와 같으므로 5개, 교선의 개수는 모서리의 개수와 같으므로 8개이다.

1-1 ⑤ 입체도형에서 교점의 개수는 꼭짓점의 개수와 같다.

1-2 교점의 개수는 꼭짓점의 개수와 같으므로 $a=6$
교선의 개수는 모서리의 개수와 같으므로 $b=9$
∴ $a+b=6+9=15$

핵심유형 2 ⑤ $\overrightarrow{CA}$와 $\overrightarrow{BA}$는 시작점이 다르므로 같은 반직선이 아니다.

2-1 ③ 시작점과 방향이 같은 두 반직선이 서로 같다.

2-2 ⑤ $\overrightarrow{PR}$는 $\overrightarrow{PQ}$와 시작점과 방향이 모두 같으므로 같은 반직선이다.

핵심유형 3 두 점을 골라 만든 모든 직선은 $\overleftrightarrow{AB}$와 같으므로 $a=1$
반직선은 $\overrightarrow{AB}$, $\overrightarrow{BA}$, $\overrightarrow{BC}$, $\overrightarrow{CB}$의 4개이므로 $b=4$

선분은 $\overline{AB}$, $\overline{AC}$, $\overline{BC}$의 3개이므로 $c=3$
∴ $a+b-c=1+4-3=2$

3-1 서로 다른 직선은 $\overleftrightarrow{AB}$, $\overleftrightarrow{AC}$, $\overleftrightarrow{AD}$, $\overleftrightarrow{BD}$의 4개이다.

3-2 서로 다른 직선은 $\overleftrightarrow{AB}$, $\overleftrightarrow{AC}$, $\overleftrightarrow{BC}$의 3개,
서로 다른 반직선은 $\overrightarrow{AB}$, $\overrightarrow{AC}$, $\overrightarrow{BA}$, $\overrightarrow{BC}$, $\overrightarrow{CA}$, $\overrightarrow{CB}$의 6개,
서로 다른 선분은 $\overline{AB}$, $\overline{AC}$, $\overline{BC}$의 3개이다.

3-3 서로 다른 직선은 $\overleftrightarrow{AB}$, $\overleftrightarrow{AC}$, $\overleftrightarrow{AD}$, $\overleftrightarrow{BC}$, $\overleftrightarrow{BD}$, $\overleftrightarrow{CD}$의 6개이다.

핵심유형 4 $\overline{MC}=\frac{1}{2}\times12=6\,(cm)$

$\overline{CN}=\frac{1}{2}\times(26-12)=7\,(cm)$이므로

$\overline{MN}=\overline{MC}+\overline{CN}=6+7=13\,(cm)$

4-1 ① $\overline{AM}=\frac{1}{2}\overline{AB}$ ③ $\overline{MN}=\frac{1}{2}\overline{AM}$
④ $\overline{MN}=\frac{1}{4}\overline{AB}$ ⑤ $\overline{AN}=\frac{3}{4}\overline{AB}$

4-2 $\overline{MB}=\frac{1}{2}\overline{AB}=\frac{1}{2}\times16=8\,(cm)$,

$\overline{NM}=\frac{1}{2}\overline{AM}=\frac{1}{2}\times8=4\,(cm)$이므로

$\overline{NB}=\overline{NM}+\overline{MB}=4+8=12\,(cm)$

4-3 $\overline{MN}=\frac{1}{3}\overline{AB}=\frac{1}{3}\times42=14\,(cm)$이므로

$\overline{MC}=\frac{1}{2}\overline{MN}=\frac{1}{2}\times14=7\,(cm)$

기출문제로 실·력·다·지·기   10~11쪽

01 ⑤   **02** ③   **03** ④   **04** ③
05 ⑤   **06** ③   **07** ④   **08** ④
09 ④   **10** ②   **11** 15 cm   **12** 18
13 4 cm

01 교점의 개수는 꼭짓점의 개수와 같으므로 $a=8$
교선의 개수는 모서리의 개수와 같으므로 $b=12$
∴ $2a+b=2\times8+12=16+12=28$

02 ㄴ. 시작점과 방향이 같은 두 반직선은 같다.

ㄹ. 직선과 반직선은 길이가 없다.

03 ④ $\overrightarrow{AB}$와 $\overrightarrow{BA}$는 시작점과 방향이 다르므로 서로 다른 반직선이다.

05 서로 다른 반직선은 $\overrightarrow{EA}$, $\overrightarrow{EB}$, $\overrightarrow{EC}$, $\overrightarrow{ED}$, $\overrightarrow{AE}$, $\overrightarrow{BE}$, $\overrightarrow{CE}$, $\overrightarrow{DE}$, $\overrightarrow{AB}$, $\overrightarrow{BA}$, $\overrightarrow{BC}$, $\overrightarrow{CB}$, $\overrightarrow{CD}$, $\overrightarrow{DC}$의 14개이다.

06 서로 다른 직선은 $\overleftrightarrow{AB}$, $\overleftrightarrow{AC}$, $\overleftrightarrow{AE}$, $\overleftrightarrow{BC}$, $\overleftrightarrow{BD}$, $\overleftrightarrow{BE}$, $\overleftrightarrow{CD}$, $\overleftrightarrow{CE}$의 8개이다.

07 두 점 A, B 사이의 거리는 10 cm이므로 $a=10$

두 점 B, D 사이의 거리는 6 cm이므로 $b=6$

두 점 A, C 사이의 거리는 9 cm이므로 $c=9$

$\therefore a+b-c=10+6-9=7$

08 ④ $\overline{AC}=\dfrac{2}{3}\overline{AD}$

09 $\overline{AB}=2\overline{MN}=2\times11=22\,(\text{cm})$

10 $2x+4=3x-2$이므로 $x=6$

$\overline{AB}=2\overline{AM}=2\times(2\times6+4)=2\times16=32$

11 $\overline{AP}=\dfrac{1}{5}\overline{AB}=\dfrac{1}{5}\times25=5\,(\text{cm})$

$\overline{PB}=25-5=20\,(\text{cm})$

$\overline{PM}=\dfrac{1}{2}\overline{PB}=\dfrac{1}{2}\times20=10\,(\text{cm})$

$\therefore \overline{AM}=\overline{AP}+\overline{PM}=5+10=15\,(\text{cm})$

12 두 점을 지나는 서로 다른 반직선은

$\overrightarrow{AB}$, $\overrightarrow{AC}$, $\overrightarrow{AD}$, $\overrightarrow{BA}$, $\overrightarrow{BC}$, $\overrightarrow{BD}$,

$\overrightarrow{CA}$, $\overrightarrow{CB}$, $\overrightarrow{CD}$, $\overrightarrow{DA}$, $\overrightarrow{DB}$, $\overrightarrow{DC}$

의 12개이므로 $a=12$ ······ ❶

서로 다른 선분은

$\overline{AB}$, $\overline{AC}$, $\overline{AD}$, $\overline{BC}$, $\overline{BD}$, $\overline{CD}$

의 6개이므로 $b=6$ ······ ❷

$\therefore a+b=12+6=18$ ······ ❸

채점 기준	배점
❶ a의 값 구하기	40 %
❷ b의 값 구하기	40 %
❸ $a+b$의 값 구하기	20 %

13 (가)에서 $\overline{PQ}=\dfrac{1}{3}\overline{PR}$이므로 $\overline{PQ}:\overline{QR}=1:2$ ······ ❶

(나)에서 점 R는 두 점 Q, S의 중점이므로

$\overline{QR}=\overline{RS}$ ······ ❷

따라서 $\overline{PQ}:\overline{QR}:\overline{RS}=1:2:2$이고 (다)에서 $\overline{PS}=10$ cm이

므로 $\overline{QR}=\dfrac{2}{5}\overline{PS}=\dfrac{2}{5}\times10=4\,(\text{cm})$ ······ ❸

채점 기준	배점
❶ $\overline{PQ}:\overline{QR}$ 구하기	40 %
❷ $\overline{QR}=\overline{RS}$임을 알기	20 %
❸ $\overline{QR}$의 길이 구하기	40 %

02. 각

개·념·확·인 　　　　　　　　　　12~13쪽

01 (1) 예각 　(2) 둔각 　(3) 직각 　(4) 평각

02 (1) 104° 　(2) 60°

03 (1) ∠DOC 　(2) ∠EOC 　(3) ∠BOA 　(4) ∠FOD

04 (1) ∠a=105°, ∠b=75° 　(2) ∠a=55°, ∠b=35°

05 (1) $\overline{AB}$ 　(2) 점 A 　(3) 5 cm

04 (1) ∠a=105°(맞꼭지각), ∠b=180°−105°=75°

(2) ∠b=35°(맞꼭지각), ∠a=180°−(90°+35°)=55°

핵심유형으로 개·념·정·복·하·기 　　　14~15쪽

핵심유형 **1** 26°	**1-1** ③	**1-2** ②	**1-3** 40°	
1-4 ③	**1-5** 65°			
핵심유형 **2** ②	**2-1** 90°	**2-2** ⑤	**2-3** 32°	**2-4** ④
핵심유형 **3** ⑤	**3-1** ③	**3-2** ⑤	**3-3** 1	

핵심유형 **1** $(4\angle x-10°)+(\angle x+20°)+40°=180°$이므로

$5\angle x=130°$ 　　$\therefore \angle x=26°$

1-1 $\angle x=90°-70°=20°$, $\angle y=90°-20°=70°$

$\therefore \angle y-\angle x=70°-20°=50°$

1-2 $(5\angle x-40°)+(2\angle x-10°)=90°$이므로

$7\angle x=140°$ 　　$\therefore \angle x=20°$

1-3 $\angle a = 180° \times \dfrac{2}{2+3+4} = 40°$

1-4 $\angle AOD + \angle BOD = 180°$

$2\angle COD + 2\angle DOE = 180°$

$2(\angle COD + \angle DOE) = 180°$

$\therefore \angle COD + \angle DOE = 90°$

$\therefore \angle COE = 90°$

1-5 시침은 1시간에 $30°$씩 움직이므로 1분에 $0.5°$씩 움직인다.
분침은 1시간에 $360°$씩 움직이므로 1분에 $6°$씩 움직인다.
4시 10분은 시침이 숫자 12와 이루는 각의 크기가
$30° \times 4 + 10 \times 0.5° = 125°$이고, 분침이 숫자 12와 이루는 각의 크기가 $10 \times 6° = 60°$이므로 시침과 분침이 이루는 각 중에서 작은 쪽의 각의 크기는 $125° - 60° = 65°$이다.

핵심유형 2 $\angle a + 20° = 50° + 90°$ $\therefore \angle a = 120°$

$\angle b - 30° = 180° - 140°$ $\therefore \angle b = 70°$

$\therefore \angle a - \angle b = 120° - 70° = 50°$

2-1 $\angle x + 20° = 2\angle x - 70°$ $\therefore \angle x = 90°$

2-2 $\angle x + 2\angle x + 3\angle x = 180°, \ 6\angle x = 180°$

$\therefore \angle x = 30°$

2-3 $\angle AOF = \angle COD = 40°$(맞꼭지각)

$90° + 40° + (2\angle x - 14°) = 180°$이므로

$2\angle x = 64°$ $\therefore \angle x = 32°$

2-4 $\overleftrightarrow{AD}$와 $\overleftrightarrow{BE}$가 만날 때 : $\angle AOB$와 $\angle DOE$,

$\angle AOE$와 $\angle DOB$

$\overleftrightarrow{AD}$와 $\overleftrightarrow{CF}$가 만날 때 : $\angle AOF$와 $\angle DOC$,

$\angle AOC$와 $\angle DOF$

$\overleftrightarrow{BE}$와 $\overleftrightarrow{CF}$가 만날 때 : $\angle BOC$와 $\angle EOF$,

$\angle BOF$와 $\angle EOC$

따라서 맞꼭지각은 모두 6쌍이 생긴다.

[다른 풀이]
서로 다른 3개의 직선이 한 점에서 만나므로 맞꼭지각의 쌍의 개수는 $3 \times (3-1) = 3 \times 2 = 6$(쌍)이다.

핵심유형 3 ⑤ 점 A와 $\overline{DE}$ 사이의 거리는 $\overline{AC}$이다.

3-2 x축과의 거리가 가장 가까운 점은 점 C이고, y축과의 거리가 가장 먼 점은 점 E이다.

3-3 점 C와 선분 AB 사이의 거리는 6 cm이므로 $a = 6$
점 D와 선분 BC 사이의 거리는 5 cm이므로 $b = 5$

$\therefore a - b = 6 - 5 = 1$

---

01 ⑤	**02** ③	**03** ②	**04** ③
05 ④	**06** ③	**07** ②	**08** ④
09 ③	**10** ①	**11** ④	**12** 20
13 160°	**14** 11°		

01 ⑤ $92°$는 둔각이다.

02 $76° + (\angle x + 40°) = 180°$ $\therefore \angle x = 64°$

03 $\angle AOC + \angle COB = 90°, \ \angle COB + \angle BOD = 90°$
이므로 $\angle AOC = \angle BOD$

$\angle AOC = \angle BOD = \dfrac{1}{2} \times 64° = 32°$

$\therefore \angle COB = 90° - \angle BOD = 90° - 32° = 58°$

04 $\angle COD = 2\angle x$라 하면 $\angle AOC = 3\angle x$

$\angle DOE = 2\angle y$라 하면 $\angle BOE = 3\angle y$

$(3\angle x + 2\angle x) + (3\angle y + 2\angle y) = 180°$이므로

$5(\angle x + \angle y) = 180°$ $\therefore \angle x + \angle y = 36°$

$\therefore \angle COE = \angle COD + \angle DOE$

$= 2(\angle x + \angle y) = 2 \times 36° = 72°$

05 $\angle b = 180° \times \dfrac{7}{3+7+5} = 84°$

06 $\angle a = \angle b$(맞꼭지각)이므로 $\angle a = \angle b = \dfrac{1}{2} \times 240° = 120°$

$\therefore \angle x = 180° - 120° = 60°$

07 $2\angle x + 3\angle x = 90°, \ 5\angle x = 90°$ $\therefore \angle x = 18°$

08 $(\angle a + 40°) + 35° = 90°$ $\therefore \angle a = 15°$

$\angle b = 90° - 40° = 50°$

$\therefore \angle a + \angle b = 15° + 50° = 65°$

09 $78° = \angle x + (2\angle x - 12°)$이므로

$3\angle x = 90°$ $\therefore \angle x = 30°$

$\therefore \angle COD = 180° - \{78° + (3 \times 30° - 20°)\} = 32°$

10 $\angle AOB$와 $\angle EOF$, $\angle AOC$와 $\angle EOG$,

$\angle AOD$와 $\angle EOH$, $\angle AOF$와 $\angle EOB$,

$\angle AOG$와 $\angle EOC$, $\angle AOH$와 $\angle EOD$,

$\angle BOC$와 $\angle FOG$, $\angle BOD$와 $\angle FOH$,

$\angle BOG$와 $\angle FOC$, $\angle BOH$와 $\angle FOD$,

$\angle COD$와 $\angle GOH$, $\angle COH$와 $\angle GOD$의 12쌍이다.

[다른 풀이]

서로 다른 4개의 직선이 한 점에서 만나므로 맞꼭지각의 쌍의 개수는 $4 \times (4-1) = 4 \times 3 = 12$(쌍)이다.

11 ④ 점 B와 $\overline{AD}$ 사이의 거리는 $\overline{AB}$의 길이로 4 cm이다.

12 점 A와 선분 CD 사이의 거리는 선분 AF의 길이와 같으므로
$x = 8$
점 A와 선분 BC 사이의 거리는 선분 DE의 길이와 같으므로
$y = 12$
$\therefore x + y = 8 + 12 = 20$

13 [단계 ❶] 시침은 1시간에 30°, 1분에 0.5°씩 움직이므로 시침이 숫자 12와 이루는 각의 크기는
$2 \times 30° + 40 \times 0.5° = 80°$
[단계 ❷] 분침은 1분에 6°씩 움직이므로 분침이 숫자 12와 이루는 각의 크기는 $40 \times 6° = 240°$
[단계 ❸] 따라서 시침과 분침이 이루는 각 중에서 작은 쪽의 각의 크기는 $240° - 80° = 160°$이다.

채점 기준	배점
❶ 시침이 숫자 12와 이루는 각의 크기 구하기	40 %
❷ 분침이 숫자 12와 이루는 각의 크기 구하기	40 %
❸ 시침과 분침이 이루는 각 중에서 작은 쪽의 각의 크기 구하기	20 %

14 $3\angle a + 30° = 6\angle a - 60°$(맞꼭지각)
$3\angle a = 90°$ $\therefore \angle a = 30°$ ······ ❶
$3\angle a + 30° = 3 \times 30° + 30° = 120°$이므로
$120° + (\angle b + 49°) = 180°$, $\angle b + 49° = 60°$
$\therefore \angle b = 11°$ ······ ❷

채점 기준	배점
❶ $\angle a$의 크기 구하기	50 %
❷ $\angle b$의 크기 구하기	50 %

03. 위치 관계

개·념·확·인   18~19쪽

01 (1) 변 AB, 변 CD (2) 변 BC
02 (1) 모서리 AC, 모서리 AD, 모서리 BC, 모서리 BE
(2) 모서리 DE
(3) 모서리 CF, 모서리 DF, 모서리 EF

03 (1) 모서리 AB, 모서리 BC, 모서리 CD, 모서리 AD
(2) 모서리 EF, 모서리 FG, 모서리 GH, 모서리 EH
(3) 모서리 AE, 모서리 BF, 모서리 CG, 모서리 DH
04 (1) 면 ABCD, 면 BFGC, 면 EFGH, 면 AEHD
(2) 면 CGHD
(3) 면 ABCD, 면 BFGC, 면 EFGH, 면 AEHD

핵심유형으로 개·념·정·복·하·기   20~21쪽

핵심유형 **1** 3   **1-1** 3   **1-2** ③   **1-3** ①
핵심유형 **2** 11
  2-1 (1) 한 점에서 만난다.(수직이다.)
      (2) 꼬인 위치에 있다.   (3) 평행하다.
  2-2 ③   **2-3** 6개
핵심유형 **3** ④   **3-1** ①   **3-2** 4   **3-3** 3
핵심유형 **4** ⑤   **4-1** 4쌍   **4-2** ①, ⑤   **4-3** 5

핵심유형 **1** 선분 AD와 평행한 선분은 선분 BC의 1개이므로 $a = 1$
선분 AD와 한 점에서 만나는 선분은 선분 AB, 선분 CD의 2개이므로 $b = 2$
$\therefore a + b = 1 + 2 = 3$

1-1 직선 AB와 한 점에서 만나는 직선은
직선 AF, 직선 BC, 직선 CD, 직선 EF의 4개이므로 $a = 4$
직선 AB와 평행한 직선은 직선 DE의 1개이므로 $b = 1$
$\therefore a - b = 4 - 1 = 3$

1-2 평면에서는 평행한 두 직선 중 한 직선에 수직인 직선은 나머지 한 직선과도 수직으로 만난다.
$\Rightarrow l \ // \ m$, $m \perp n$이면 $l \perp n$이다.

1-3 ① 한 직선 위에 있는 세 점은 직선을 만들 뿐 평면을 만들 수 없다.

핵심유형 **2** 모서리 AB와 평행한 모서리는
모서리 CD, 모서리 EF, 모서리 GH의 3개이므로 $a = 3$
모서리 EH와 수직으로 만나는 모서리는
모서리 AE, 모서리 DH, 모서리 EF, 모서리 GH의 4개이므로 $b = 4$
모서리 BF와 꼬인 위치에 있는 모서리는
모서리 AD, 모서리 CD, 모서리 EH, 모서리 GH의 4개이므로 $c = 4$
$\therefore a + b + c = 3 + 4 + 4 = 11$

2-2 ①, ②, ④, ⑤ 한 점에서 만난다.
③ 모서리 AB와 모서리 CF는 꼬인 위치에 있다.

2-3 선분 AG와 꼬인 위치에 있는 모서리는
모서리 BC, 모서리 CD, 모서리 BF, 모서리 DH, 모서리 EF, 모서리 EH의 6개이다.

핵심유형 **3** ④ 면 AEGC와 평행한 모서리는 모서리 BF, 모서리 DH의 2개이다.

3-1 면 AEHD와 평행한 모서리는 모서리 BF, 모서리 FG, 모서리 CG, 모서리 BC의 4개이다.

3-2 모서리 CG와 평행한 면은 면 ABFE, 면 AEHD의 2개이므로 $a=2$
모서리 CG와 수직인 면은 면 ABCD, 면 EFGH의 2개이므로 $b=2$
$\therefore a+b=2+2=4$

3-3 점 D와 면 ABC 사이의 거리는 $\overline{AD}$의 길이로 7 cm이다.
$\therefore x=7$
점 A와 면 BEFC 사이의 거리는 $\overline{AB}$의 길이로 4 cm이다.
$\therefore y=4$
$\therefore x-y=7-4=3$

핵심유형 **4** ⑤ 면 ADEB와 한 직선에서 만나는 면은
면 ABC, 면 ADFC, 면 DEF, 면 BEFC의 4개이다.

4-1 서로 평행한 면은 밑면 1쌍, 옆면 3쌍으로 모두 4쌍이다.

4-3 면 BFGC와 평행한 면은 면 AEHD의 1개이므로
$a=1$
면 BFGC와 수직인 면은 면 ABCD, 면 ABFE,
면 CGHD, 면 EFGH의 4개이므로
$b=4$
$\therefore a+b=1+4=5$

기출문제로 **실·력·다·지·기**   22~23쪽

01 ④	**02** ①	**03** 4개	**04** ③
05 ①	**06** ①	**07** ③	**08** ⑤
09 (1) 2개	(2) 4개	(3) 2개	**10** ④	**11** ①, ⑤
12 10	**13** 6		

---

01 $\overleftrightarrow{CD}$와 한 점에서 만나는 직선은 $\overleftrightarrow{BC}$, $\overleftrightarrow{DE}$, $\overleftrightarrow{AB}$, $\overleftrightarrow{EF}$, $\overleftrightarrow{AH}$, $\overleftrightarrow{GF}$의 6개이다.

02 $l /\!/ m$, $m /\!/ n$이면 $l /\!/ n$이다.

03 면 PAB, 면 PAC, 면 PBC, 면 ABC의 4개이다.

04 서로 만나지도 않고 평행하지도 않은 모서리는
모서리 AB와 모서리 CD, 모서리 AD와 모서리 BC, 모서리 AC와 모서리 BD의 3쌍이다.

05 사각형 ABGF는 직사각형이므로 모서리 AB와 모서리 GF가 평행하다.

06 모서리 AD와 평행한 모서리는
모서리 BC, 모서리 EH, 모서리 FG
모서리 AB와 꼬인 위치에 있는 모서리는
모서리 EH, 모서리 FG, 모서리 CG, 모서리 DH
따라서 모서리 AD와 평행하면서 모서리 AB와 꼬인 위치에 있는 모서리는 모서리 EH, 모서리 FG의 2개이다.

07 ①, ②, ④, ⑤ 한 점에서 만난다.
③ 면 BFHD와 모서리 CG는 서로 평행하다.

08 ⑤ 모서리 EF와 꼬인 위치에 있는 모서리는 모서리 AB, 모서리 AC, 모서리 AD이다.

09 (1) 모서리 GH와 수직인 면은 면 BFGC, 면 AEHD의 2개이다.
(2) 모서리 GH와 꼬인 위치에 있는 모서리는 모서리 AD, 모서리 BC, 모서리 AE, 모서리 BF의 4개이다.
(3) 면 CGHD와 평행한 모서리는 모서리 AB, 모서리 EF의 2개이다.

10 ④ 면 BFC와 모서리 AB는 한 점에서 만난다.

11 ② 한 직선에 수직인 두 직선은 만나거나 평행하거나 꼬인 위치에 있다.
③ 한 직선과 꼬인 위치에 있는 서로 다른 두 직선은 만나거나 평행하거나 꼬인 위치에 있다.
④ 한 평면에 평행한 두 직선은 만나거나 평행하거나 꼬인 위치에 있다.

12 모서리 AB와 만나는 모서리는
모서리 AC, 모서리 AD, 모서리 AE, 모서리 BC, 모서리 BE, 모서리 BF의 6개이므로 $a=6$ …… ❶

모서리 AB와 꼬인 위치에 있는 모서리는
모서리 CD, 모서리 DE, 모서리 CF, 모서리 EF의 4개이므로
$b=4$ ······ ❷
$\therefore a+b=6+4=10$ ······ ❸

채점 기준	배점
❶ a의 값 구하기	40 %
❷ b의 값 구하기	40 %
❸ $a+b$의 값 구하기	20 %

13 주어진 전개도로 정육면체를 만들면 다음 그림과 같다.

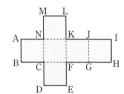 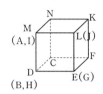

모서리 MN과 평행한 면은 면 CDEF, 면 LEFK의 2개이므로
$a=2$ ······ ❶
면 CDEF와 수직인 모서리는
모서리 MD, 모서리 LE, 모서리 KF, 모서리 NC의 4개이므로
$b=4$ ······ ❷
$\therefore a+b=2+4=6$ ······ ❸

채점 기준	배점
❶ a의 값 구하기	40 %
❷ b의 값 구하기	40 %
❸ $a+b$의 값 구하기	20 %

04. 평행선의 성질

개·념·확·인   24~25쪽

01 (1) $\angle e$ (2) $\angle c$ (3) $\angle h$ (4) $\angle c$
02 (1) 140°   (2) 60°
03 (1) ○   (2) ×   (3) ×   (4) ○
04 (1) 135°   (2) 140°
05 (1) 70°   (2) 70°   (3) 50°   (4) 60°
06 ㄱ, ㄴ

핵심유형으로 **개·념·정·복·하·기**   26~27쪽

핵심유형 **1** ⑤	**1**-1 ③	**1**-2 ⑤	
핵심유형 **2** ②	**2**-1 ②	**2**-2 ③	**2**-3 105°
2-4 ⑤	**2**-5 65°	**2**-6 90°	**2**-7 ⑤
핵심유형 **3** ⑤	**3**-1 l과 n	**3**-2 ①	

핵심유형 **1** ⑤ $\angle a$의 동위각은 $\angle d$이므로 크기는 130°이다.

1-1 $\angle x$의 엇각의 크기는 $180°-130°=50°$이고,
$\angle y$의 동위각의 크기는 $180°-85°=95°$이다.
따라서 $a=95$, $b=50$이므로 $a-b=95-50=45$

핵심유형 **2** $\angle a=70°$, $\angle b=180°-(70°+40°)=70°$이므로
$\angle a+\angle b=70°+70°=140°$

2-1 $\angle x=180°-50°=130°$, $\angle y=30°+50°=80°$
$\therefore \angle x-\angle y=130°-80°=50°$

2-2 $(\angle x+20°)+(3\angle x-40°)=180°$
$4\angle x=200°$ $\therefore \angle x=50°$

2-3 오른쪽 그림과 같이 $l /\!/ n /\!/ m$이
되도록 보조선 n을 그으면
$\angle x=55°+50°$
$\quad =105°$

2-4 오른쪽 그림과 같이 $l /\!/ n /\!/ m$이
되도록 보조선 n을 그으면
$\angle x=46°+54°=100°$

2-5 오른쪽 그림과 같이 $l /\!/ p /\!/ q /\!/ m$
이 되도록 보조선 p, q를 그으면
$\angle x=20°+45°=65°$
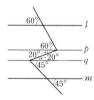

2-6 $\angle BAC=\angle a$, $\angle ABC=\angle b$라 하면
$\angle DAB+\angle ABE=180°$이므로
$2\angle a+2\angle b=180°$, $2(\angle a+\angle b)=180°$
$\therefore \angle a+\angle b=90°$
$\therefore \angle x=180°-90°=90°$

2-7 오른쪽 그림에서
$\angle BFC'=40°$(동위각)
$\angle EFC=\angle x$(접은 각)이므
로
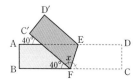

$$40°+2\angle x=180°$$
$$2\angle x=140° \qquad \therefore \angle x=70°$$

핵심유형 3 ⑤ 엇각의 크기가 같지 않으므로 평행하지 않다.

3-1 동위각의 크기가 같으므로 직선 l과 n은 평행하다.

3-2 엇각의 크기가 같으므로 직선 l과 m은 평행하다.
$$\therefore \angle x=180°-118°=62°$$

기출문제로 실·력·다·지·기   28~29쪽

01 ④	**02** ③	**03** ③	**04** ④
05 ③	**06** ②	**07** ③	**08** ⑤
09 ③	**10** ⑤	**11** ②	**12** ②
13 60°	**14** 45°		

02 $\angle x$의 두 엇각의 크기는 $180°-80°=100°$와 $120°$이므로 합은 $100°+120°=220°$이다.

03 $\angle x=50°$, $\angle y=180°-80°=100°$이므로
$$\angle x+\angle y=50°+100°=150°$$

04 $\angle x=130°-70°=60°$

05 $\angle x+(2\angle x+30°)=180°$
$$3\angle x=150° \qquad \therefore \angle x=50°$$

06 $\angle CDB=68°$(맞꼭지각), $\angle CBD=60°$(동위각)
$$\therefore \angle x=180°-(68°+60°)=52°$$

07 삼각형 ABC가 정삼각형이므로 한 각의 크기는 $60°$이다.
$$\angle x+60°=\frac{8}{3}\angle x$$이므로
$$\frac{5}{3}\angle x=60° \qquad \therefore \angle x=36°$$

08 오른쪽 그림과 같이 $l /\!/ p /\!/ q /\!/ m$이 되도록 보조선 p, q를 그으면
$$(\angle x-20°)+85°=180°$$
$$\therefore \angle x=115°$$

09 오른쪽 그림에서
$\angle FBE=50°$(접은 각),
$\angle BDC=65°$(접은 각),
$\angle BCD=65°$(엇각)
이므로 $\angle DBC=50°$
$$\therefore \angle x=180°-50°\times3=30°$$

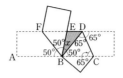

10 ⑤ $\angle h=120°$이므로 $\angle d=110°$이면 동위각의 크기가 다르므로 l과 m이 평행하지 않는다.

11 ② l과 p는 동위각의 크기가 같으므로 평행하다.

12 오른쪽 그림과 같이 $l /\!/ p /\!/ q /\!/ m$이 되도록 보조선 p, q를 그으면
$$\angle x=180°-(70°+35°)=75°$$

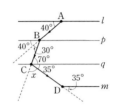

13 [단계 ❶] $l /\!/ m$이므로 $4\angle a+8\angle a=180°$
[단계 ❷] $12\angle a=180° \qquad \therefore \angle a=15°$
[단계 ❸] $p /\!/ q$이므로 $\angle x=4\angle a$
$$\therefore \angle x=4\times15°=60°$$

채점 기준	배점
❶ 동위각을 이용하여 합이 180°가 되는 각 찾기	30 %
❷ $\angle a$의 크기 구하기	40 %
❸ $\angle x$의 크기 구하기	30 %

14 오른쪽 그림과 같이 $l /\!/ p /\!/ q /\!/ m$이 되도록 보조선 p, q를 그으면 …… ❶
$l /\!/ p$이므로 $\angle ABC=25°$(엇각)
$q /\!/ m$이므로 $\angle EDF=30°$(엇각)
$\angle BDE=50°-30°=20°$ …… ❷
$p /\!/ q$이므로 $\angle CBD=\angle BDE=20°$(엇각)
$$\therefore \angle x=25°+20°=45° \qquad …… ❸$$

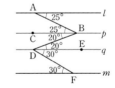

채점 기준	배점
❶ 꺾인 점을 지나고 두 직선 l, m에 평행한 보조선 긋기	30 %
❷ 엇각을 이용하여 각의 크기 구하기	50 %
❸ $\angle x$의 크기 구하기	20 %

05. 삼각형의 작도

30~31쪽

개·념·확·인

01 ㉠-㉢-㉡-㉤-㉣

02 (1) $\overline{BC}$ (2) $\overline{AC}$ (3) $\angle C$ (4) $\angle B$

03 (1) × (2) ○ (3) × (4) ○

04 (1) ○ (2) × (3) ○

04 (1) $5+7>11$이므로 삼각형이 하나로 정해진다. (○)

(2) 두 변의 길이와 그 끼인각이 아닌 다른 한 각의 크기가 주어졌
으므로 삼각형이 하나로 정해지지 않는다. (×)

(3) 한 변의 길이와 그 양 끝각의 크기가 주어졌으므로 삼각형이
하나로 정해진다. (○)

핵심유형으로 개·념·정·복·하·기

32~33쪽

핵심유형 **1** ④ **1-1** ①, ② **1-2** ④

핵심유형 **2** ①, ④ **2-1** 68 **2-2** ①, ⑤ **2-3** 3개

핵심유형 **3** ③, ④ **3-1** ②

핵심유형 **4** ㄴ, ㄷ **4-1** ①, ⑤ **4-2** ④ **4-3** ②

핵심유형 **1** ④ $\overline{PD}\neq\overline{CD}$

1-1 작도는 눈금 없는 자와 컴퍼스를 이용한다.

1-2 작도 순서는 ㉤-㉠-㉢-㉡-㉣-㉥이다.
따라서 ㉡ 다음에는 ㉣을 작도해야 한다.

핵심유형 **2** ① $3+4=7$, ④ $4+5<10$이므로 삼각형을 만들 수 없다.

2-1 $x=8$, $y=180-(90+30)=60$
∴ $x+y=8+60=68$

2-2 (i) a가 가장 긴 변의 길이일 때, $a\geq6$이고, $4+6>a$
∴ $6\leq a<10$
(ii) 6이 가장 긴 변의 길이일 때, $a\leq6$이고, $4+a>6$
∴ $2<a\leq6$
∴ $2<a<10$
따라서 a의 값이 될 수 없는 것은 ① 2, ⑤ 10이다.

2-3 $2+3>4$, $2+4>5$, $3+4>5$이므로
삼각형을 만들 수 있는 세 선분의 길이는
(2 cm, 3 cm, 4 cm), (2 cm, 4 cm, 5 cm),
(3 cm, 4 cm, 5 cm)이다.

핵심유형 **3** 두 변의 길이와 그 끼인각의 크기가 주어질 때에는
(변, 각, 변) 또는 (각, 변, 변)의 순서로 작도할 수 있다.

따라서 작도 순서로 옳지 않은 것은 ③, ④이다.

3-1 ② 점 B를 중심으로 반지름의 길이가 c인 원을 그린다.

핵심유형 **4** ㄴ. $\angle C=180°-(40°+50°)=90°$
즉, 한 변의 길이와 그 양 끝각의 크기가 주어졌으므로 삼
각형이 하나로 정해진다.
ㄷ. $8+10>15$가 성립하므로 삼각형이 하나로 정해진다.

4-1 ① 세 각의 크기가 주어지면 삼각형은 무수히 많이 작도할 수
있다.
⑤ 두 변의 길이와 그 끼인각이 아닌 다른 한 각의 크기가 주
어졌으므로 삼각형이 하나로 정해지지 않는다.

4-2 ④ $\angle A$는 $\overline{AC}$와 $\overline{BC}$의 끼인각이 아니므로 △ABC가 하나
로 정해지지 않는다.

4-3 두 변의 길이와 그 끼인각이 아닌 다른 한 각의 크기가 문제
와 같이 주어진 경우 다음 그림과 같이 2개의 삼각형이 만들
어진다.

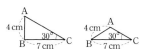

기출문제로 실·력·다·지·기

34~35쪽

01 ④ **02** $\overline{AB}$, C, 정삼각형 **03** ③

04 ③ **05** ⑤ **06** ③, ⑤ **07** ①

08 3개 **09** ① **10** ③, ④, ⑤ **11** ③

12 3개 **13** 풀이 참조

01 ④ 작도에서는 각의 크기를 잴 수 없고, 크기가 같은 각을 옮기는
데 컴퍼스를 사용한다.

02 정삼각형의 세 변의 길이가 같으므로 컴퍼스로 반지름의 길이가
$\overline{AB}$인 두 원을 그려 정삼각형을 작도할 수 있다.

03 ③ $\overline{OB}\neq\overline{CD}$

04 점 P를 지나면서 직선 l과 만나는 직선을 그은 다음, 크기가 같
은 각의 작도를 한다.

05 서로 다른 두 직선이 한 직선과 만날 때, 동위각의 크기가 같으면
두 직선은 평행하다는 성질을 이용하였다.

06 $1+2=3$, $4+6<11$, $6+2=8$이므로 ①, ②, ③의 경우는 삼각
형의 세 변의 길이가 될 수 없다.

07 가장 긴 변의 길이가 $x+5$이므로

$x+(x+2)>x+5$ $\therefore x>3$

따라서 x의 값이 될 수 없는 것은 ① 3이다.

08 가장 긴 변의 길이가 나머지 두 변의 길이의 합보다 작으면 삼각형을 만들 수 있다. 따라서 삼각형을 만들 수 있는 경우는

$(5\,\text{cm},\ 9\,\text{cm},\ 12\,\text{cm}),\ (5\,\text{cm},\ 12\,\text{cm},\ 15\,\text{cm}),$

$(9\,\text{cm},\ 12\,\text{cm},\ 15\,\text{cm})$이다.

09 한 변의 길이와 그 양 끝각의 크기가 주어질 때는

(i) 한 변을 작도한 후 두 각을 작도하거나

(ii) 한 각을 작도한 후 한 변을 작도하고 다른 한 각을 작도한다.

따라서 작도 순서로 옳지 않은 것은 ①이다.

10 ③ $\overline{AB}$와 $\overline{BC}$의 길이가 같으므로 $\triangle ABC$는 이등변삼각형으로

$\angle C=65°,\ \angle B=180°-(65°+65°)=50°$이다.

따라서 두 변의 길이와 그 끼인각의 크기가 주어졌으므로 삼각형이 하나로 정해진다.

④ $\angle B$와 $\angle C$의 크기가 주어졌으므로 $\angle A$의 크기도 알 수 있다. 즉, 한 변의 길이와 그 양 끝각의 크기가 주어졌으므로 삼각형이 하나로 정해진다.

⑤ 두 변의 길이와 그 끼인각의 크기가 주어졌으므로 삼각형이 하나로 정해진다.

11 나머지 한 각의 크기는 $180°-(50°+60°)=70°$이므로

한 변의 길이가 $7\,\text{cm}$이고

(i) 양 끝각의 크기가 $50°,\ 60°$인 삼각형

(ii) 양 끝각의 크기가 $50°,\ 70°$인 삼각형

(iii) 양 끝각의 크기가 $60°,\ 70°$인 삼각형

즉, 3개의 삼각형을 그릴 수 있다.

12 [단계 ❶] 합이 9가 되는 세 자연수의 경우는

$(1, 1, 7), (1, 2, 6), (1, 3, 5), (1, 4, 4), (2, 2, 5),$

$(2, 3, 4), (3, 3, 3)$이다.

[단계 ❷] 삼각형에서 가장 긴 변의 길이가 나머지 두 변의 길이의 합보다 작아야 한다.

[단계 ❸] 따라서 삼각형이 되는 경우는

$(1, 4, 4), (2, 3, 4), (3, 3, 3)$이므로 조건을 만족하는 삼각형은 3개이다.

채점 기준	배점
❶ 합이 9가 되는 세 자연수의 경우 찾기	40 %
❷ 삼각형이 될 수 있는 조건 알기	30 %
❸ 서로 다른 삼각형의 개수 구하기	30 %

13 필요한 조건에는 $\overline{BC}$의 길이, $\angle A$의 크기, $\angle C$의 크기가 있다.   …… ❶

(1) $\overline{BC}$의 길이가 주어질 때,

두 변의 길이와 그 끼인각의 크기가 주어졌으므로 삼각형이 하나로 정해진다.

(2) $\angle A$의 크기가 주어질 때,

한 변의 길이와 그 양 끝각의 크기가 주어졌으므로 삼각형이 하나로 정해진다.

(3) $\angle C$의 크기가 주어질 때,

$\angle B$, $\angle C$의 크기가 주어졌으므로 $\angle A$의 크기를 알 수 있다. 즉, 한 변의 길이와 그 양 끝각의 크기가 주어졌으므로 삼각형이 하나로 정해진다.   …… ❷

채점 기준	배점
❶ 필요한 조건 말하기	40 %
❷ 이유 설명하기	60 %

06. 삼각형의 합동 조건

개 · 념 · 확 · 인   36~37쪽

01 (1) $\angle P$ (2) $\angle C$ (3) 변 QR   (4) 변 AB

02 (1) 6 cm   (2) 100°

03 92

04 ㄱ과 ㅂ, ASA 합동 / ㄴ과 ㄹ, SAS 합동 / ㄷ과 ㅁ, SSS 합동

05 $\overline{CO}$, $\overline{DO}$, $\angle COD$, SAS

핵심유형으로 개 · 념 · 정 · 복 · 하 · 기   38~39쪽

핵심유형 **1** ③   **1-1** ④   **1-2** (1) b cm (2) a cm (3) 75°

핵심유형 **2** ④   **2-1** $\triangle ABC \equiv \triangle EFD$ (SAS 합동)   **2-2** ⑤

2-3 ㄱ, ㄷ   **2-4** $\overline{CB}$, $\overline{CD}$, $\overline{BD}$, SSS   **2-5** ①

핵심유형 **3** 60°   **3-1** 105°   **3-2** 6 cm   **3-3** 16 cm

핵심유형 **1** ③ $\angle F$의 대응각은 $\angle A$이다.

1-1 ④ 두 도형의 넓이가 같다고 해서 서로 합동인 것은 아니다.

1-2 (1) $\overline{BC}=\overline{FE}=b$ cm

(2) $\overline{DF}=\overline{AB}=a$ cm

(3) $\angle D=\angle A=180°-(45°+60°)=75°$

핵심유형 2 ④ 나머지 한 각의 크기가 80°이므로 주어진 삼각형과 ④는 ASA 합동이다.

2-2 ⑤ △AMC≡△BMD (SAS 합동)이므로 $\overline{AM}=\overline{BM}$, $\overline{CM}=\overline{DM}$이지만 ⑤ $\overline{AB}=\overline{CD}$인 것은 아니다.

2-3 ㄱ. 두 변의 길이가 같고 그 끼인각의 크기가 같으므로 SAS 합동이 된다.
ㄷ. 세 변의 길이가 같으므로 SSS 합동이 된다.

2-4 △ABD와 △CBD에서
$\overline{AB}=\overline{CB}$, $\overline{AD}=\overline{CD}$, $\overline{BD}$는 공통이므로
△ABD≡△CBD (SSS 합동)

2-5 △ABC와 △ADE에서
$\overline{AB}=\overline{AD}$, ∠ABC=∠ADE, ∠A는 공통이므로
△ABC≡△ADE (ASA 합동)

핵심유형 3 △ABE와 △CAD에서
$\overline{AB}=\overline{CA}$, $\overline{AE}=\overline{CD}$, ∠A=∠C=60°이므로
△ABE≡△CAD (SAS 합동)
∴ ∠ABE=∠CAD
△ABP에서
∠ABP+∠BAP+(180°−∠BPD)=180°이므로
∠BPD=∠ABP+∠BAP
　　　=∠CAD+∠BAP=60°

3-1 △COB와 △DOA에서
$\overline{OB}=\overline{OA}$, $\overline{OC}=\overline{OD}$, ∠O는 공통이므로
△COB≡△DOA (SAS 합동)
따라서 ∠D=∠C=35°이므로
∠DAO=180°−(40°+35°)=105°

3-2 △EBC와 △FDC에서
$\overline{BC}=\overline{DC}$, $\overline{EC}=\overline{FC}$, ∠ECB=∠FCD=90°이므로
△EBC≡△FDC (SAS 합동)
$\overline{DF}=\overline{BE}=5$ cm
$\overline{DE}=\overline{DC}-\overline{EC}=\overline{BC}-\overline{EC}=4-3=1$(cm)
∴ $\overline{DE}+\overline{DF}=1+5=6$(cm)

3-3 △ABD와 △CAE에서
$\overline{AB}=\overline{CA}$, ∠D=∠E
한편, ∠DBA=90°−∠DAB=∠EAC이므로
∠DAB=∠ECA
∴ △ABD≡△CAE (ASA 합동)
따라서 $\overline{AD}=\overline{CE}=8$ cm이므로
$\overline{BD}=\overline{AE}=\overline{DE}-\overline{AD}$
　　　=24−8=16(cm)

| 기출문제로 실·력·다·지·기 | | | 40~41쪽 |

01 ②　　**02** ⑤　　**03** ②　　**04** ②, ④
05 ①　　**06** ⑤　　**07** ⑤　　**08** 3쌍
09 ③, ⑤　　**10** ②
11 △ABC≡△DEF, ASA 합동　　**12** 90°

01 ㄴ. 넓이가 같지만 합동이 아닌 삼각형은 많다.
ㄹ. 반지름의 길이가 같은 두 원은 서로 합동이다.

02 ∠R=∠C=180°−(45°+70°)=65°

03 ② 두 변의 길이와 그 끼인각이 아닌 다른 한 각의 크기가 주어졌으므로 합동이 되지 않는다.

04 ② △ABC≡△RPQ (ASA 합동)
④ △GHI≡△JLK (SAS 합동)

05 △AOP와 △BOP에서
$\overline{AO}=\overline{BO}$, $\overline{AP}=\overline{BP}$, $\overline{OP}$는 공통이므로
△AOP≡△BOP (SSS 합동)
따라서 사용된 삼각형의 합동 조건은 ①이다.

06 △ACM과 △DBM에서
$\overline{CM}=\overline{BM}$, ∠ACM=∠DBM(엇각)
∠AMC=∠DMB(맞꼭지각)이므로
△ACM≡△DBM (ASA 합동)

07 △ABC와 △DBE에서
∠A=∠D, $\overline{BA}=\overline{BD}$, ∠B는 공통이므로
△ABC≡△DBE (ASA 합동)
⑤ ∠ACB=∠DEB

08 △OAB≡△ODC (SAS 합동)
△BDA≡△CAD (SSS 합동)
△ABC≡△DCB (SSS 합동)

09 ③ SAS 합동
⑤ SSS 합동

10 △ADF, △BED, △CFE에서
$\overline{AD}=\overline{BE}=\overline{CF}$, ∠A=∠B=∠C, $\overline{AF}=\overline{BD}=\overline{CE}$
∴ △ADF≡△BED≡△CFE (SAS 합동)
따라서 $\overline{DE}=\overline{EF}=\overline{FD}$이므로 △DEF는 정삼각형이다.

11 [단계 ❶] $\triangle ABC$와 $\triangle DEF$에서

$\overline{AC} /\!/ \overline{FD}$이므로 $\angle CAB = \angle FDE$(엇각)

$\overline{CB} /\!/ \overline{EF}$이므로 $\angle CBA = \angle FED$(엇각)

$\overline{AE} = \overline{DB}$이므로 $\overline{AB} = \overline{DE}$

[단계 ❷] $\triangle ABC \equiv \triangle DEF$ (ASA 합동)

채점 기준	배점
❶ 대응되는 점과 각 찾기	60 %
❷ 합동 기호로 나타내고, 합동 조건 말하기	40 %

12 $\triangle ABE$와 $\triangle BCF$에서

$\overline{AB} = \overline{BC}$, $\overline{BE} = \overline{CF}$, $\angle B = \angle C = 90°$

이므로 $\triangle ABE \equiv \triangle BCF$ (SAS 합동)

$\therefore \angle CBF = \angle BAE = 20°$ ⋯⋯ ❶

$\angle AEB = 180° - (20° + 90°) = 70°$

$\triangle BEG$에서 $\angle BGE = 180° - (20° + 70°) = 90°$이므로

$\angle AGF = \angle BGE = 90°$(맞꼭지각) ⋯⋯ ❷

채점 기준	배점
❶ $\angle CBF$의 크기 구하기	60 %
❷ $\angle AGF$의 크기 구하기	40 %

 Ⅵ 평면도형

07. 다각형의 내각, 외각과 대각선

개·념·확·인　　　　　　　　42~43쪽

01 ㄴ, ㄷ
02 (1) 4개　(2) 4개　(3) 70°
03 정십각형
04 풀이 참조
05 (1) 4개　(2) 5개　(3) 7개　(4) 9개
06 (1) 27개　(2) 44개　(3) 65개　(4) 90개
07 (1) 칠각형　(2) 팔각형　(3) 십각형　(4) 십이각형

01 ㄱ. 선분으로 둘러싸여 있지 않으므로 다각형이 아니다.

ㄹ. 한 개의 선분과 한 개의 곡선으로 둘러싸여 있으므로 다각형
이 아니다.

따라서 보기에서 다각형인 것은 ㄴ, ㄷ이다.

04

다각형	삼각형	사각형	오각형	육각형	⋯	n각형
꼭짓점의 개수(개)	3	4	5	6	⋯	n
한 꼭짓점에서 그을 수 있는 대각선의 개수(개)	0	1	2	3	⋯	$n-3$
대각선의 총 개수(개)	0	2	5	9	⋯	$\dfrac{n(n-3)}{2}$

06 (1) $\dfrac{9 \times (9-3)}{2} = 27$(개)　　(2) $\dfrac{11 \times (11-3)}{2} = 44$(개)

(3) $\dfrac{13 \times (13-3)}{2} = 65$(개)　　(4) $\dfrac{15 \times (15-3)}{2} = 90$(개)

07 구하는 다각형을 n각형이라 하면

(1) $\dfrac{n(n-3)}{2} = 14$, $n(n-3) = 28$, $n(n-3) = 7 \times 4$

$\therefore n = 7$

따라서 구하는 다각형은 칠각형이다.

(2) $\dfrac{n(n-3)}{2} = 20$, $n(n-3) = 40$, $n(n-3) = 8 \times 5$

$\therefore n = 8$

따라서 구하는 다각형은 팔각형이다.

(3) $\dfrac{n(n-3)}{2} = 35$, $n(n-3) = 70$, $n(n-3) = 10 \times 7$

$\therefore n = 10$

따라서 구하는 다각형은 십각형이다.

(4) $\dfrac{n(n-3)}{2} = 54$, $n(n-3) = 108$, $n(n-3) = 12 \times 9$

$\therefore n = 12$

따라서 구하는 다각형은 십이각형이다.

핵심유형으로 개·념·정·복·하·기　　　　　　　44~45쪽

핵심유형 **1** ②	**1-1** ②, ⑤	**1-2** ⑤	**1-3** ②
핵심유형 **2** ④	**2-1** 정육각형		**2-2** ②
핵심유형 **3** ②	**3-1** ③	**3-2** ④	**3-3** 15
3-4 ③	**3-5** ③	**3-6** ①	**3-7** ③

핵심유형 1 다각형의 한 꼭짓점에서

(내각의 크기)+(외각의 크기)=180°이므로

($\angle E$의 외각의 크기)=180°-115°=65°

1-1 ② 원은 곡선으로 둘러싸여 있으므로 다각형이 아니다.

⑤ 입체도형이므로 다각형이 아니다.

1-2 다각형의 한 꼭짓점에서

(내각의 크기)+(외각의 크기)=180°이므로

$\angle ABC = 180° - 125° = 55°$

1-3 $\angle x = 180° - 80° = 100°$, $\angle y = 180° - 130° = 50°$

$\therefore \angle x + \angle y = 100° + 50° = 150°$

핵심유형 2 ④ 정육각형의 대각선의 길이가 모두 같지는 않다.

2-1 (가)에서 6개의 선분으로 둘러싸여 있으므로 육각형이고, (나)에서 모든 변의 길이가 같고 모든 내각의 크기가 같으므로 구하는 다각형은 정육각형이다.

2-2

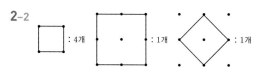

따라서 만들 수 있는 정사각형의 개수는 $4 + 1 + 1 = 6$(개)이다.

핵심유형 3 한 꼭짓점에서 대각선을 그었을 때 생기는 삼각형의 개수가 6개인 다각형을 n각형이라 하면 $n - 2 = 6$에서 $n = 8$

따라서 팔각형의 대각선의 총 개수는

$\dfrac{8 \times (8-3)}{2} = 20$(개)이다.

3-1 n각형의 한 꼭짓점에서 그을 수 있는 대각선의 개수는 $(n-3)$개이므로 칠각형의 한 꼭짓점에서 그을 수 있는 대각선의 개수는 $7 - 3 = 4$(개)이다.

3-2 한 꼭짓점에서 대각선을 그었을 때 생기는 삼각형의 개수가 10개인 다각형을 n각형이라 하면 $n - 2 = 10$에서 $n = 12$

따라서 구하는 다각형은 십이각형이다.

3-3 십각형의 한 꼭짓점에서 그을 수 있는 대각선의 개수는

$10 - 3 = 7$(개)　　$\therefore a = 7$

이때 생기는 삼각형의 개수는 $10 - 2 = 8$(개)　　$\therefore b = 8$

$\therefore a + b = 7 + 8 = 15$

3-4 ③ 육각형의 대각선의 총 개수는 $\dfrac{6 \times (6-3)}{2} = 9$(개)이다.

3-5 한 꼭짓점에서 그을 수 있는 대각선의 개수가 6개인 다각형을 n각형이라 하면

$n - 3 = 6$　　$\therefore n = 9$

따라서 구각형의 대각선의 총 개수는 $\dfrac{9 \times (9-3)}{2} = 27$(개)이다.

3-6 한 꼭짓점에서 대각선을 그었을 때 생기는 삼각형의 개수가 9개인 다각형을 n각형이라 하면

$n - 2 = 9$　　$\therefore n = 11$

따라서 십일각형의 대각선의 총 개수는

$\dfrac{11 \times (11-3)}{2} = 44$(개)

3-7 n각형의 내부의 한 점에서 각 꼭짓점에 선분을 그어 생기는 삼각형의 개수는 n개이므로 내부의 한 점에서 각 꼭짓점에 선분을 그었을 때 생기는 삼각형의 개수가 10개인 다각형은 십각형이다.

따라서 십각형의 대각선의 총 개수는 $\dfrac{10 \times (10-3)}{2} = 35$(개)

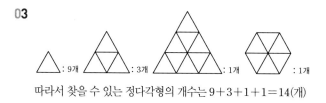

기출문제로 **실·력·다·지·기**　　　　46~47쪽

01 ①	02 ③	03 ④	04 ④
05 ④	06 ②	07 ③	08 ⑤
09 ④	10 ⑤	11 ④	12 ⑤
13 17	14 10개		

01 ② 대각선은 다각형에서 이웃하지 않는 두 꼭짓점을 이은 선분이다.

③ 정육각형에서 대각선의 길이가 모두 같지는 않다.

④ 다각형에서 이웃하는 두 변으로 이루어진 각은 내각이다.

⑤ 다각형의 한 꼭짓점에서 내각의 크기와 외각의 크기의 합은 $180°$이다.

02 한 내각의 크기와 그와 이웃한 한 외각의 크기의 합은 $180°$이므로 주어진 오각형의 내각의 크기는 각각 $85°$, $100°$, $118°$, $105°$, $132°$이다.

03

따라서 찾을 수 있는 정다각형의 개수는 $9 + 3 + 1 + 1 = 14$(개)

04 오른쪽 그림과 같이 삼각형, 사각형, 오각형을 붙이면 팔각형이 되고 팔각형의 꼭짓점은 8개이다.

05 십일각형의 한 꼭짓점에서 그을 수 있는 대각선의 개수는

$11 - 3 = 8$(개)　　$\therefore m = 8$

이때 생기는 삼각형의 개수는 $11 - 2 = 9$(개)　　$\therefore n = 9$

$\therefore m + n = 8 + 9 = 17$

06 꼭짓점의 개수가 a개인 다각형은 a각형이므로 $b = a - 3$

이때 생기는 삼각형의 개수는 $c = a - 2$

$a + b - c = 9$이므로 $a + (a-3) - (a-2) = 9$

$a - 1 = 9$　　$\therefore a = 10$

따라서 주어진 조건을 만족하는 다각형은 십각형이다.

07 (칠각형의 대각선의 총 개수)$=\dfrac{7\times(7-3)}{2}=14$(개)

(구각형의 대각선의 총 개수)$=\dfrac{9\times(9-3)}{2}=27$(개)

$\therefore 27-14=13$(개)

08 다각형에서 꼭짓점의 개수와 변의 개수는 같으므로 $m=n$

즉, $2m=24$에서 $m=12$

따라서 십이각형의 대각선의 총 개수는 $\dfrac{12\times(12-3)}{2}=54$(개)

09 육각형의 대각선의 총 개수는 $\dfrac{6\times(6-3)}{2}=9$(개)

구하는 다각형을 n각형이라 하면 한 꼭짓점에서 그을 수 있는 대각선의 개수는 $(n-3)$개이므로

$n-3=9$ $\therefore n=12$

따라서 구하는 다각형은 십이각형이다.

10 구하는 다각형을 n각형이라 하면

$\dfrac{n(n-3)}{2}=44,\ n(n-3)=88$

$n(n-3)=11\times 8$ $\therefore n=11$

따라서 구하는 다각형은 십일각형이다.

11 대각선의 총 개수가 65개인 다각형을 n각형이라 하면

$\dfrac{n(n-3)}{2}=65,\ n(n-3)=130$

$n(n-3)=13\times 10$ $\therefore n=13$

따라서 십삼각형의 한 꼭짓점에서 대각선을 모두 그었을 때 생기는 삼각형의 개수는 $13-2=11$(개)

12 구하는 다각형을 n각형이라 하면

(가)에서 $\dfrac{n(n-3)}{2}=54,\ n(n-3)=108$

$n(n-3)=12\times 9$ $\therefore n=12$

(나)에서 구하는 다각형은 정다각형이다.

따라서 구하는 다각형은 정십이각형이다.

13 정팔각형의 한 꼭짓점에서 그을 수 있는 대각선의 개수는 $8-3=5$(개), 이때 오른쪽 그림과 같이 길이가 가장 긴 대각선에 대하여 대칭이므로 한 꼭짓점에서 그을 수 있는 길이가 다른 대각선은 3가지이다.

$\therefore a=3$ ...... ❶

정팔각형의 대각선의 총 개수는

$\dfrac{8\times(8-3)}{2}=20$(개) $\therefore b=20$ ...... ❷

$\therefore b-a=20-3=17$ ...... ❸

채점 기준	배점
❶ a의 값 구하기	30 %
❷ b의 값 구하기	50 %
❸ $b-a$의 값 구하기	20 %

14 이웃하는 창고 사이의 길의 수는 오각형의 변의 개수와 같으므로 5개를 만들어야 한다.   ...... ❶

이웃하지 않는 창고 사이의 길은 오각형의 대각선의 총 개수만큼 만들어야 하므로

$\dfrac{5\times(5-3)}{2}=5$(개)   ...... ❷

따라서 만들 수 있는 길의 총 개수는 $5+5=10$(개)이다.   ...... ❸

채점 기준	배점
❶ 이웃하는 창고 사이의 길의 수 구하기	30 %
❷ 이웃하지 않는 창고 사이의 길의 수 구하기	50 %
❸ 만들 수 있는 길의 총 개수 구하기	20 %

08. 다각형의 내각과 외각의 크기의 합

개·념·확·인   48~49쪽

01 (1) $70°$ (2) $120°$ **02** 풀이 참조

03 (1) $900°$ (2) $1440°$ **04** 풀이 참조

05 (1) $8,\ 1080°,\ 1080°,\ 135°$ (2) $360°,\ 360°,\ 45°$

06 한 내각의 크기 : $140°$, 한 외각의 크기 : $40°$

02

다각형	오각형	육각형	⋯	n각형
삼각형의 개수(개)	3	4	⋯	$n-2$
내각의 크기의 합	$180°\times 3$	$180°\times 4$	⋯	$180°\times(n-2)$

03 (1) $180°\times(7-2)=900°$

(2) $180°\times(10-2)=1440°$

04

다각형	사각형	오각형	…	n각형
①	$180°\times 4=720°$	$180°\times 5=900°$	…	$180°\times n$
②	$180°\times (4-2)$ $=360°$	$180°\times (5-2)$ $=540°$	…	$180°\times (n-2)$
①-②	$720°-360°$ $=360°$	$900°-540°$ $=360°$	…	$180°\times n$ $-180°\times (n-2)$ $=360°$

06 $(\text{한 내각의 크기})=\dfrac{180°\times (9-2)}{9}=140°$

　　$(\text{한 외각의 크기})=\dfrac{360°}{9}=40°$

핵심유형으로 **개·념·정·복·하·기**　　　50~51쪽

핵심유형 1 ③	**1-1** ②	**1-2** ①	**1-3** ④
핵심유형 2 ④	**2-1** ⑤	**2-2** ⑤	**2-3** ④
핵심유형 3 95°	**3-1** ④	**3-2** ③	**3-3** ①
핵심유형 4 ③	**4-1** ①	**4-2** ⑤	**4-3** ④

핵심유형 1 $(3\angle x-20°)+2\angle x+(\angle x+50°)=180°$

　　$6\angle x+30°=180°,\ 6\angle x=150°$　　　$\therefore \angle x=25°$

1-1 삼각형의 세 내각의 크기의 합은 $180°$이므로 가장 작은 내각의 크기는

　　$180°\times \dfrac{2}{2+3+5}=180°\times \dfrac{2}{10}=36°$

1-2 $(2\angle x+10°)+(3\angle x-20°)=105°,\ 5\angle x=115°$

　　$\therefore \angle x=23°$

1-3 $\triangle DEC$에서 $\angle EDC+40°=150°$　　$\therefore \angle EDC=110°$

　　$\triangle ABD$에서 $\angle x+30°=\angle BDC$

　　$\therefore \angle x+30°=110°$　　$\therefore \angle x=80°$

핵심유형 2 내각의 크기의 합이 $1260°$인 다각형을 n각형이라 하면

　　$180°\times (n-2)=1260°,\ n-2=7$　　$\therefore n=9$

　　따라서 구하는 다각형은 구각형이다.

2-1 $180°\times (15-2)=180°\times 13=2340°$

2-2 오각형의 내각의 크기의 합은 $180°\times (5-2)=540°$이므로

　　$\angle x=540°-(140°+95°+100°+70°)=135°$

2-3 대각선의 총 개수가 54개인 다각형을 n각형이라 하면

　　$\dfrac{n(n-3)}{2}=54,\ n(n-3)=108$

　　$n(n-3)=12\times 9$　　$\therefore n=12$

　　따라서 십이각형의 내각의 크기의 합은

　　$180°\times (12-2)=1800°$

핵심유형 3 다각형의 외각의 크기의 합은 $360°$이므로

　　$\angle x+60°+50°+45°+(180°-70°)=360°$

　　$\angle x+265°=360°$

　　$\therefore \angle x=95°$

3-1 다각형의 외각의 크기의 합은 항상 $360°$이다.

3-2 다각형의 외각의 크기의 합은 항상 $360°$이므로

　　$\angle a+\angle b+\angle c+\angle d+\angle e+\angle f=360°$

3-3 다각형의 외각의 크기의 합은 항상 $360°$이므로

　　$\angle x+40°+50°+(180°-2\angle x)+60°+70°=360°$

　　$400°-\angle x=360°$　　$\therefore \angle x=40°$

핵심유형 4 내각의 크기의 합과 외각의 크기의 합의 총합이 $1440°$인 정다각형을 정n각형이라 하면 한 꼭짓점에서 내각과 외각의 크기의 합은 $180°$이므로

　　$180°\times n=1440°$　　$\therefore n=8$

　　따라서 정팔각형의 한 외각의 크기는

　　$\dfrac{360°}{8}=45°$

4-1 ① $\dfrac{180°\times (6-2)}{6}=\dfrac{720°}{6}=120°$

4-2 한 외각의 크기가 $24°$인 정다각형을 정n각형이라 하면

　　$\dfrac{360°}{n}=24°$　　$\therefore n=15$

　　따라서 정십오각형의 내각의 크기의 합은

　　$180°\times (15-2)=180°\times 13=2340°$

4-3 한 내각의 크기와 한 외각의 크기의 합은 $180°$이므로

　　$(\text{한 외각의 크기})=180°\times \dfrac{1}{5+1}=30°$

　　구하는 정다각형을 정n각형이라 하면

　　$\dfrac{360°}{n}=30°$　　$\therefore n=12$

　　따라서 구하는 정다각형은 정십이각형이다.

01 ⑤	**02** ④	**03** ③	**04** ④
05 ③	**06** ⑤	**07** 19	**08** ①
09 ①	**10** ③	**11** ③	**12** ③
13 ⑤	**14** 108°	**15** 84°	

01 $\triangle$OAB와 $\triangle$ODC에서 $\angle$AOB$=$$\angle$DOC(맞꼭지각)이므로
나머지 두 내각의 크기의 합도 서로 같다. 즉,
$60°+35°=\angle x+40°$
$\therefore \angle x=55°$

02 $\triangle$ABC에서 $\angle$B$+$$\angle$C$=180°-70°=110°$
점 I가 $\angle$B와 $\angle$C의 이등분선의 교점이므로
$\angle$IBC$+$$\angle$ICB$=\dfrac{1}{2}(\angle$B$+$$\angle$C$)=\dfrac{1}{2}\times110°=55°$
$\triangle$IBC에서
$\angle x=180°-(\angle$IBC$+$$\angle$ICB$)=180°-55°=125°$

03 $\angle$A$=180°-(40°+68°)=72°$이므로
$\angle$DAB$=\dfrac{1}{2}\times72°=36°$
$\triangle$ABD에서
$\therefore \angle x=40°+36°=76°$

04 $\triangle$ABC에서
$\angle$DCE$=\dfrac{1}{2}\angle$ACE$=\dfrac{1}{2}(80°+2\angle$DBC$)$
$\qquad=40°+\angle$DBC　……㉠
$\triangle$DBC에서 $\angle$DCE$=\angle x+\angle$DBC　……㉡
㉠, ㉡에서 $\angle x=40°$

05 오른쪽 그림과 같이 $\overline{BD}$를 그으면
$\triangle$ABD에서
$\angle$CBD$+$$\angle$CDB
$=180°-(50°+30°+40°)=60°$
$\triangle$CBD에서
$\angle$BCD$=180°-(\angle$CBD$+$$\angle$CDB$)$
$\qquad\quad=180°-60°=120°$

06 $\angle x$는 $\triangle$BDF의 한 외각이므로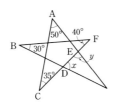
$\angle x=30°+40°=70°$
$\angle y$는 $\triangle$ACE의 한 외각이므로
$\angle y=50°+35°=85°$
$\therefore \angle x+\angle y=70°+85°=155°$

07 내각의 크기의 합이 $1620°$인 다각형을 n각형이라 하면
$180°\times(n-2)=1620°$, $n-2=9$　$\therefore n=11$
따라서 십일각형의 변의 개수는 11개이므로 $a=11$
십일각형의 한 꼭짓점에서 그을 수 있는 대각선의 개수는
$11-3=8$(개)이므로 $b=8$
$\therefore a+b=11+8=19$

08 오른쪽 그림과 같이 $\overline{CE}$를 그으면 오각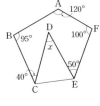
형의 내각의 크기의 합은
$180°\times(5-2)=540°$이므로
$\angle$DCE$+$$\angle$DEC
$=540°-(120°+95°+40°+50°$
$\qquad\qquad+100°)$
$=135°$
따라서 $\triangle$DCE에서
$\angle x=180°-(\angle$DCE$+$$\angle$DEC$)=180°-135°=45°$

09 오른쪽 그림과 같이 보조선을 그으면 사각
형의 내각의 크기의 합은 $360°$이므로
$\angle a+\angle b+\angle g+\angle h+\angle e+\angle f=360°$
$\angle c+\angle d=\angle g+\angle h$이므로
$\therefore \angle a+\angle b+\angle c+\angle d+\angle e+\angle f=360°$

10 오른쪽 그림과 같이 $\overline{AE}$, $\overline{BD}$를 긋고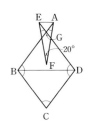
$\overline{AB}$와 $\overline{ED}$의 교점을 G라 하면
$\triangle$GEA와 $\triangle$GBD에서
$\angle$GEA$+$$\angle$GAE$=$$\angle$GBD$+$$\angle$GDB
$\therefore \angle$A$+$$\angle$B$+$$\angle$C$+$$\angle$D$+$$\angle$E
$=(\triangle$BCD의 내각의 크기의 합$)$
$\quad+(\angle$AEF$+$$\angle$EAF$)$
$=180°+(180°-20°)=340°$

11 오른쪽 그림과 같이 $\overline{BE}$, $\overline{CD}$를 그으면
$\triangle$BHE와 $\triangle$CHD에서
$\angle$BHE$=$$\angle$CHD(맞꼭지각)이므로
$\angle$HBE$+$$\angle$HEB
$=$$\angle$HCD$+$$\angle$HDC
$\therefore \angle a+\angle b+\angle c+\angle d+\angle e+\angle f+\angle g$
$=(\triangle$GBE의 내각의 크기의 합$)$
$\quad+($사각형 ACDF의 내각의 크기의 합$)$
$=180°+360°=540°$

[다른 풀이]
$\angle a+\angle b+\angle c+\angle d+\angle e+\angle f+\angle g$
$=(7$개의 삼각형의 내각의 크기의 합$)$
$\quad-($칠각형의 외각의 크기의 합$)\times2$
$=180°\times7-360°\times2=1260°-720°=540°$

12 한 꼭짓점에서 그을 수 있는 대각선의 개수가 7개인 정다각형을
정n각형이라 하면
$$n-3=7 \qquad \therefore n=10$$
따라서 정십각형의 한 내각의 크기는
$$\frac{180° \times (10-2)}{10} = \frac{1440°}{10} = 144° \qquad \therefore a=144$$
정십각형의 한 외각의 크기는 $\frac{360°}{10} = 36°$ $\qquad \therefore b=36$
$$\therefore a-b=144-36=108$$

13 정육각형의 한 내각의 크기는 $\frac{180° \times (6-2)}{6} = 120°$
$\triangle ABC$에서 $\angle BAC = \angle BCA = (180°-120°) \times \frac{1}{2} = 30°$
마찬가지로 $\triangle ABF$에서 $\angle ABF = \angle AFB = 30°$
한편, $\angle AGF$는 $\triangle ABG$의 한 외각이므로
$$\angle AGF = 30° + 30° = 60°$$
$$\therefore \angle x = 180° - \angle AGF = 180° - 60° = 120°$$

14 [단계 ❶] $\triangle BAC$는 이등변삼각형이므로
$$\angle BCA = \angle BAC = 24°$$
$\triangle BAC$에서 $\angle CBD = 24° + 24° = 48°$
[단계 ❷] $\triangle CDB$는 이등변삼각형이므로
$$\angle CDB = \angle CBD = 48°$$
$\triangle ACD$에서
$$\angle DCE = \angle DAC + \angle CDA = 24° + 48° = 72°$$
[단계 ❸] $\triangle DCE$는 이등변삼각형이므로
$$\angle DEC = \angle DCE = 72°$$
$$\therefore \angle x = 180° - 72° = 108°$$

채점 기준	배점
❶ $\angle CBD$의 크기 구하기	30 %
❷ $\angle DCE$의 크기 구하기	40 %
❸ $\angle x$의 크기 구하기	30 %

15 오른쪽 그림에서
$$\angle a = \frac{360°}{6} = 60°, \ \angle c = \frac{360°}{5} = 72°$$
$\angle b$는 정오각형의 한 외각의 크기와
정육각형의 한 외각의 크기의 합이므로
$$\angle b = 72° + 60° = 132° \qquad \cdots\cdots ❶$$
$$\angle d = 360° - (\angle a + \angle b + \angle c)$$
$$= 360° - (60° + 132° + 72°) = 96° \qquad \cdots\cdots ❷$$
$$\therefore \angle x = 180° - \angle d = 180° - 96° = 84° \qquad \cdots\cdots ❸$$

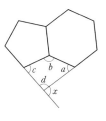

채점 기준	배점
❶ $\angle a$, $\angle b$, $\angle c$의 크기 구하기	50 %
❷ $\angle d$의 크기 구하기	30 %
❸ $\angle x$의 크기 구하기	20 %

09. 부채꼴의 뜻과 성질

개 · 념 · 확 · 인　　　　　　　54～55쪽

01 풀이 참조　　**02** 6 cm　　**03** 풀이 참조　　**04** 180°
05 (1) 3　　　　(2) 25　　　　(3) 16　　　　(4) 75
06 (1) 5　　　　(2) 120

01

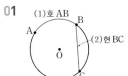
(1) 호 AB
(2) 현 BC

02 한 원에서 가장 긴 현은 그 원의 지름이므로 그 길이는 6 cm이다.

03

04 반원일 때 부채꼴과 활꼴이 같아진다. 이때 부채꼴의 중심각의
크기는 180°이다.

05 (1) $30:120 = x:12$, $1:4 = x:12$, $4x=12$ $\qquad \therefore x=3$
(2) $75:x = 9:3$, $75:x = 3:1$, $3x=75$ $\qquad \therefore x=25$
(3) $50:200 = 4:x$, $1:4 = 4:x$ $\qquad \therefore x=16$
(4) $x:25 = 15:5$, $x:25 = 3:1$ $\qquad \therefore x=75$

핵심유형으로 개 · 념 · 정 · 복 · 하 · 기　　　　56～57쪽

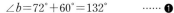

핵심유형 1 ③	1-1 ⑤	1-2 ③	
핵심유형 2 ④	2-1 ⑤	2-2 ③	2-3 150°
2-4 ③	2-5 ⑤	2-6 ②	2-7 ①
핵심유형 3 ③	3-1 ⑤	3-2 ③	3-3 ③

핵심유형 1 ③ $\angle AOB$는 $\overparen{AB}$에 대한 중심각이다.

1-1 ① 현 : 원 위의 두 점을 이은 선분
　② 호 : 원의 한 부분
　③ 부채꼴 : 호와 원의 두 반지름으로 둘러싸인 도형
　④ 활꼴 : 호와 현으로 둘러싸인 도형

1-2 오른쪽 그림에서 반지름의 길이와 현의 길이가 같을 때 반지름과 현으로 둘러싸인 도형은 정삼각형이므로 부채꼴의 중심각의 크기는 $60°$이다.

핵심유형 2 부채꼴의 호의 길이는 중심각의 크기에 정비례하므로
$12 : 20 = \angle x : (2\angle x - 10°)$, $3 : 5 = \angle x : (2\angle x - 10°)$
$5\angle x = 6\angle x - 30°$　　∴ $\angle x = 30°$

2-1 부채꼴의 호의 길이는 중심각의 크기에 정비례하므로
$60 : 80 = (2x - 5) : (x + 5)$
$3 : 4 = (2x - 5) : (x + 5)$
$8x - 20 = 3x + 15$, $5x = 35$　　∴ $x = 7$

2-2 $\overparen{AB} : \overparen{BC} : \overparen{CA} = 3 : 4 : 5$이므로
$\angle AOB : \angle BOC : \angle COA = 3 : 4 : 5$
∴ $\angle AOB = 360° \times \dfrac{3}{3+4+5} = 360° \times \dfrac{3}{12} = 90°$

2-3 $\overparen{AC} = 5\overparen{BC}$이므로 $\overparen{AC} : \overparen{BC} = 5 : 1$
이때 부채꼴의 중심각의 크기는 호의 길이에 정비례하므로
$\angle AOC : \angle BOC = \overparen{AC} : \overparen{BC}$, $\angle AOC : \angle BOC = 5 : 1$
∴ $\angle AOC = 180° \times \dfrac{5}{5+1} = 150°$

2-4 $\angle OCD = \angle AOC = 40°$ (엇각)
$\triangle OCD$는 $\overline{OC} = \overline{OD}$인 이등변삼각형이므로
$\angle COD = 180° - (40° + 40°) = 100°$
$\overparen{AC} : \overparen{CD} = \angle AOC : \angle COD$에서
$3 : \overparen{CD} = 40 : 100$, $3 : \overparen{CD} = 2 : 5$, $2\overparen{CD} = 15$
∴ $\overparen{CD} = 7.5 \,(\text{cm})$

2-5 $\overline{AD} /\!/ \overline{OC}$이므로
$\angle OAD = \angle BOC = 45°$
오른쪽 그림과 같이 $\overline{OD}$를 그으면 $\triangle OAD$는 $\overline{OA} = \overline{OD}$인 이등변삼각형이므로
$\angle ODA = 45°$　　∴ $\angle AOD = 90°$
$\angle BOC : \angle AOD = 45° : 90° = 1 : 2$이고, 호의 길이는 중심각의 크기에 정비례하므로
$1 : 2 = 5 : \overparen{AD}$　　∴ $\overparen{AD} = 10 \,(\text{cm})$

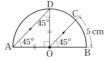

2-6 한 원에서 부채꼴의 중심각의 크기는 부채꼴의 넓이에 정비례하므로
$25 : x = 12 : 48$, $25 : x = 1 : 4$
∴ $x = 100$

2-7 한 원에서 호의 길이와 부채꼴의 넓이는 모두 중심각의 크기에 정비례하므로 호의 길이의 비가 $3 : 4$이면 부채꼴의 넓이의 비도 $3 : 4$이다.

핵심유형 3 $\overline{AB} = \overline{CD} = \overline{DE}$이므로
$\angle AOB = \angle COD = \angle DOE = 30°$
∴ $\angle COE = \angle COD + \angle DOE = 30° + 30° = 60°$

3-1 같은 크기의 중심각에 대한 현의 길이는 같으므로
$\overline{CD} = \overline{AB} = 6 \,\text{cm}$

3-2 $\overparen{AB} = \overparen{AC}$이므로 $\angle AOB = \angle AOC$
같은 크기의 중심각에 대한 현의 길이는 같으므로
$\overline{AB} = \overline{AC} = 5 \,\text{cm}$
한 원의 반지름의 길이는 같으므로 $\overline{OB} = \overline{OC} = 3 \,\text{cm}$
∴ (색칠한 부분의 둘레의 길이)
　$= \overline{AB} + \overline{AC} + \overline{OB} + \overline{OC} = 5 + 5 + 3 + 3 = 16 \,(\text{cm})$

3-3 $\overline{AC} /\!/ \overline{OD}$이므로 $\angle CAO = \angle DOB$ (동위각)
오른쪽 그림과 같이 $\overline{OC}$를 그으면
$\triangle CAO$는 이등변삼각형이므로
$\angle OCA = \angle OAC$
$\angle ACO = \angle COD$ (엇각)이므로
$\angle COD = \angle DOB$
중심각의 크기가 같은 두 부채꼴의 현의 길이는 같으므로
$\overline{BD} = \overline{CD} = 3 \,\text{cm}$

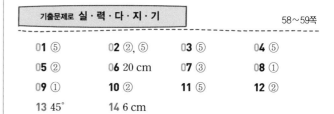

기출문제로 **실·력·다·지·기**			58~59쪽

01 ⑤　　**02** ②, ⑤　　**03** ⑤　　**04** ⑤
05 ②　　**06** 20 cm　　**07** ③　　**08** ①
09 ①　　**10** ②　　**11** ⑤　　**12** ②
13 45°　　**14** 6 cm

01 ⑤ 호와 그 양 끝을 이은 현으로 둘러싸인 도형은 활꼴이다.

02 한 원에서 부채꼴의 호의 길이, 부채꼴의 넓이는 중심각의 크기에 정비례하지만 현의 길이는 중심각의 크기에 정비례하지 않는다.
따라서 옳은 것은 ②, ⑤이다.

03 부채꼴의 호의 길이는 중심각의 크기에 정비례하므로

$30:45=4:x$, $2:3=4:x$

$2x=12$ $\therefore x=6$

$30:y=4:8$, $30:y=1:2$ $\therefore y=60$

04 오른쪽 그림과 같이 $\overline{OC}$를 그으면

$\triangle OBC$는 $\overline{OB}=\overline{OC}$ (반지름)인 이등변

삼각형이므로

$\angle OCB=\angle OBC=40°$

$\angle BOC=180°-(40°+40°)=100°$

$\angle AOC=180°-100°=80°$

호의 길이는 중심각의 크기에 정비례하므로

$\widehat{AC}:\widehat{BC}=80:100=4:5$

05 오른쪽 그림과 같이 $\overline{AO}$의 연장선이 원

과 만나는 점을 E라 하면

$\angle EOD=\angle AOB$(맞꼭지각)

$\overline{AO}/\!/\overline{BC}$이므로

$\angle OBC=\angle AOB$(엇각)

$\triangle OBC$에서 $\overline{OB}=\overline{OC}$이므로 $\angle OCB=\angle OBC$

$\angle COE=\angle OCB$(엇각)이므로 $\angle COD=2\angle AOB$

호의 길이는 중심각의 크기에 정비례하므로

$\widehat{CD}=2\widehat{AB}=2\times4=8$(cm)

06 $\angle AOC=\angle BOD=30°$(맞꼭지각)

오른쪽 그림과 같이 $\overline{OE}$를 그으면

$\widehat{AC}=\widehat{ED}$이므로

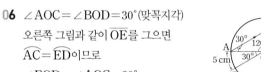

$\angle EOD=\angle AOC=30°$

$\therefore \angle AOE=180°-(30°+30°)=120°$

$\widehat{AE}:\widehat{ED}=\angle AOE:\angle EOD$에서

$\widehat{AE}:5=120:30$, $\widehat{AE}:5=4:1$

$\therefore \widehat{AE}=20$(cm)

07 $\widehat{AB}:\widehat{BC}=5:4$이므로 $\angle AOB:\angle BOC=5:4$

$\therefore \angle AOB=180°\times\dfrac{5}{5+4}=180°\times\dfrac{5}{9}=100°$

$\triangle AOB$는 $\overline{OA}=\overline{OB}$인 이등변삼각형이므로

$\angle OAB=\dfrac{1}{2}\times(180°-100°)=40°$

08 $\overline{CO}/\!/\overline{DB}$이므로

$\angle DBO=\angle COA=30°$(동위각)

오른쪽 그림과 같이 $\overline{OD}$를 그으면

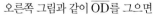

$\triangle DOB$는 $\overline{OB}=\overline{OD}$인 이등변삼각형

이므로

$\angle ODB=\angle OBD=30°$

$\therefore \angle DOB=180°-(30°+30°)=120°$

$\angle COD=\angle ODB=30°$ (엇각)

$\widehat{CD}:\widehat{DB}=\angle COD:\angle DOB$에서 $\widehat{CD}:12=30:120$

$\widehat{CD}:12=1:4$, $4\widehat{CD}=12$ $\therefore \widehat{CD}=3$(cm)

09 오른쪽 그림과 같이 $\overline{OA}$, $\overline{OF}$를 그으면

$\triangle OAB$는 $\overline{OA}=\overline{OB}$인 이등변삼각형

이므로

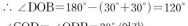

$\angle OAB=\angle OBA=55°$

$\angle AOB=180°-(55°+55°)=70°$

$\overline{BA}/\!/\overline{DC}$이므로

$\angle AOC=\angle OAB=55°$(엇각)

$\angle DOF=\angle AOC=55°$(맞꼭지각)

$\angle COE=\angle ABO=55°$(동위각)

$\angle BOD=\angle COE=55°$(맞꼭지각)

$\therefore \widehat{AC}=\widehat{CE}=\widehat{BD}=\widehat{DF}$

10 두 원 O와 O$'$이 서로 합동이므로 부채꼴의 넓이는 중심각의 크

기에 정비례한다.

따라서 $\angle AOB:\angle CO'D=90°:120°=3:4$에서

(부채꼴 OAB의 넓이) : (부채꼴 O$'$CD의 넓이) $=3:4$

12 : (부채꼴 O$'$CD의 넓이) $=3:4$

$3\times$(부채꼴 O$'$CD의 넓이) $=48$

$\therefore$ (부채꼴 O$'$CD의 넓이) $=16$(cm^2)

11 ⑤ 현의 길이는 중심각의 크기에 정비례하지 않는다.

12 ② 현의 길이는 중심각의 크기에 정비례하지 않으므로

$\overline{BD}\neq2\overline{AB}$

③ $\triangle BOC$는 $\overline{OB}=\overline{OC}$인 이등변삼각형이므로

$\angle OBC=\angle OCB=\dfrac{1}{2}\times(180°-60°)=60°$

따라서 $\angle CBO=\angle BOA=60°$이므로 $\overline{BC}/\!/\overline{AD}$이다.

13 [단계 ❶] $\widehat{AB}=3\widehat{BC}$이므로

$\angle BOC=\angle a$라 하면 $\angle AOB=3\angle a$

[단계 ❷] $\widehat{DE}=3\widehat{CD}$이므로

$\angle COD=\angle b$라 하면 $\angle DOE=3\angle b$

[단계 ❸] $\angle AOE=3\angle a+\angle a+\angle b+3\angle b$

$=4\angle a+4\angle b=180°$

$4(\angle a+\angle b)=180°$ $\therefore \angle a+\angle b=45°$

$\therefore \angle BOD=45°$

채점 기준	배점
❶ $\angle BOC$와 $\angle AOB$의 관계 구하기	30 %
❷ $\angle COD$와 $\angle DOE$의 관계 구하기	30 %
❸ $\angle BOD$의 크기 구하기	40 %

14 $\angle BED = \angle x$라 하면 $\angle DOB = \angle x$

△ODE에서 $\angle ODC = 2\angle x$

△OCD에서 $\overline{OC} = \overline{OD}$이므로 $\angle OCD = 2\angle x$

△OCE에서

$\angle AOC = \angle OEC + \angle OCE = \angle x + 2\angle x = 3\angle x$ ······ ❶

$\angle x : 3\angle x = 2 : \overset{\frown}{AC}$, $1 : 3 = 2 : \overset{\frown}{AC}$

$\therefore \overset{\frown}{AC} = 6(cm)$ ······ ❷

채점 기준	배점
❶ $\angle BED = \angle x$라 할 때, $\angle AOC$의 크기를 $\angle x$를 이용하여 나타내기	50 %
❷ $\overset{\frown}{AC}$의 길이 구하기	50 %

10. 부채꼴의 호의 길이와 넓이

개 · 념 · 확 · 인   60~61쪽

01 (1) $l = 8\pi$ cm, $S = 16\pi$ cm²   (2) $l = 12\pi$ cm, $S = 36\pi$ cm²

02 (1) 5 cm   (2) 9 cm   **03** (1) 3π cm   (2) 4π cm

04 (1) 2π cm²   (2) 15π cm²   **05** (1) 2π cm²   (2) 96π cm²

06 (1) 36π cm²   (2) $160°$

01 (1) $l = 2\pi \times 4 = 8\pi(cm)$, $S = \pi \times 4^2 = 16\pi(cm^2)$

(2) 반지름의 길이가 6 cm이므로

$l = 2\pi \times 6 = 12\pi(cm)$, $S = \pi \times 6^2 = 36\pi(cm^2)$

02 (1) 원의 반지름의 길이를 r cm라 하면 원의 둘레의 길이가

10π cm이므로 $2\pi r = 10\pi$ $\therefore r = 5(cm)$

(2) 원의 반지름의 길이를 r cm라 하면 원의 넓이가 81π cm²이

므로 $\pi r^2 = 81\pi$, $r^2 = 81$ $\therefore r = 9(cm)$

03 (1) $2\pi \times 9 \times \dfrac{60}{360} = 3\pi(cm)$

(2) $2\pi \times 6 \times \dfrac{120}{360} = 4\pi(cm)$

04 (1) $\pi \times 4^2 \times \dfrac{45}{360} = 2\pi(cm^2)$

(2) $\pi \times 6^2 \times \dfrac{150}{360} = 15\pi(cm^2)$

05 (1) $\dfrac{1}{2} \times 4 \times \pi = 2\pi(cm^2)$

(2) $\dfrac{1}{2} \times 16 \times 12\pi = 96\pi(cm^2)$

06 (1) $\dfrac{1}{2} \times 9 \times 8\pi = 36\pi(cm^2)$

(2) 중심각의 크기를 $x°$라 하면

$2\pi \times 9 \times \dfrac{x}{360} = 8\pi$, $\dfrac{x}{20} = 8$ $\therefore x = 160(°)$

핵심유형으로 개 · 념 · 정 · 복 · 하 · 기   62~63쪽

핵심유형 **1** ④   **1-1** ③   **1-2** ①   **1-3** ③

핵심유형 **2** ⑤   **2-1** ④   **2-2** ③   **2-3** ⑤

핵심유형 **3** ④   **3-1** ②   **3-2** ④   **3-3** ②

핵심유형 **4** ①   **4-1** ⑤   **4-2** ④   **4-3** ⑤

핵심유형 **1** (색칠한 부분의 둘레의 길이)

= (지름의 길이가 10 cm인 원의 둘레의 길이)

+ (지름의 길이가 6 cm인 원의 둘레의 길이)

+ (지름의 길이가 4 cm인 원의 둘레의 길이)

$= 2\pi \times 5 + 2\pi \times 3 + 2\pi \times 2$

$= 10\pi + 6\pi + 4\pi$

$= 20\pi(cm)$

1-1 (색칠한 부분의 넓이)

= (지름의 길이가 18 cm인 반원의 넓이)

+ (지름의 길이가 10 cm인 반원의 넓이)

− (지름의 길이가 8 cm인 반원의 넓이)

$= \dfrac{1}{2} \times \pi \times 9^2 + \dfrac{1}{2} \times \pi \times 5^2 - \dfrac{1}{2} \times \pi \times 4^2$

$= \dfrac{81}{2}\pi + \dfrac{25}{2}\pi - 8\pi = 45\pi(cm^2)$

1-2 원 O의 반지름의 길이를 r라 하면, 원 O′의 반지름의 길이는

$\dfrac{1}{2}r$가 된다.

(원 O의 원주) $= 2\pi r$, (원 O′의 원주) $= 2\pi \times \dfrac{1}{2}r = \pi r$

$\therefore$ (원 O의 둘레의 길이) : (원 O′의 둘레의 길이)

$= 2\pi r : \pi r = 2 : 1$

1-3 (색칠한 부분의 넓이)

= (지름이 16 cm인 원의 넓이) − (지름이 6 cm인 원의 넓이)

$= \pi \times 8^2 - \pi \times 3^2 = 64\pi - 9\pi = 55\pi(cm^2)$

핵심유형 **2** 부채꼴의 중심각의 크기를 $x°$라 하면

$2\pi \times 10 \times \dfrac{x}{360} = 8\pi$ $\therefore x = 144(°)$

2–1 (호의 길이)$=2\pi\times12\times\dfrac{360-150}{360}$

$\qquad\qquad=24\pi\times\dfrac{210}{360}=14\pi\,(\text{cm})$

2–2 (둘레의 길이)$=2\pi\times4\times\dfrac{45}{360}+4\times2=\pi+8\,(\text{cm})$

2–3 부채꼴의 반지름의 길이를 r cm라 하면

$\qquad 2\pi r\times\dfrac{30}{360}=2\pi,\ 2\pi r\times\dfrac{1}{12}=2\pi\qquad\therefore r=12\,(\text{cm})$

$\qquad$ 따라서 부채꼴의 둘레의 길이는

$\qquad 2\pi+12\times2=2\pi+24\,(\text{cm})$

핵심유형 3 (넓이)$=\pi\times6^2\times\dfrac{360-120}{360}$

$\qquad\qquad=\pi\times36\times\dfrac{240}{360}$

$\qquad\qquad=24\pi\,(\text{cm}^2)$

3–1 (넓이)$=\pi\times4^2\times\dfrac{135}{360}=6\pi\,(\text{cm}^2)$

3–2 부채꼴의 중심각의 크기를 $x°$라 하면

$\qquad \pi\times8^2\times\dfrac{x}{360}=24\pi\qquad\therefore x=135(°)$

3–3 (색칠한 부분의 넓이)

$\qquad=$(큰 부채꼴의 넓이)$-$(작은 부채꼴의 넓이)

$\qquad=\pi\times6^2\times\dfrac{45}{360}-\pi\times4^2\times\dfrac{45}{360}$

$\qquad=\dfrac{9}{2}\pi-2\pi=\dfrac{5}{2}\pi\,(\text{cm}^2)$

핵심유형 4 반지름의 길이를 r cm라 하면

$\qquad \dfrac{1}{2}\times r\times12\pi=30\pi,\ 6\pi r=30\pi\qquad\therefore r=5\,(\text{cm})$

4–1 (넓이)$=\dfrac{1}{2}\times6\times4\pi=12\pi\,(\text{cm}^2)$

4–2 반지름의 길이를 r cm라 하면

$\qquad \dfrac{1}{2}\times r\times\dfrac{3}{2}\pi=3\pi\qquad\therefore r=4\,(\text{cm})$

4–3 반지름의 길이를 r cm라 하면

$\qquad \dfrac{1}{2}\times r\times5\pi=15\pi\qquad\therefore r=6\,(\text{cm})$

$\qquad$ 부채꼴의 중심각의 크기를 $x°$라 하면

$\qquad 2\pi\times6\times\dfrac{x}{360}=5\pi\qquad\therefore x=150(°)$

---

01 ③	**02** 24π cm	**03** 100π cm²	**04** 20π cm
05 ③	**06** ④	**07** ①	
08 $(144-24\pi)$ cm²		**09** ③	**10** ①
11 ④	**12** ⑤	**13** 4π m	
14 $(4\pi+28)$ cm²			

01 $\overline{\text{AD}}=\dfrac{1}{2}\times$(원주)$=\dfrac{1}{2}\times2\pi\times3=3\pi\,(\text{cm})$

02 작은 원의 반지름의 길이를 r cm라 하면

$\qquad \pi\times r^2=16\pi,\ r^2=16\qquad\therefore r=4\,(\text{cm})$

$\qquad$ 큰 원의 반지름의 길이는 $3r=3\times4=12\,(\text{cm})$이므로

$\qquad$ 큰 원의 둘레의 길이는 $2\pi\times12=24\pi\,(\text{cm})$

03 반지름의 길이를 r cm라 하면

$\qquad 2\pi r\times\dfrac{72}{360}=4\pi\qquad\therefore r=10\,(\text{cm})$

$\qquad$ 따라서 원의 넓이는 $\pi\times10^2=100\pi\,(\text{cm}^2)$

04 색칠한 부분의 둘레의 길이는 반지름의 길이가 5 cm인 두 개의

$\qquad$ 원의 둘레의 길이의 합과 같으므로

$\qquad (2\pi\times5)\times2=10\pi\times2=20\pi\,(\text{cm})$

05 (색칠한 부분의 둘레의 길이)

$\qquad=$(색칠한 부분의 $\overset{\frown}{\text{AC}}$의 길이)$+$(색칠한 부분의 $\overset{\frown}{\text{BD}}$의 길이)

$\qquad\quad +\overline{\text{AB}}+\overline{\text{CD}}$

$\qquad=2\pi\times4\times\dfrac{270}{360}+2\pi\times6\times\dfrac{270}{360}+2\times2$

$\qquad=6\pi+9\pi+4=15\pi+4\,(\text{cm})$

06 (색칠한 부분의 둘레의 길이)

$\qquad=$(지름의 길이가 6 cm인 반원의 호의 길이)

$\qquad\quad +$(반지름의 길이가 6 cm인 부채꼴의 호의 길이)$+6$

$\qquad=\dfrac{1}{2}\times2\pi\times3+2\pi\times6\times\dfrac{30}{360}+6$

$\qquad=3\pi+\pi+6=4\pi+6\,(\text{cm})$

07 (색칠한 부분의 넓이)

$\qquad=$(반지름의 길이가 10 cm인 사분원의 넓이)

$\qquad\quad -$(지름의 길이가 10 cm인 반원의 넓이)

$\qquad=\dfrac{1}{4}\times\pi\times10^2-\dfrac{1}{2}\pi\times5^2=25\pi-\dfrac{25}{2}\pi=\dfrac{25}{2}\pi\,(\text{cm}^2)$

08 $\triangle EBC$는 정삼각형이므로 $\angle EBC=60°$, $\angle ECB=60°$

∴ $\angle ABE=\angle ECD=90°-60°=30°$

부채꼴 ABE의 넓이와 부채꼴 ECD의 넓이가 같으므로

(색칠한 부분의 넓이)

= (정사각형 ABCD의 넓이) − (부채꼴 ABE의 넓이)×2

$=12\times12-\left(\pi\times12^2\times\dfrac{30}{360}\right)\times2$

$=144-24\pi(cm^2)$

09 점 D와 점 E를 연결하면 활꼴 BE의 넓이와 활꼴 DE의 넓이는 같다.
마찬가지로 점 D와 점 F, 점 E와 점 F를 연결하면 색칠한 부분의 넓이는 부채꼴 DBE의 넓이의 3배와 같다.

∴ (색칠한 부분의 넓이)

$=\left(\pi\times4^2\times\dfrac{60}{360}\right)\times3=\dfrac{8}{3}\pi\times3=8\pi(cm^2)$

10 (색칠한 부분의 넓이)

= (지름이 $\overline{AB'}$인 반원의 넓이) + (부채꼴 ABB'의 넓이)

− (지름이 $\overline{AB}$인 반원의 넓이)

= (부채꼴 ABB'의 넓이) $=\pi\times6^2\times\dfrac{30}{360}=3\pi(cm^2)$

11 (색칠한 부분의 넓이)

= (지름이 $\overline{AB}$인 반원의 넓이) + (지름이 $\overline{AC}$인 반원의 넓이)

+ ($\triangle ABC$의 넓이) − (지름이 $\overline{BC}$인 반원의 넓이)

$=\dfrac{1}{2}\times\pi\times4^2+\dfrac{1}{2}\times\pi\times3^2+\dfrac{1}{2}\times6\times8-\dfrac{1}{2}\times\pi\times5^2$

$=\dfrac{16}{2}\pi+\dfrac{9}{2}\pi+24-\dfrac{25}{2}\pi=24(cm^2)$

12 오른쪽 그림에서 곡선 부분의 길이는 반지름의 길이가 3 cm인 원의 둘레의 길이와 같으므로

$2\pi\times3=6\pi(cm)$

직선 부분의 길이는 $12+6+12+6=36(cm)$

따라서 필요한 끈의 최소 길이는 $6\pi+36(cm)$

13 [단계 ❶] (트랙 A의 길이) $=2\pi\times10+50\times2$

$\qquad\qquad\qquad\qquad=20\pi+100(m)$

[단계 ❷] (트랙 B의 길이) $=2\pi\times12+50\times2$

$\qquad\qquad\qquad\qquad=24\pi+100(m)$

[단계 ❸] 따라서 두 트랙 A, B의 길이의 차는

$\qquad\qquad(24\pi+100)-(20\pi+100)=4\pi(m)$

채점 기준	배점
❶ 트랙 A의 길이 구하기	40 %
❷ 트랙 B의 길이 구하기	40 %
❸ 두 트랙 A, B의 길이의 차 구하기	20 %

14 원이 지나간 부분을 나타내면 오른쪽 그림과 같다. ······ ❶

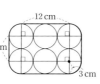

①+②+③+④

= (반지름의 길이가 2 cm인 원의 넓이)

$=\pi\times2^2=4\pi(cm^2)$

∴ (원이 지나간 부분의 넓이)

$=①+②+③+④+8+6+8+6$

$=4\pi+28(cm^2)$ ······ ❷

채점 기준	배점
❶ 원이 지나간 부분을 그림으로 나타내기	40 %
❷ 원이 지나간 부분의 넓이 구하기	60 %

Ⅶ 입체도형

11. 다면체

개·념·확·인 66~67쪽

01 ㄴ, ㄹ **02** 풀이 참조

03 (1) ○ (2) ○ (3) × (4) ×

(5) ○ (6) ○

04 정팔면체

01 ㄱ. 원뿔, ㄷ. 원뿔대, ㅁ. 구, ㅂ. 원기둥은 곡면을 포함한 입체도형이므로 다면체가 아니다.

02

밑면의 모양	삼각형	삼각형	삼각형
옆면의 모양	직사각형	삼각형	사다리꼴
면의 개수	5개	4개	5개
꼭짓점의 개수	6개	4개	6개
모서리의 개수	9개	6개	9개

03 (3) 한 꼭짓점에 5개 이하의 면이 모인다.

(4) 정사면체, 정육면체, 정팔면체, 정십이면체, 정이십면체의 5가지뿐이다.

핵심유형 1 ⑤   **1**-1 ③   **1**-2 ⑤   **1**-3 ③

핵심유형 2 ⑤   **2**-1 ⑤   **2**-2 ②   **2**-3 ④

핵심유형 3 ⑤   **3**-1 ④   **3**-2 ①   **3**-3 ②

       3-4 ③   **3**-5 ②   **3**-6 ⑤   **3**-7 ③

핵심유형 1 ㄱ. 정사각형은 평면도형이다.

     ㄴ. 원기둥, ㄹ. 원뿔은 옆면이 곡면이므로 다면체가 아니다.

1-1 ③ 구는 곡면으로 둘러싸여 있으므로 다면체가 아니다.

1-2 ⑤ 밑면에 평행한 평면으로 자를 때 생기는 단면이 삼각형이고, 밑면에 수직인 평면으로 자를 때 생기는 단면은 직사각형이다.

1-3 (나), (다)를 만족하는 입체도형은 각기둥이다.

     각기둥 중 (가)를 만족하는 것은 육각기둥이다.

핵심유형 2 ① 삼각뿔 – 삼각형   ② 사각뿔대 – 사다리꼴

     ③ 오각기둥 – 직사각형   ④ 육각뿔 – 삼각형

2-1 ① 면의 개수가 $6+2=8$(개)이므로 팔면체이다.

     ② 모서리의 개수는 $3\times6=18$(개)이다.

     ③ 옆면의 모양은 사다리꼴이다.

     ④ 두 밑면은 서로 평행하지만 합동은 아니다.

2-2 ① 삼각기둥 ⇨ 꼭짓점의 개수 : $2\times3=6$(개)

             면의 개수 : $3+2=5$(개)

     ② 오각뿔 ⇨ 꼭짓점의 개수 : $5+1=6$(개)

             면의 개수 : $5+1=6$(개)

     ③ 정육면체 ⇨ 꼭짓점의 개수 : 8(개)

             면의 개수 : 6(개)

     ④ 육각뿔대 ⇨ 꼭짓점의 개수 : $2\times6=12$(개)

             면의 개수 : $6+2=8$(개)

     ⑤ 칠각기둥 ⇨ 꼭짓점의 개수 : $2\times7=14$(개)

             면의 개수 : $7+2=9$(개)

2-3 $v=2\times4=8,\ e=3\times4=12,\ f=4+2=6$

핵심유형 3 (가)를 만족하는 정다면체는 정사면체, 정팔면체, 정이십면체이다. 이 중 (나)도 만족하는 것은 정이십면체이다.

3-1 정다면체는 정사면체, 정육면체, 정팔면체, 정십이면체, 정이십면체의 5가지뿐이다.

     따라서 ④ 정십육면체는 정다면체가 아니다.

3-2 ① 정사면체는 각 면이 나머지 세 면과 만나므로 평행한 면이 없다.

3-3 세 쌍의 면이 평행하고 각 면이 정사각형인 정다면체는 정육면체이다.

3-4 정사면체, 정팔면체, 정이십면체의 각 면은 정삼각형이고, 정육면체의 각 면은 정사각형, 정십이면체의 각 면은 정오각형이다.

3-5 정사면체는 한 꼭짓점에 정삼각형 3개가, 정육면체는 한 꼭짓점에 정사각형 3개가, 정십이면체는 한 꼭짓점에 정오각형 3개가 모여 있다.

3-6 주어진 전개도로 만들어지는 정다면체는 정팔면체이다.

     ⑤ 한 꼭짓점에 모이는 면의 개수는 4개이다.

3-7 면의 개수가 가장 적은 정다면체는 정사면체로

     꼭짓점의 개수는 4개이다. $\therefore a=4$

     면의 개수가 가장 많은 정다면체는 정이십면체로

     꼭짓점의 개수는 12개이다. $\therefore b=12$

     $\therefore a+b=4+12=16$

01 ⑤   **02** ③   **03** ③   **04** ⑤

05 ③   **06** ④   **07** ③   **08** ④

09 ②   **10** ②   **11** ⑤   **12** ④

13 ③   **14** 18   **15** 21

01 각 입체도형의 면의 개수를 구해 보면

     ① 팔면체 : 8개

     ② 칠각뿔 : $7+1=8$(개)

     ③ 육각기둥 : $6+2=8$(개)

     ④ 육각뿔대 : $6+2=8$(개)

     ⑤ 직육면체 : 6개

     따라서 면의 개수가 나머지와 다른 것은 ⑤ 직육면체이다.

02 n각기둥의 꼭짓점의 개수는 $2n$개이므로

     $2n=12$에서 $n=6$

     즉, 꼭짓점의 개수가 12개인 각기둥은 육각기둥이다.

     따라서 육각기둥의 모서리의 개수는 $3\times6=18$(개)

03 각뿔의 밑면을 n각형이라 하면 $\dfrac{n(n-3)}{2}=35$에서

     $n(n-3)=70,\ n(n-3)=10\times7$ $\therefore n=10$

     즉, 밑면의 대각선의 총 개수가 35개인 각뿔은 십각뿔이다.

     따라서 십각뿔의 면의 개수는 $10+1=11$(개)이므로

     십일면체이다.

04 두 밑면이 사각형이고, 옆면이 사다리꼴이므로 사각뿔대이다.

05 n각뿔대의 모서리의 개수는 $3n$개, 면의 개수는 $(n+2)$개이므로
$3n-(n+2)=12$에서 $2n-2=12$, $2n=14$ $\therefore n=7$
즉, 모서리의 개수와 면의 개수의 차가 12개인 각뿔대는 칠각뿔대이다.
따라서 칠각뿔대의 꼭짓점의 개수는 $2\times7=14$(개)이다.

06 $a=2n$, $b=3n$, $c=n+2$이므로
$a+b+c=2n+3n+(n+2)=6n+2$

07 ③ 정십이면체의 면의 모양은 정오각형이다.

08 (가)를 만족하는 정다면체는 정사면체, 정육면체, 정십이면체이고, 이 중에서 (나), (다)를 만족하는 정다면체는 정십이면체이다.

09 한 꼭짓점에 모인 면의 개수가 4개, 모서리의 개수가 12개인 정다면체는 정팔면체이므로 구하는 꼭짓점의 개수는 6개이다.

10 주어진 입체도형을 자르기 전인 정육면체와 비교해 보면 면의 개수는 1개 더 늘어났고, 모서리의 개수는 3개 더 늘어났고, 꼭짓점의 개수는 2개 더 늘어났음을 알 수 있다.
정육면체의 면의 개수는 6개, 모서리의 개수는 12개, 꼭짓점의 개수는 8개이므로 주어진 입체도형의
면의 개수 : $6+1=7$(개)
모서리의 개수 : $12+3=15$(개)
꼭짓점의 개수 : $8+2=10$(개)
따라서 구하는 값은 $7+15+10=32$(개)

11 면 B와 평행한 면은 면 F이다.

12 주어진 전개도로 정팔면체를 만들면 오른쪽 그림과 같으므로 $\overline{CD}$와 겹치는 모서리는 $\overline{GF}$이다.

13 정사면체의 각 모서리의 중점을 이으면 오른쪽 그림과 같이 정팔면체가 만들어진다.

14 오각뿔의 모서리의 개수는 $2\times5=10$(개)
$\therefore a=10$ ……❶
사각뿔대의 꼭짓점의 개수는 $2\times4=8$(개)
$\therefore b=8$ ……❷
$\therefore a+b=10+8=18$ ……❸

채점 기준	배점
❶ a의 값 구하기	40 %
❷ b의 값 구하기	40 %
❸ $a+b$의 값 구하기	20 %

15 정팔면체의 한 꼭짓점에 모이는 면의 개수는 4개이고, 정육면체의 꼭짓점의 개수는 8개이므로 $a=4$, $b=8$
$\therefore a+b=4+8=12$ ……❶
이때 m각뿔의 면의 개수가 12개이므로
$m+1=12$에서 $m=11$
또, n각기둥의 면의 개수가 12개이므로
$n+2=12$에서 $n=10$ ……❷
$\therefore m+n=11+10=21$ ……❸

채점 기준	배점
❶ $a+b$의 값 구하기	30 %
❷ m, n의 값 각각 구하기	60 %
❸ $m+n$의 값 구하기	10 %

12. 회전체

개·념·확·인   72~73쪽

01 (1) ㄱ, ㄹ, ㅂ   (2) ㄴ, ㄷ, ㅁ
02 풀이 참조   **03** 풀이 참조
04 $a=3$, $b=4$, $c=6$

02 (1) 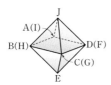 (2) (3) (4)

원기둥   원뿔   원뿔대   구

03

회전체	회전축에 수직인 평면으로 자른 단면의 모양	회전축을 포함하는 평면으로 자른 단면의 모양
원기둥	원	직사각형
원뿔	원	이등변삼각형
원뿔대	원	사다리꼴
구	원	원

핵심유형 **1** ②	**1**-1 ③	**1**-2 ⑤	**1**-3 ②	**1**-4 ②
핵심유형 **2** ②	**2**-1 ①	**2**-2 ④	**2**-3 ②	**2**-4 ⑤
핵심유형 **3** ⑤	**3**-1 ④	**3**-2 ③		

핵심유형 **1** ② 원은 평면도형이므로 회전체가 아니다.

1-1 ③번 입체도형은 회전축을 찾을 수 없으므로 회전체가 아니다.

1-2

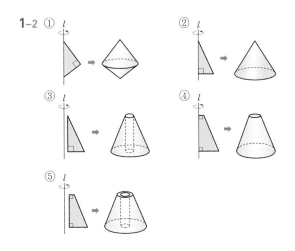

1-3 직사각형 ABCD를 $\overline{AC}$를 축으로 하여 1회전시키면 다음 그림과 같다.

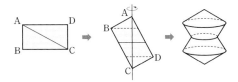

1-4 원뿔대를 만들기 위해서는 오른쪽 그림과 같이 $\overline{BC}$를 축으로 하여 1회전시켜야 한다.

핵심유형 **2** ② 원뿔을 회전축을 포함하는 평면으로 자를 때 생기는 단면은 이등변삼각형이다.

2-1 어떤 평면으로 잘라도 그 단면이 항상 원인 회전체는 ① 구이다.

2-2 회전축에 수직인 어떤 평면으로 잘라도 그 단면이 항상 합동인 회전체는 ④ 원기둥이다.

2-3 ② 평면 Q로 자른 단면의 모양은 ㅁ이다.

2-4

⑤ 어떤 평면으로 자르더라도 삼각형인 단면은 얻을 수 없다.

핵심유형 **3** 원뿔대의 전개도에서 옆면은 큰 부채꼴에서 작은 부채꼴을 잘라낸 모양이므로 ⑤이다.

3-1 모선의 길이는 5 cm이므로 $a=5$
밑면인 원의 반지름의 길이는 3 cm이므로 $b=3$

3-2 실을 팽팽하게 감을 때의 경로는 전개도에서 선분으로 나타난다.
따라서 전개도 위에 바르게 나타낸 것은 ③이다.

01 ③	**02** ③	**03** ②	**04** ②
05 ⑤	**06** ①	**07** ③	**08** ④
09 ⑤	**10** ⑤	**11** ②	**12** 16π cm^2

13 $(20\pi+10)$ cm

01 회전체를 찾으면 되므로
ㄴ. 원기둥, ㄹ. 구, ㅁ. 원뿔, ㅂ. 원뿔대의 4개이다.

03 도넛 모양의 회전체는 원을 원과 떨어져 있는 직선을 축으로 하여 1회전시킬 때 만들어지므로 ②이다.

04 만들어지는 회전체는 원뿔로, 회전축에 수직인 평면으로 자른 단면은 항상 원이지만 서로 합동은 아니다.
따라서 옳지 않은 것은 ②이다.

05

⑤ 어떤 평면으로 자르더라도 부채꼴인 단면은 얻을 수 없다.

06 주어진 그림과 같은 단면을 갖는 회전체는 ①이다.
[참고]
나머지 다른 회전체를 회전축에 수직인 평면과 회전축을 포함하는 평면으로 자른 단면을 살펴보면 다음과 같다.

07 회전축을 포함하는 평면으로 자른 단면의 모양은 오른쪽 그림과 같은 삼각형이므로

$$(단면의 넓이)=\frac{1}{2}\times 6\times 4=12(cm^2)$$

08 회전시킨 입체도형은 원뿔대이고 그 단면의 모양은 오른쪽 그림과 같은 사다리꼴이므로

$$(단면의 넓이)=\frac{1}{2}\times(6+10)\times 8=64(cm^2)$$

09 원기둥의 전개도는 오른쪽 그림과 같다.
옆면이 되는 직사각형의 가로의 길이는 밑면인 원의 둘레의 길이와 같으므로

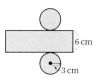

$$(가로의 길이)=2\pi\times 3=6\pi(cm)$$
$$\therefore (직사각형의 넓이)=6\pi\times 6=36\pi(cm^2)$$

10 ⑤ 원기둥을 밑면에 수직인 평면으로 자른 단면은 직사각형이다.

11 ② 구의 회전축은 중심을 지나는 모든 직선이 될 수 있다.

12 [단계 ❶] $(부채꼴의 호의 길이)=2\pi\times 12\times\frac{120}{360}$
$$=8\pi(cm)$$
[단계 ❷] 밑면인 원의 반지름의 길이를 r cm라 하면 원의 둘레의 길이는 부채꼴의 호의 길이와 같으므로
$$2\pi r=8\pi \qquad \therefore r=4(cm)$$
[단계 ❸] $\therefore (원뿔의 밑넓이)=\pi\times 4^2=16\pi(cm^2)$

채점 기준	배점
❶ 옆면인 부채꼴의 호의 길이 구하기	40 %
❷ 밑면인 원의 반지름의 길이 구하기	40 %
❸ 원뿔의 밑넓이 구하기	20 %

13 원뿔대의 전개도는 오른쪽 그림과 같고, 옆면은 색칠한 부분이다. …… ❶
양쪽 선분인 부분의 길이는

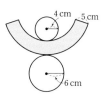

$$5\times 2=10(cm)$$
위, 아래 곡선인 부분의 길이는 각각 두 밑면인 원의 둘레의 길이와 같으므로
$$2\pi\times 4=8\pi(cm),\ 2\pi\times 6=12\pi(cm)\qquad …… ❷$$
따라서 옆면에 해당하는 도형의 둘레의 길이는
$$10+8\pi+12\pi=20\pi+10(cm)\qquad …… ❸$$

채점 기준	배점
❶ 전개도 그리기	30 %
❷ 옆면에서 선분인 부분과 곡선인 부분의 길이 구하기	50 %
❸ 둘레의 길이 구하기	20 %

13. 기둥의 겉넓이와 부피

개·념·확·인   78~79쪽

01 (1) $a=14,\ b=6$ 　　(2) $108\ cm^2$
02 $240\ cm^2$
03 (1) $a=3,\ b=6\pi,\ c=5$ 　　(2) $48\pi\ cm^2$
04 (1) $60\ cm^3$ 　　(2) $240\ cm^3$
05 (1) $81\pi\ cm^3$ 　　(2) $200\pi\ cm^3$ 　**06** $\frac{63}{2}\pi\ cm^3$

01 (1) $a=(4+3)\times 2=14,\ b=6$
(2) $(밑넓이)=4\times 3=12(cm^2)$
　$(옆넓이)=14\times 6=84(cm^2)$
　$\therefore (겉넓이)=(밑넓이)\times 2+(옆넓이)$
　　$=12\times 2+84$
　　$=108(cm^2)$

02 $(밑넓이)=\frac{1}{2}\times 12\times 5=30(cm^2)$
$(옆넓이)=(12+5+13)\times 6=180(cm^2)$
$\therefore (겉넓이)=(밑넓이)\times 2+(옆넓이)$
　$=30\times 2+180$
　$=240(cm^2)$

03 (1) $a=3,\ b=2\pi\times 3=6\pi,\ c=5$
(2) $(밑넓이)=\pi\times 3^2=9\pi(cm^2)$
　$(옆넓이)=6\pi\times 5=30\pi(cm^2)$
　$\therefore (겉넓이)=(밑넓이)\times 2+(옆넓이)$
　　$=9\pi\times 2+30\pi$
　　$=48\pi(cm^2)$

04 (1) $(부피)=(밑넓이)\times(높이)$
　$=(4\times 3)\times 5=60(cm^3)$
(2) $(부피)=(밑넓이)\times(높이)$
　$=\left(\frac{1}{2}\times 6\times 8\right)\times 10$
　$=240(cm^3)$

05 (1) $(부피)=(\pi\times 3^2)\times 9=81\pi(cm^3)$
(2) 밑면인 원의 반지름의 길이가 5 cm이므로
　$(부피)=(\pi\times 5^2)\times 8=200\pi(cm^3)$

06 밑면인 반원의 반지름의 길이가 3 cm이므로
$$(부피)=\left(\pi\times 3^2\times\frac{1}{2}\right)\times 7=\frac{63}{2}\pi(cm^3)$$

핵심유형으로 **개·념·정·복·하·기**

핵심유형 1 ①	1-1 ⑤	1-2 ④	1-3 ②
1-4 ③	1-5 ④		
핵심유형 2 ⑤	2-1 ②	2-2 ①	
핵심유형 3 ④	3-1 ③	3-2 ④	
핵심유형 4 ⑤	4-1 ④	4-2 ③	

핵심유형 1 (밑넓이)$=\dfrac{1}{2}\times 3\times 4=6(\text{cm}^2)$

(옆넓이)$=(3+4+5)\times 8=96(\text{cm}^2)$

∴ (겉넓이)$=$(밑넓이)$\times 2+$(옆넓이)
$$=6\times 2+96=108(\text{cm}^2)$$

1-1 (밑넓이)$=\dfrac{1}{2}\times(2+8)\times 4=20(\text{cm}^2)$

(옆넓이)$=(2+5+8+5)\times 7=140(\text{cm}^2)$

∴ (겉넓이)$=$(밑넓이)$\times 2+$(옆넓이)
$$=20\times 2+140=180(\text{cm}^2)$$

1-2 (밑넓이)$=\dfrac{1}{2}\times 8\times 6=24(\text{cm}^2)$

(옆넓이)$=(6+8+10)\times 20=480(\text{cm}^2)$

∴ (겉넓이)$=$(밑넓이)$\times 2+$(옆넓이)
$$=24\times 2+480=528(\text{cm}^2)$$

1-3 (사각기둥의 겉넓이)$=$(밑넓이)$\times 2+$(옆넓이)
$$=(5\times 3)\times 2+(5+3+5+3)\times h$$
$$=30+16h(\text{cm}^2)$$

이때 주어진 조건에서 $30+16h=126$이므로

$16h=96$ ∴ $h=6$

1-4 정육면체의 한 모서리의 길이를 a cm라 하면

(정육면체의 겉넓이)$=6a^2(\text{cm}^2)$

이때 주어진 조건에서 $6a^2=294$이므로

$a^2=49$ ∴ $a=7(\text{cm})$

1-5 주어진 입체도형의 겉넓이는 한 변의 길이가 3 cm인 정사각형 18개의 넓이의 합과 같으므로

(겉넓이)$=(3\times 3)\times 18=162(\text{cm}^2)$

핵심유형 2 만들어지는 회전체는 오른쪽 그림과 같다.

(겉넓이)$=$(밑넓이)$\times 2+$(옆넓이)
$$=(\pi\times 4^2)\times 2+(2\pi\times 4)\times 6$$
$$=32\pi+48\pi$$
$$=80\pi(\text{cm}^2)$$

2-1 밑면인 원의 반지름의 길이가 3 cm이므로

(겉넓이)$=$(밑넓이)$\times 2+$(옆넓이)
$$=(\pi\times 3^2)\times 2+(2\pi\times 3)\times 8$$
$$=18\pi+48\pi=66\pi(\text{cm}^2)$$

2-2 (겉넓이)$=$(밑넓이)$\times 2+$(옆넓이)
$$=(\pi\times 5^2)\times 2+(2\pi\times 5)\times h$$
$$=50\pi+10\pi h(\text{cm}^2)$$

이때 주어진 조건에서 $50\pi+10\pi h=130\pi$이므로

$10\pi h=80\pi$ ∴ $h=8$

핵심유형 3 (부피)$=$(밑넓이)$\times$(높이)
$$=\left\{\dfrac{1}{2}\times(4+6)\times 3\right\}\times 8$$
$$=120(\text{cm}^3)$$

3-1 만들어지는 입체도형은 삼각기둥이므로

(부피)$=\left(\dfrac{1}{2}\times 2\times 3\right)\times 5=15(\text{cm}^3)$

3-2 (밑넓이)$=$(삼각형의 넓이)$+$(사다리꼴의 넓이)
$$=\left(\dfrac{1}{2}\times 6\times 3\right)+\left\{\dfrac{1}{2}\times(4+6)\times 2\right\}$$
$$=9+10=19(\text{cm}^2)$$

∴ (오각기둥의 부피)$=$(밑넓이)$\times$(높이)
$$=19\times 5=95(\text{cm}^3)$$

핵심유형 4 밑면인 원의 반지름의 길이를 r cm라 하면 밑면인 원의 둘레의 길이와 옆면인 직사각형의 가로의 길이는 같으므로

$2\pi r=8\pi$ ∴ $r=4(\text{cm})$

∴ (원기둥의 부피)$=(\pi\times 4^2)\times 6=96\pi(\text{cm}^3)$

4-1 밑면인 원의 반지름의 길이가 6 cm이므로

(부피)$=$(밑넓이)$\times$(높이)
$$=(\pi\times 6^2)\times 9=324\pi(\text{cm}^3)$$

4-2 (상자 A의 부피)$=(\pi\times 6^2)\times x=36\pi x(\text{cm}^3)$

(상자 B의 부피)$=(\pi\times 4^2)\times 9=144\pi(\text{cm}^3)$

두 입체도형의 부피가 같으므로

$36\pi x=144\pi$ ∴ $x=4$

기출문제로 **실·력·다·지·기**

01 ⑤	02 ②	03 ⑤	04 ③
05 ④	06 ①	07 ④	08 ③
09 ①	10 ④	11 ④	12 ⑤
13 22π cm³	14 64π cm²	15 $2:1$	

01 (밑넓이)$=\dfrac{1}{2}\times(2+5)\times4=14(\text{cm}^2)$

(옆넓이)$=(2+4+5+5)\times10=160(\text{cm}^2)$

$\therefore$ (겉넓이)$=$(밑넓이)$\times2+$(옆넓이)

$\qquad\qquad=14\times2+160=188(\text{cm}^2)$

02 작은 면들을 바깥쪽의 큰 면 쪽으로 이동하여 생각하면 주어진 입체도형의 겉넓이는 처음 직육면체의 겉넓이와 같음을 알 수 있다.

(밑넓이)$=5\times4=20(\text{cm}^2)$

(옆넓이)$=(5+4+5+4)\times6=108(\text{cm}^2)$

$\therefore$ (겉넓이)$=$(밑넓이)$\times2+$(옆넓이)

$\qquad\qquad=20\times2+108=148(\text{cm}^2)$

03 (직육면체의 옆넓이)$=$(밑면의 둘레의 길이)$\times$(높이)이므로 높이가 일정할 때 밑면의 가로의 길이와 세로의 길이의 합이 작을수록 직육면체의 겉넓이가 작다.

따라서 겉넓이를 가장 작게 하는 밑면의 가로의 길이와 세로의 길이는 ⑤ $6\,\text{cm}$, $6\,\text{cm}$이다.

04 주어진 원기둥은 오른쪽 그림과 같으므로

(겉넓이)

$=(\pi\times3^2)\times2+(2\pi\times3)\times6$

$=18\pi+36\pi=54(\text{cm}^2)$

05 (밑넓이)$=\dfrac{1}{2}\times\pi\times3^2=\dfrac{9}{2}\pi(\text{cm}^2)$

(옆넓이)$=(6\times8)+\left(2\pi\times3\times\dfrac{1}{2}\right)\times8$

$\qquad\qquad=48+24\pi(\text{cm}^2)$

$\therefore$ (겉넓이)$=\dfrac{9}{2}\pi\times2+(48+24\pi)$

$\qquad\qquad=33\pi+48(\text{cm}^2)$

06 (밑넓이)$=$(두 삼각형의 넓이의 합)

$\qquad\quad=\dfrac{1}{2}\times6\times2+\dfrac{1}{2}\times6\times4$

$\qquad\quad=6+12=18(\text{cm}^2)$

$\therefore$ (부피)$=$(밑넓이)$\times$(높이)

$\qquad\qquad=18\times6=108(\text{cm}^3)$

07 주어진 입체도형은 큰 사각기둥에서 작은 사각기둥 모양의 구멍을 뚫은 것이므로

(부피)$=$(큰 사각기둥의 부피)$-$(작은 사각기둥의 부피)

$\qquad\quad=(6\times6)\times8-(2\times2)\times8$

$\qquad\quad=288-32=256(\text{cm}^3)$

[다른 풀이]

주어진 입체도형의 밑면은 큰 사각형에서 작은 사각형의 구멍을 뚫은 것이므로

(밑넓이)$=$(큰 사각형의 넓이)$-$(작은 사각형의 넓이)

$\qquad\qquad=6\times6-2\times2=36-4=32(\text{cm}^2)$

$\therefore$ (부피)$=$(밑넓이)$\times$(높이)$=32\times8=256(\text{cm}^3)$

08 $\overline{\text{AD}}$를 축으로 하는 회전체는 밑면인 원의 반지름의 길이가 $6\,\text{cm}$, 높이가 $4\,\text{cm}$인 원기둥이므로 부피를 V_1이라 하면

$V_1=(\pi\times6^2)\times4=144\pi(\text{cm}^3)$

한편, $\overline{\text{AB}}$를 축으로 하는 회전체는 밑면인 원의 반지름의 길이가 $4\,\text{cm}$, 높이가 $6\,\text{cm}$인 원기둥이므로 부피를 V_2라 하면

$V_2=(\pi\times4^2)\times6=96\pi(\text{cm}^3)$

따라서 두 회전체의 부피의 비는

$V_1:V_2=144\pi:96\pi=3:2$

09 (물의 부피)$=$(통의 부피)$\times\dfrac{1}{2}$

$\qquad\qquad=\{(\pi\times3^2)\times12\}\times\dfrac{1}{2}$

$\qquad\qquad=54\pi(\text{cm}^3)$

10 (부피)$=$(작은 원기둥의 부피)$+$(큰 원기둥의 부피)

$\qquad\quad=(\pi\times2^2)\times3+(\pi\times4^2)\times3$

$\qquad\quad=12\pi+48\pi=60\pi(\text{cm}^3)$

11 (부피)$=$(원기둥의 부피)$\times\dfrac{1}{2}+$(직육면체의 부피)

$\qquad\quad=\{(\pi\times4^2)\times10\}\times\dfrac{1}{2}+8\times10\times4$

$\qquad\quad=80\pi+320(\text{cm}^3)$

12 주어진 입체도형은 밑면의 모양이 부채꼴인 기둥이므로

(부피)$=$(밑넓이)$\times$(높이)

$\qquad\quad=\left(\pi\times2^2\times\dfrac{270}{360}\right)\times h=3\pi h(\text{cm}^3)$

이때 주어진 조건에서 $3\pi h=30\pi$이므로

$h=10(\text{cm})$

13 주어진 입체도형 2개를 붙이면 밑면인 원의 반지름의 길이가 $2\,\text{cm}$, 높이가 $11\,\text{cm}$인 원기둥이 만들어진다.

(입체도형의 부피)$=$(원기둥의 부피)$\times\dfrac{1}{2}$

$\qquad\qquad\qquad=\{(\pi\times2^2)\times11\}\times\dfrac{1}{2}$

$\qquad\qquad\qquad=22\pi(\text{cm}^3)$

[다른 풀이]

주어진 입체도형의 부피는 오른쪽 그림과 같이 높이가 8 cm인 원기둥의 부피에서 높이가 5 cm 인 원기둥의 부피의 $\frac{1}{2}$을 뺀 것과 같으므로

(입체도형의 부피)

$$= (\pi \times 2^2) \times 8 - \left\{ (\pi \times 2^2) \times 5 \right\} \times \frac{1}{2}$$

$$= 32\pi - 10\pi = 22(\text{cm}^3)$$

14 [단계 ❶] 만들어지는 회전체는 오른쪽 그림과 같다.

(밑넓이) = (큰 원의 넓이) − (작은 원의 넓이)

이므로

(밑넓이) $= \pi \times 3^2 - \pi \times 1^2 = 8\pi(\text{cm}^2)$

[단계 ❷] (바깥쪽의 큰 옆면의 넓이) $= (2\pi \times 3) \times 6$
$= 36\pi(\text{cm}^2)$

(안쪽의 작은 옆면의 넓이) $= (2\pi \times 1) \times 6$
$= 12\pi(\text{cm}^2)$

[단계 ❸] ∴ (겉넓이) $= 8\pi \times 2 + 36\pi + 12\pi = 64\pi(\text{cm}^2)$

채점 기준	배점
❶ 입체도형의 밑넓이 구하기	30 %
❷ 입체도형의 바깥쪽과 안쪽의 옆넓이 구하기	50 %
❸ 입체도형의 겉넓이 구하기	20 %

15 원기둥 가의 밑면인 원의 반지름의 길이를 a cm라 하면 밑면의 둘레의 길이가 10 cm이므로

$$2\pi \times a = 10 \qquad \therefore a = \frac{5}{\pi}(\text{cm})$$

∴ (가의 부피) $= \left\{ \pi \times \left(\frac{5}{\pi} \right)^2 \right\} \times 5 = \frac{125}{\pi}(\text{cm}^3)$ ……❶

또, 원기둥 나의 밑면인 원의 반지름의 길이를 b cm라 하면 밑면의 둘레의 길이가 5 cm이므로

$$2\pi \times b = 5 \qquad \therefore b = \frac{5}{2\pi}(\text{cm})$$

∴ (나의 부피) $= \left\{ \pi \times \left(\frac{5}{2\pi} \right)^2 \right\} \times 10 = \frac{125}{2\pi}(\text{cm}^3)$ ……❷

∴ (가의 부피) : (나의 부피) $= \frac{125}{\pi} : \frac{125}{2\pi} = 2 : 1$ ……❸

채점 기준	배점
❶ 가의 부피 구하기	40 %
❷ 나의 부피 구하기	40 %
❸ 두 입체도형의 부피의 비 구하기	20 %

14. 뿔의 겉넓이와 부피

개·념·확·인 84~85쪽

01 (1) $a=8$, $b=5$ (2) 105 cm^2

02 256 cm^2

03 (1) $a=6$, $b=2$ (2) $16\pi \text{ cm}^2$

04 (1) 96 cm^3 (2) 20 cm^3

05 (1) $15\pi \text{ cm}^3$ (2) $48\pi \text{ cm}^3$

01 (1) $a=8$, $b=5$

(2) (밑넓이) $= 5 \times 5 = 25(\text{cm}^2)$

(옆넓이) $= \left(\frac{1}{2} \times 5 \times 8 \right) \times 4 = 80(\text{cm}^2)$

∴ (겉넓이) = (밑넓이) + (옆넓이)
$= 25 + 80$
$= 105(\text{cm}^2)$

02 (밑넓이) $= 8 \times 8 = 64(\text{cm}^2)$

(옆넓이) $= \left(\frac{1}{2} \times 8 \times 12 \right) \times 4 = 192(\text{cm}^2)$

∴ (겉넓이) = (밑넓이) + (옆넓이)
$= 64 + 192$
$= 256(\text{cm}^2)$

03 (1) $a=6$, $b=2$

(2) (밑넓이) $= \pi \times 2^2 = 4\pi(\text{cm}^2)$

(옆넓이) $= \pi \times 2 \times 6 = 12\pi(\text{cm}^2)$

∴ (겉넓이) = (밑넓이) + (옆넓이)
$= 4\pi + 12\pi$
$= 16\pi(\text{cm}^2)$

04 (1) (부피) $= \frac{1}{3} \times (\text{밑넓이}) \times (\text{높이})$

$= \frac{1}{3} \times (6 \times 6) \times 8$

$= 96(\text{cm}^3)$

(2) (부피) $= \frac{1}{3} \times (\text{밑넓이}) \times (\text{높이})$

$= \frac{1}{3} \times \left(\frac{1}{2} \times 4 \times 5 \right) \times 6$

$= 20(\text{cm}^3)$

05 (1) (부피) $= \frac{1}{3} \times (\pi \times 3^2) \times 5 = 15\pi(\text{cm}^3)$

(2) (부피) $= \frac{1}{3} \times (\pi \times 6^2) \times 4 = 48\pi(\text{cm}^3)$

핵심유형 **1** ③	**1**-1 ⑤	**1**-2 ③	
핵심유형 **2** ③	**2**-1 ③	**2**-2 6 cm	**2**-3 ④
핵심유형 **3** ④	**3**-1 9 cm	**3**-2 ①	**3**-3 ④
핵심유형 **4** ⑤	**4**-1 ②	**4**-2 ④	**4**-3 ③

핵심유형 **1** (겉넓이)=(밑넓이)+(옆넓이)

$$=10\times10+\left(\frac{1}{2}\times10\times12\right)\times4$$
$$=100+240$$
$$=340(cm^2)$$

1-1 (겉넓이)=(밑넓이)+(옆넓이)

$$=6\times6+\left(\frac{1}{2}\times6\times5\right)\times4$$
$$=36+60$$
$$=96(cm^2)$$

1-2 (겉넓이)=(밑넓이)+(옆넓이)

$$=4\times4+\left(\frac{1}{2}\times4\times x\right)\times4$$
$$=16+8x(cm^2)$$

이때 주어진 조건에서 $16+8x=72$이므로
$8x=56$ ∴ $x=7$

핵심유형 **2** 원뿔의 모선의 길이를 l cm라 하면
(겉넓이)=(밑넓이)+(옆넓이)
$$=\pi\times4^2+\pi\times4\times l$$
$$=16\pi+4\pi l(cm^2)$$
이때 주어진 조건에서 $16\pi+4\pi l=56\pi$이므로
$4\pi l=40\pi$ ∴ $l=10(cm)$

2-1 (겉넓이)=(밑넓이)+(옆넓이)
$$=\pi\times5^2+\pi\times5\times8$$
$$=25\pi+40\pi$$
$$=65\pi(cm^2)$$

2-2 밑면인 원의 반지름의 길이를 r cm라 하면
(원뿔의 옆넓이)$=\pi\times r\times9=9\pi r(cm^2)$
이때 주어진 조건에서 $9\pi r=54\pi$이므로
$r=6(cm)$

2-3 (부채꼴의 호의 길이)$=2\pi\times12\times\dfrac{240}{360}$
$$=16\pi(cm) \qquad\cdots\cdots\text{㉠}$$
이고, 밑면인 원의 반지름의 길이를 r cm라 하면

(밑면의 둘레의 길이)$=2\pi r(cm)$ $\cdots\cdots$㉡
㉠=㉡이므로 $16\pi=2\pi r$ ∴ $r=8(cm)$
∴ (원뿔의 겉넓이)$=\pi\times8^2+\pi\times8\times12$
$$=64\pi+96\pi$$
$$=160\pi(cm^2)$$

핵심유형 **3** (삼각뿔의 부피)$=\dfrac{1}{3}\times$(밑넓이)$\times$(높이)

$$=\frac{1}{3}\times\left(\frac{1}{2}\times6\times8\right)\times12$$
$$=96(cm^3)$$

3-1 사각뿔의 높이를 h cm라 하면
(부피)$=\dfrac{1}{3}\times(8\times8)\times h=\dfrac{64}{3}h(cm^3)$

이때 주어진 조건에서 $\dfrac{64}{3}h=192$이므로 $h=9(cm)$

3-2 삼각뿔 C-BGD를 밑면이 △BCD이고 높이가 $\overline{CG}$인 삼
각뿔로 볼 수 있으므로
(부피)$=\dfrac{1}{3}\times(\triangle BCD)\times\overline{CG}$
$$=\frac{1}{3}\times\left(\frac{1}{2}\times6\times6\right)\times6$$
$$=36(cm^3)$$

3-3 (사각뿔대의 부피)
=(큰 사각뿔의 부피)-(작은 사각뿔의 부피)
$$=\frac{1}{3}\times(10\times10)\times12-\frac{1}{3}\times(5\times5)\times6$$
$$=400-50=350(cm^3)$$

핵심유형 **4** 만들어지는 회전체는 밑면인 원의 반지름의 길이가 6 cm,
높이가 9 cm인 원뿔이므로
(부피)$=\dfrac{1}{3}\times$(밑넓이)$\times$(높이)

$$=\frac{1}{3}\times(\pi\times6^2)\times9$$
$$=108\pi(cm^3)$$

4-1 원뿔의 높이를 h cm라 하면
(부피)$=\dfrac{1}{3}\times(\pi\times9^2)\times h=27\pi h(cm^3)$

이때 주어진 조건에서 $27\pi h=189\pi$이므로
$h=7(cm)$

4-2 (그릇의 부피)$=\dfrac{1}{3}\times(\pi\times3^2)\times4=12\pi(cm^3)$

따라서 1분에 2π cm^3씩 물을 넣으므로 빈 그릇에 물을 가득
채우는 데 걸리는 시간은 $12\pi\div2\pi=6$(분)이다.

4-3 (원뿔대의 부피)

= (큰 원뿔의 부피) − (작은 원뿔의 부피)

$$= \frac{1}{3} \times (\pi \times 6^2) \times 10 - \frac{1}{3} \times (\pi \times 3^2) \times 5$$

$$= 120\pi - 15\pi = 105\pi (\text{cm}^3)$$

기출문제로 실·력·다·지·기　　　　　88~89쪽

01 ④	**02** ②	**03** ①	**04** ⑤
05 ③	**06** ④	**07** ③	**08** ④
09 ④	**10** ①	**11** ②	**12** ②
13 $24\pi \text{ cm}^3$	**14** 4	**15** $60\pi \text{ cm}^2$	

01 (밑넓이) $= 6 \times 6 = 36 (\text{cm}^2)$

(옆넓이) $= \left(\frac{1}{2} \times 6 \times 10 \right) \times 4 = 120 (\text{cm}^2)$

∴ (사각뿔의 겉넓이) = (밑넓이) + (옆넓이)

$$= 36 + 120 = 156 (\text{cm}^2)$$

02 (작은 밑면의 넓이) $= 4 \times 4 = 16 (\text{cm}^2)$

(큰 밑면의 넓이) $= 6 \times 6 = 36 (\text{cm}^2)$

(옆넓이) $= \left\{ \frac{1}{2} \times (4+6) \times 5 \right\} \times 4 = 25 \times 4 = 100 (\text{cm}^2)$

∴ (겉넓이) $= 16 + 36 + 100 = 152 (\text{cm}^2)$

03 (부채꼴의 호의 길이) $= 2\pi \times 6 \times \frac{120}{360}$

$$= 4\pi (\text{cm}) \quad \cdots\cdots ㉠$$

이고, 밑면인 원의 반지름의 길이를 r cm라 하면

(밑면의 둘레의 길이) $= 2\pi r (\text{cm}) \quad \cdots\cdots ㉡$

㉠ = ㉡이므로 $4\pi = 2\pi r$ ∴ $r = 2 (\text{cm})$

∴ (원뿔의 밑넓이) $= \pi \times 2^2 = 4\pi (\text{cm}^2)$

04 (밑면의 둘레의 길이) $= 2\pi \times 3$

$$= 6\pi (\text{cm}) \quad \cdots\cdots ㉠$$

이고, 부채꼴의 반지름의 길이를 l cm라 하면

(부채꼴의 호의 길이) $= 2\pi \times l \times \frac{120}{360}$

$$= \frac{2}{3}\pi l (\text{cm}) \quad \cdots\cdots ㉡$$

㉠ = ㉡이므로 $6\pi = \frac{2}{3}\pi l$ ∴ $l = 9 (\text{cm})$

∴ (원뿔의 겉넓이) $= \pi \times 3^2 + \pi \times 3 \times 9$

$$= 9\pi + 27\pi = 36\pi (\text{cm}^2)$$

05 (원뿔의 겉넓이) $= \pi \times r^2 + \pi r \times 2r = 3\pi r^2$

이때 주어진 조건에서 $3\pi r^2 = 75\pi$이므로

$r^2 = 25$ ∴ $r = 5$

06 원뿔의 모선의 길이를 r cm라 하면 원 O의 둘레의 길이는 원뿔의 밑면인 원의 둘레의 길이의 4배와 같으므로

$2\pi r = (2\pi \times 3) \times 4$ ∴ $r = 12 (\text{cm})$

07 (두 밑면의 넓이의 합) $= \pi \times 3^2 + \pi \times 6^2$

$$= 9\pi + 36\pi = 45\pi (\text{cm}^2)$$

(옆넓이) = (큰 원뿔의 옆넓이) − (작은 원뿔의 옆넓이)

$$= \pi \times 6 \times 10 - \pi \times 3 \times 5$$

$$= 45\pi (\text{cm}^2)$$

∴ (겉넓이) $= 45\pi + 45\pi = 90\pi (\text{cm}^2)$

08 (직육면체의 부피) $= (6 \times 3) \times 4 = 72 (\text{cm}^3)$

(삼각뿔 C-BGD의 부피) $= \frac{1}{3} \times (\triangle \text{BCD}) \times \overline{\text{CG}}$

$$= \frac{1}{3} \times \left(\frac{1}{2} \times 6 \times 3 \right) \times 4$$

$$= 12 (\text{cm}^3)$$

∴ (남은 입체도형의 부피) $= 72 - 12 = 60 (\text{cm}^3)$

09 주어진 전개도로 만들어지는 입체도형은 오른쪽 그림과 같으므로

(부피) $= \frac{1}{3} \times \left(\frac{1}{2} \times 6 \times 6 \right) \times 12$

$$= 72 (\text{cm}^3)$$

10 물의 부피는 밑면의 두 변의 길이가 6 cm, 8 cm인 직각삼각형이고, 높이가 3 cm인 삼각뿔의 부피와 같다.

∴ (물의 부피) $= \frac{1}{3} \times \left(\frac{1}{2} \times 6 \times 8 \right) \times 3 = 24 (\text{cm}^3)$

11 주어진 입체도형은 밑면은 같고 높이가 다른 두 원뿔의 밑면을 붙여서 만든 것이다.

∴ (부피) $= \frac{1}{3} \times (\pi \times 3^2) \times 5 + \frac{1}{3} \times (\pi \times 3^2) \times 6$

$$= 15\pi + 18\pi$$

$$= 33\pi (\text{cm}^3)$$

12 그릇의 부피는 $\frac{1}{3} \times (\pi \times 8^2) \times 12 = 256\pi (\text{cm}^3)$

1초에 8π cm^{3}씩 물을 넣으므로 빈 그릇에 물을 가득 채우려면 $256\pi \div 8\pi = 32 (초)$가 걸린다.

13 회전체는 오른쪽 그림과 같으므로
(회전체의 부피)
$$= (원기둥의 부피) - (원뿔의 부피)$$
$$= (\pi \times 3^2) \times 4 - \frac{1}{3} \times (\pi \times 3^2) \times 4$$
$$= 36\pi - 12\pi = 24\pi \, (\text{cm}^3)$$

14 [단계 ❶] (그릇 A에 들어 있는 물의 양)
$$= (삼각뿔의 부피)$$
$$= \frac{1}{3} \times \left(\frac{1}{2} \times 6 \times 12 \right) \times 3$$
$$= 36 \, (\text{cm}^3)$$
[단계 ❷] (그릇 B에 들어 있는 물의 양)
$$= (삼각기둥의 부피)$$
$$= \left(\frac{1}{2} \times 6 \times x \right) \times 3$$
$$= 9x \, (\text{cm}^3)$$
[단계 ❸] 두 그릇 A, B에 들어 있는 물의 양이 같으므로
$$36 = 9x \qquad \therefore x = 4$$

채점 기준	배점
❶ 그릇 A의 물의 양 구하기	30 %
❷ 그릇 B의 물의 양 구하기	40 %
❸ x의 값 구하기	30 %

15 만들어지는 회전체는 오른쪽 그림과 같이 원기둥과 원뿔을 붙인 모양이다.
(원의 넓이) $= \pi \times 4^2$
$$= 16\pi \, (\text{cm}^2) \qquad \cdots\cdots ❶$$
(원기둥의 옆넓이) $= 2\pi \times 4 \times 3$
$$= 24\pi \, (\text{cm}^2) \qquad \cdots\cdots ❷$$
(원뿔의 옆넓이) $= \pi \times 4 \times 5$
$$= 20\pi \, (\text{cm}^2) \qquad \cdots\cdots ❸$$
$\therefore$ (회전체의 겉넓이) $= 16\pi + 24\pi + 20\pi$
$$= 60\pi \, (\text{cm}^2) \qquad \cdots\cdots ❹$$

채점 기준	배점
❶ 원의 넓이 구하기	20 %
❷ 원기둥의 옆넓이 구하기	30 %
❸ 원뿔의 옆넓이 구하기	30 %
❹ 회전체의 겉넓이 구하기	20 %

15. 구의 겉넓이와 부피

개 · 념 · 확 · 인　　　　　　　　　　90쪽

01 (1) $36\pi \, \text{cm}^2$　　　　　　(2) $144\pi \, \text{cm}^2$

02 $75\pi \, \text{cm}^2$

03 (1) $288\pi \, \text{cm}^3$　　　　　　(2) $486\pi \, \text{cm}^3$

01 (1) (겉넓이) $= 4\pi \times 3^2 = 36\pi \, (\text{cm}^2)$
　　(2) 반지름의 길이가 6 cm인 구이므로
　　　　(겉넓이) $= 4\pi \times 6^2 = 144\pi \, (\text{cm}^2)$

02 (반구의 겉넓이) $= (구의 겉넓이) \times \frac{1}{2} + (원의 넓이)$
$$= (4\pi \times 5^2) \times \frac{1}{2} + \pi \times 5^2$$
$$= 50\pi + 25\pi = 75\pi \, (\text{cm}^2)$$

03 (1) (부피) $= \frac{4}{3}\pi \times 6^3 = 288\pi \, (\text{cm}^3)$
　　(2) 반지름의 길이가 9 cm인 반구이므로
　　　　(부피) $= \left(\frac{4}{3}\pi \times 9^3 \right) \times \frac{1}{2} = 486\pi \, (\text{cm}^3)$

핵심유형으로 개 · 념 · 정 · 복 · 하 · 기　　　　91쪽

핵심유형 1 ⑤	1-1 ③	1-2 ④	1-3 ④
핵심유형 2 ②	2-1 ②	2-2 ③	2-3 ④

핵심유형 1 주어진 입체도형은 구의 겉면의 $\frac{3}{4}$과 반원 2개로 이루어져 있으므로
(겉넓이) $= (구의 겉넓이) \times \frac{3}{4} + (원의 넓이)$
$$= (4\pi \times 3^2) \times \frac{3}{4} + \pi \times 3^2$$
$$= 27\pi + 9\pi = 36\pi \, (\text{cm}^2)$$

1-1 구의 반지름의 길이를 r cm라 하면 구를 회전축을 포함하는 평면으로 자른 단면인 원의 반지름의 길이도 r cm이므로
(단면의 넓이) $= \pi r^2 \, (\text{cm}^2)$
이때 주어진 조건에서 $\pi r^2 = 64\pi$이므로
$$r^2 = 64 \qquad \therefore r = 8 \, (\text{cm})$$
$\therefore$ (구의 겉넓이) $= 4\pi \times 8^2 = 256\pi \, (\text{cm}^2)$

1-2 주어진 입체도형은 구의 겉면의 $\dfrac{7}{8}$과 사분원 3개로 이루어져

있으므로

$$\text{(겉넓이)} = \text{(구의 겉넓이)} \times \dfrac{7}{8} + \text{(원의 넓이)} \times \dfrac{3}{4}$$

$$= (4\pi \times 6^2) \times \dfrac{7}{8} + (\pi \times 6^2) \times \dfrac{3}{4}$$

$$= 126\pi + 27\pi$$

$$= 153\pi\,(\text{cm}^2)$$

1-3 (반지름의 길이가 $2r$인 구의 겉넓이) $= 4\pi \times (2r)^2$
$$= 16\pi r^2$$

(반지름의 길이가 $3r$인 구의 겉넓이) $= 4\pi \times (3r)^2$
$$= 36\pi r^2$$

따라서 겉넓이의 비는 $16\pi r^2 : 36\pi r^2 = 4 : 9$

핵심유형 2 (부피) $=$ (원뿔의 부피) $+$ (반구의 부피)

$$= \dfrac{1}{3} \times (\pi \times 6^2) \times 8 + \left(\dfrac{4}{3}\pi \times 6^3\right) \times \dfrac{1}{2}$$

$$= 96\pi + 144\pi$$

$$= 240\pi\,(\text{cm}^3)$$

2-1 구의 반지름의 길이를 r cm라 하면
$$\text{(구의 겉넓이)} = a = 4\pi r^2$$

$$\text{(구의 부피)} = a = \dfrac{4}{3}\pi r^3$$

이때 겉넓이와 부피가 서로 같으므로

$$4\pi r^2 = \dfrac{4}{3}\pi r^3,\ 4 = \dfrac{4}{3}r$$

$$\therefore r = 3\,(\text{cm})$$

2-2 (구 A의 부피) $= \dfrac{4}{3}\pi \times 2^3\,(\text{cm}^3)$

(구 B의 부피) $= \dfrac{4}{3}\pi \times 3^3\,(\text{cm}^3)$

따라서 부피의 비는 $8 : 27$

2-3 지름의 길이가 12 cm인 쇠구슬의 부피는

$$\dfrac{4}{3}\pi \times 6^3 = 288\pi\,(\text{cm}^3)$$

지름의 길이가 2 cm인 쇠구슬의 부피는

$$\dfrac{4}{3}\pi \times 1^3 = \dfrac{4}{3}\pi\,(\text{cm}^3)$$

따라서 큰 쇠구슬을 녹여 만들 수 있는 작은 쇠구슬의 개수는

$$288\pi \div \left(\dfrac{4}{3}\pi\right) = 216\,(\text{개})$$

기출문제로 **실·력·다·지·기**   92~93쪽

01 ②   **02** ④   **03** ①   **04** ④

05 ③   **06** ④   **07** ③   **08** ①

09 36π cm³   **10** ③   **11** 54π cm³   **12** $6 : \pi : 2$

13 117π cm²

01 주어진 입체도형은 구의 겉면의 $\dfrac{1}{8}$과 사분원 3개로 이루어져 있

으므로

$$\text{(겉넓이)} = \text{(구의 겉넓이)} \times \dfrac{1}{8} + \text{(원의 넓이)} \times \dfrac{3}{4}$$

$$= (4\pi \times 4^2) \times \dfrac{1}{8} + (\pi \times 4^2) \times \dfrac{3}{4}$$

$$= 8\pi + 12\pi = 20\pi\,(\text{cm}^2)$$

02 (한 조각의 넓이) $= \text{(구의 겉넓이)} \times \dfrac{1}{2}$

$$= \left\{ 4\pi \times \left(\dfrac{7}{2}\right)^2 \right\} \times \dfrac{1}{2}$$

$$= \dfrac{49}{2}\pi\,(\text{cm}^2)$$

03 (원기둥의 옆넓이) $= (2\pi \times 4) \times 8 = 64\pi\,(\text{cm}^2)$
(구의 겉넓이) $= 4\pi \times 4^2 = 64\pi\,(\text{cm}^2)$
따라서 겉넓이의 비는 $64\pi : 64\pi = 1 : 1$

04 회전체는 오른쪽 그림과 같다. 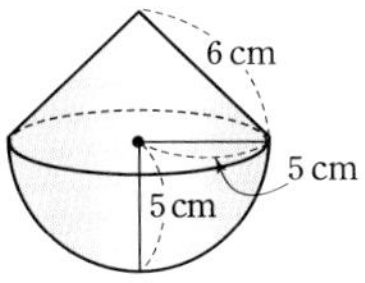
(회전체의 겉넓이)

$$= \text{(원뿔의 옆넓이)} + \text{(구의 겉넓이)} \times \dfrac{1}{2}$$

$$= \pi \times 5 \times 6 + (4\pi \times 5^2) \times \dfrac{1}{2}$$

$$= 30\pi + 50\pi = 80\pi\,(\text{cm}^2)$$

05 구의 반지름의 길이를 r cm라 하면
(구의 겉넓이) $= 4\pi r^2\,(\text{cm}^2)$
주어진 조건에서 $4\pi r^2 = 144\pi$이므로
$r^2 = 36$ $\therefore r = 6\,(\text{cm})$

$$\therefore \text{(구의 부피)} = \dfrac{4}{3}\pi \times 6^3 = 288\pi\,(\text{cm}^3)$$

06 (부피) $=$ (반구의 부피) $+$ (원기둥의 부피)

$$= \left(\dfrac{4}{3}\pi \times 6^3\right) \times \dfrac{1}{2} + (\pi \times 6^2 \times 10)$$

$$= 144\pi + 360\pi = 504\pi\,(\text{cm}^3)$$

07 $(반구의 부피)=\left(\dfrac{4}{3}\pi\times 3^3\right)\times\dfrac{1}{2}=18\pi(\mathrm{cm}^3)$

원뿔의 높이를 $h\,\mathrm{cm}$라 하면

$(원뿔의 부피)=\dfrac{1}{3}\times(\pi\times 3^2)\times h=3\pi h(\mathrm{cm}^3)$

이때 두 입체도형의 부피가 서로 같으므로

$3\pi h=18\pi$에서 $h=6(\mathrm{cm})$

08 $(반구의 부피)=\left(\dfrac{4}{3}\pi\times 9^3\right)\times\dfrac{1}{2}=486\pi(\mathrm{cm}^3)$

$(원뿔의 부피)=\dfrac{1}{3}\times(\pi\times 9^2)\times 9=243\pi(\mathrm{cm}^3)$

따라서 구하는 부피의 비는 $486\pi:243\pi=2:1$

09 구의 반지름의 길이를 $r\,\mathrm{cm}$라 하면 원기둥의 밑면인 원의 반지름의 길이는 $r\,\mathrm{cm}$, 높이는 $2r\,\mathrm{cm}$이므로

$(원기둥의 부피)=(\pi\times r^2)\times 2r=2\pi r^3$

이때 주어진 조건에서 $2\pi r^3=54\pi$이므로

$r^3=27$ ∴ $r=3(\mathrm{cm})$

∴ $(구의 부피)=\dfrac{4}{3}\pi\times 3^3=36\pi(\mathrm{cm}^3)$

[다른 풀이]

$(구의 부피):(원기둥의 부피)=2:3$이므로

$(구의 부피):54\pi=2:3$

∴ $(구의 부피)=108\pi\times\dfrac{1}{3}=36\pi(\mathrm{cm}^3)$

10 회전체는 오른쪽 그림과 같다.

$(부피)=(원기둥의 부피)-(반구의 부피)$

$=(\pi\times 6^2)\times 6-\left(\dfrac{4}{3}\pi\times 6^3\right)\times\dfrac{1}{2}$

$=216\pi-144\pi=72\pi(\mathrm{cm}^3)$

11 공의 반지름의 길이를 $r\,\mathrm{cm}$라 하면 통의 밑면인 원의 반지름의 길이는 $r\,\mathrm{cm}$, 통의 높이는 $6r\,\mathrm{cm}$이므로

$(통의 부피)=(\pi\times r^2)\times 6r=6\pi r^3$

이때 주어진 조건에서 $6\pi r^3=162\pi$이므로

$r^3=27$ ∴ $r=3(\mathrm{cm})$

$(공의 부피)=\dfrac{4}{3}\pi\times 3^3=36\pi(\mathrm{cm}^3)$

∴ $(빈 공간의 부피)=(통의 부피)-(공의 부피)\times 3$

$=162\pi-36\pi\times 3=54\pi(\mathrm{cm}^3)$

12 정육면체의 부피를 V_1, 구의 부피를 V_2, 사각뿔의 부피를 V_3라 하면

[단계 ❶] $V_1=(3\times 3)\times 3=27(\mathrm{cm}^3)$

[단계 ❷] $V_2=\dfrac{4}{3}\pi\times\left(\dfrac{3}{2}\right)^3=\dfrac{9}{2}\pi(\mathrm{cm}^3)$

[단계 ❸] $V_3=\dfrac{1}{3}\times(3\times 3)\times 3=9(\mathrm{cm}^3)$

[단계 ❹] 따라서 세 입체도형의 부피의 비는

$$V_1:V_2:V_3=27:\dfrac{9}{2}\pi:9=6:\pi:2$$

채점 기준	배점
❶ 정육면체의 부피 구하기	20 %
❷ 구의 부피 구하기	30 %
❸ 사각뿔의 부피 구하기	30 %
❹ 정육면체, 구, 사각뿔의 부피의 비 구하기	20 %

13 회전체는 오른쪽 그림과 같이 반지름의 길이가 각각 $3\,\mathrm{cm}$, $6\,\mathrm{cm}$인 두 반구를 서로 붙인 모양이다.

$(반지름의 길이가 3\,\mathrm{cm}인 반구의 겉넓이)$

$=(4\pi\times 3^2)\times\dfrac{1}{2}=18\pi(\mathrm{cm}^2)$ ......❶

$(반지름의 길이가 6\,\mathrm{cm}인 반구의 겉넓이)$

$=(4\pi\times 6^2)\times\dfrac{1}{2}=72\pi(\mathrm{cm}^2)$ ......❷

$(도넛 모양의 평면도형의 넓이)$

$=\pi\times 6^2-\pi\times 3^2=27\pi(\mathrm{cm}^2)$ ......❸

∴ $(겉넓이)=18\pi+72\pi+27\pi$

$=117\pi(\mathrm{cm}^2)$ ......❹

채점 기준	배점
❶ 반지름의 길이가 3 cm인 반구의 겉넓이 구하기	30 %
❷ 반지름의 길이가 6 cm인 반구의 겉넓이 구하기	30 %
❸ 평면도형의 넓이 구하기	20 %
❹ 회전체의 겉넓이 구하기	20 %

VIII 자료의 정리와 해석

16. 줄기와 잎 그림/도수분포표

01 (1) ㉠ : 8, ㉡ : 6, ㉢ : 0, ㉣ : 8   (2) 2, 6, 6, 7   (3) 8

02 (1) 11명   (2) 5명   (3) 158 cm   (4) 25 cm

03 (1) ㉠ : 30, ㉡ : 50, ㉢ : 6, ㉣ : 9

     (2) 계급의 크기 : 10 m, 계급의 개수 : 4개

     (3) 30 m 이상 40 m 미만   (4) 11명

04 (1) 30권 이상 40권 미만   (2) $B=6$, $C=20$ (3) 5명

02 (4) 키가 가장 작은 여학생의 키는 145 cm, 키가 가장 큰 여학생의 키는 170 cm이므로 두 사람의 키의 차는

$$170-145=25(\text{cm})$$

03 (4) 던지기 기록이 30 m 미만인 학생 수는

$$5+6=11(\text{명})$$

핵심유형 1 ⑤   **1-1** (1) 4명   (2) 6명   (3) 24시간

     1-2 (1) 8.5초   (2) 40 %   **1-3** 13개   **1-4** (1) 1반   (2) 2반

핵심유형 2 ⑤

     2-1 (1) $A=13$, $B=30$ (2) 15명   (3) 5개 이상 7개 미만

     2-2 (1) $A=4$ (2) 5개   (3) 20 %

     2-3 (1) 8명   (2) 5   (3) 37.5 %

핵심유형 1 ⑤ 방문한 횟수가 19회 미만인 학생 수는 3명이므로 전체의

$$\frac{3}{12}\times100=25(\%)\text{이다.}$$

1-2 (2) 기록이 8.3초보다 느린 학생 수는 $5+1=6$(명)이므로

     전체의 $\dfrac{6}{15}\times100=40(\%)$이다.

1-3 전체 잎의 수를 x개라 하면 줄기가 5인 잎이 전체의 25 %이므로

$$x\times\frac{25}{100}=5 \qquad \therefore x=20$$

따라서 줄기가 4인 잎의 개수는

$$20-(2+5)=13(\text{개})$$

1-4 (1) 수학 점수가 80점 이상인 1반과 2반의 학생 수는 각각 5명, 4명이므로 1반이 더 많다.

     (2) 수학 점수가 가장 높은 학생의 점수는 98점이고, 이 학생은 2반에 속한다.

핵심유형 2 ⑤ TV 시청 시간이 1시간 미만인 학생은

$$4+12=16(\text{명})$$

2-1 (1) $B=30$, $A=30-(5+10+2)=13$

     (2) 필기구 수가 5개 미만인 학생 수는

$$5+10=15(\text{명})$$

     (3) 필기구 수가 5개 이상인 학생 수는 $13+2=15$(명)이므로 필기구 수가 많은 쪽에서 4번째인 학생이 속하는 계급은 5개 이상 7개 미만이다.

2-2 (1) $A=5-1=4$

     (2) 무게가 14 g 미만인 과일의 개수는 $3+5=8$이므로 무게가 가벼운 쪽에서 5번째인 과일이 속하는 계급은 12 g 이상 14 g 미만이고 그 도수는 5개이다.

     (3) 무게가 16 g 이상 20 g 미만인 과일의 개수는 $4+1=5$이므로 전체의 $\dfrac{5}{25}\times100=20(\%)$

2-3 (1) 15초 미만으로 달린 학생이 전체의 25 %이므로

     학생 수는 $40\times\dfrac{25}{100}=10$(명)

     따라서 기록이 13초 이상 15초 미만인 학생 수는

$$10-2=8(\text{명})\text{이다.}$$

     (2) $A=40-(2+8+15+10)=5$

     (3) 기록이 17초 이상인 학생 수는 $10+5=15$(명)이므로

     전체의 $\dfrac{15}{40}\times100=37.5(\%)$이다.

01 8명	**02** 156 cm	**03** 25 %	**04** ④
05 ③, ④	**06** ②	**07** 35	**08** ④
09 ③	**10** 9	**11** 18	**12** 40 %

01 키가 163 cm보다 큰 학생 수는 $3+4+1=8$(명)

03 키가 170 cm 이상인 학생 수는 $4+1=5$이므로 전체의

$\dfrac{5}{20}\times100=25(\%)$이다.

04 ① 조사한 학생 수는 16명이다.

② 몸무게가 가장 가벼운 학생은 여학생이다.

③ 몸무게가 45 kg 이상 55 kg 이하인 학생은 5명이다.

⑤ 여학생의 잎이 남학생의 잎보다 대체로 줄기의 값이 가벼운 쪽에 치우쳐 있으므로 여학생의 몸무게가 남학생의 몸무게보다 가벼운 편이다.

05 ③ 변량을 나눈 구간의 폭을 계급의 크기라 한다.

④ 각 계급에 속하는 자료의 수를 도수라 한다.

06 도수분포표에서 도수의 총합, 각 계급의 계급값, 계급의 크기, 계급의 개수는 알 수 있지만 변량은 알 수 없다.

07 $A=30-(7+6+4+8)=5$, $B=30$이므로

$A+B=5+30=35$

08 자유투를 15개 미만 성공한 학생 수는 $7+5=12$(명)이므로

전체의 $\dfrac{12}{30}\times100=40(\%)$이다.

09 ① $A=20-(3+5+2+1)=9$

③ 기록이 8초 이상인 학생 수는 $9+2+1=12$(명)이므로 전체

의 $\dfrac{12}{20}\times100=60(\%)$이다.

④ 기록이 16.2초인 학생이 속하는 계급은 16초 이상 20초 미만이고 그 도수는 1명이다.

⑤ 기록이 좋은 쪽에서 3번째인 학생이 속하는 계급은 12초 이상 16초 미만이고 그 도수는 2명이다.

10 읽은 책의 수가 6권 이상인 학생 수는 $1+3=4$(명)이고 전체의

20 %이므로 $\dfrac{4}{(\text{전체 학생 수})}\times100=20$에서

(전체 학생 수)=20(명)

$\therefore x=20-(3+4+1+3)=9$

11 [단계 ❶] 도서관을 이용한 전체 횟수가 130회이므로

$121+A+B=130$ $\therefore A+B=9$

[단계 ❷] $A=2B$이므로

$2B+B=9$, $3B=9$ $\therefore B=3$, $A=6$

[단계 ❸] $\therefore A\times B=6\times3=18$

채점 기준	배점
❶ $A+B$의 값 구하기	50 %
❷ $A=2B$를 이용하여 A, B의 값 각각 구하기	40 %
❸ $A\times B$의 값 구하기	10 %

12 $A+B=250-(20+80+70)=80$ …… ❶

독서 시간이 6시간 이상 8시간 미만인 계급의 학생 수가 12시간 이상 14시간 미만인 계급의 학생 수보다 20명 많으므로

$A=B+20$

$(B+20)+B=80$이므로 $2B=60$

$\therefore B=30$, $A=50$ …… ❷

따라서 독서 시간이 10시간 이상인 학생 수는 $70+30=100$(명)

이므로 전체의 $\dfrac{100}{250}\times100=40(\%)$이다.   …… ❸

채점 기준	배점
❶ $A+B$의 값 구하기	20 %
❷ A, B의 값 각각 구하기	50 %
❸ 전체에서 차지하는 비율 구하기	30 %

17. 히스토그램과 도수분포다각형

01 (1) 12   (2) 풀이 참조

02 (1) 계급의 크기 : 10점, 계급의 개수 : 5개

(2) 9명   (3) 70점 이상 80점 미만

03 풀이 참조

04 (1) 계급의 크기 : 5회, 계급의 개수 : 5개   (2) 30명

(3) 85회 이상 90회 미만   (4) 9명

01 (1) $A=30-(2+10+4+2)=12$

(2) (명)

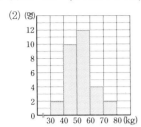

03 (개)

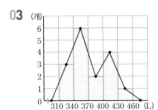

핵심유형으로 개·념·정·복·하·기   102~103쪽

핵심유형 1 ④

1-1 (1) 6개 (2) 50명 (3) 35 kg 이상 40 kg 미만 (4) 18명

1-2 60   1-3 (1) 30명 (2) ③ (3) 60

1-4 8명   1-5 8명

핵심유형 2 ⑤

2-1 (1) 2개 (2) 38명 (3) 2개 이상 4개 미만 (4) 12명

2-2 ④   2-3 (1) ② (2) 190 cm 이상 200 cm 미만

2-4 14시간   2-5 11명

핵심유형 1 ④ 기록이 가장 늦은 학생이 속한 계급은 19초 이상 20초 미만이므로 도수는 1명이다.

1-1 (2) (전체 학생 수)=$4+8+18+12+6+2=50$(명)

(3) 몸무게가 40 kg 미만인 학생 수는 $4+8=12$(명)이므로 몸무게가 5번째로 가벼운 학생이 속한 계급은 35 kg 이상 40 kg 미만이다.

(4) 몸무게가 42 kg인 학생이 속한 계급은 40 kg 이상 45 kg 미만이므로 도수는 18명이다.

1-2 도수가 가장 큰 계급의 직사각형의 넓이는 $5×11=55$, 도수가 가장 작은 계급의 직사각형의 넓이는 $5×1=5$이므로 그 합은 $55+5=60$이다.

1-3 (1) $5+10+6+4+2+3=30$(명)

(2) 읽은 책의 수가 8권 이상 12권 미만인 학생 수는

$4+2=6$(명)이므로 전체의 $\dfrac{6}{30}×100=20$(%)이다.

(3) (직사각형의 넓이의 합)=$2×30=60$

1-4 기록이 45회 이상인 계급의 도수는 $8+4+1=13$(명)이므로 윗몸일으키기 기록이 좋은 쪽에서 7번째인 학생이 속하는 계급은 45회 이상 55회 미만이고, 이 계급의 도수는 8명이다.

1-5 수학 성적이 60점 이상 70점 미만인 학생 수는

$37-(4+5+10+7+3)=8$(명)

핵심유형 2 ② 전체 학생 수는 $1+3+9+12+5=30$(명)

④ 수면 시간이 7.2시간인 학생이 속하는 계급은 7시간 이상 8시간 미만이므로 이 계급의 도수는 12명이다.

⑤ 수면 시간이 5번째로 많은 학생이 속하는 계급은 8시간 이상 9시간 미만이다.

2-1 (2) 조사한 환자 수는 $12+10+4+9+3=38$(명)

(3) 2개 이상 4개 미만인 계급의 도수가 12명으로 가장 크다.

(4) 충치 개수가 8개 이상인 환자 수는

$9+3=12$(명)

2-2 계급의 크기가 50타이고, 전체 학생 수가

$5+6+10+9+6+4=40$(명)

따라서 도수분포다각형과 가로축으로 둘러싸인 부분의 넓이는 $50×40=2000$

2-3 (1) 전체 학생 수는 $6+4+5+3+2=20$(명)이고, 멀리뛰기 기록이 200 cm 이상인 학생 수는 $3+2=5$(명)이므로

전체의 $\dfrac{5}{20}×100=25$(%)이다.

(2) 기록이 190 cm 이상인 계급의 도수는 $5+3+2=10$(명)이므로 멀리뛰기 기록이 좋은 쪽에서 8번째인 학생이 속하는 계급은 190 cm 이상 200 cm 미만이다.

2-4 전체 학생 수는 $1+6+10+5+3=25$(명)이므로 봉사 시간이 상위 32 % 이내인 학생 수는 $25×\dfrac{32}{100}=8$(명)

14시간 이상인 학생 수는 $5+3=8$(명)이므로 봉사 시간이 상위 32 % 이내에 들려면 최소 14시간 이상 봉사 활동을 해야 한다.

2-5 몸무게가 50 kg 미만인 학생이 전체의 50 %이므로 학생 수는 $40×\dfrac{50}{100}=20$(명)

따라서 몸무게가 50 kg 이상 55 kg 미만인 학생 수는

$40-(20+8+1)=11$(명)

01 ④	02 ③	03 ④	04 ⑤
05 ②	06 70점 이상 80점 미만		07 ③
08 ④	09 ②	10 ①, ④	11 ㄱ, ㄹ
12 13명	13 10명		

01 계급의 크기는 2점이므로 $a=2$

계급의 개수는 6개이므로 $b=6$

전체 학생 수는 $4+6+12+8+4+1=35$(명)이므로 $c=35$

$\therefore a+b+c=2+6+35=43$

02 영어 듣기 평가 성적이 14점 이상인 학생 수는

$8+4+1=13$(명)

03 영어 듣기 평가 성적이 16점 이상인 학생 수는 $4+1=5$(명)

즉, 영어 듣기 평가 성적이 5번째로 좋은 수현이가 속한 계급은 16점 이상 18점 미만이다. 따라서 이 계급의 도수는 4명이다.

04 ⑤ 각 직사각형의 세로의 길이의 합이 도수의 총합이다.

05 신발 크기가 250 mm 미만인 학생 수는 $25 \times \dfrac{56}{100}=14$(명)

따라서 신발 크기가 250 mm 이상 260 mm 미만인 학생 수는

$25-(14+3+1)=7$(명)

06 70점 이상 80점 미만인 계급의 도수가 15명으로 가장 크다.

07 국어 성적이 70점 이상 90점 미만인 학생 수는 $15+9=24$(명)

08 전체 학생 수는 $2+7+15+9+7=40$(명)이므로 국어 성적이 상위 40 % 이내인 학생 수는 $40 \times \dfrac{40}{100}=16$(명)이다.

80점 이상인 학생 수는 $9+7=16$(명)이므로 국어 성적이 상위 40 % 이내에 들려면 최소 80점 이상을 받아야 한다.

09 (전체 학생 수)$=3+7+12+10+6+2=40$(명)

컴퓨터 사용 시간이 80분 이상 120분 미만인 학생 수는

$10+6=16$(명)이므로 전체의 $\dfrac{16}{40} \times 100=40$(%)이다.

10 ① 계급의 개수는 6개이다.

② 계급의 크기는 0.3 m이다.

③ 전체 학생 수는 $1+6+10+7+5+1=30$(명)

④ 던지기 기록이 3.3 m 미만인 학생 수는 $1+6=7$(명)이다.

⑤ 도수분포다각형과 가로축으로 둘러싸인 부분의 넓이는

$0.3 \times 30=9$

11 ㄱ. 남학생 수는 $1+3+7+9+3+2=25$(명),

여학생 수는 $1+2+5+8+6+3=25$(명)이므로 같다.

ㄴ. 여학생의 기록이 남학생의 기록보다 오른쪽으로 더 치우쳐 있으므로 남학생이 여학생보다 빠른 편이다.

ㄷ. 달리기 기록이 16초 미만인 학생은 남학생이 $1+3+7+9=20$(명), 여학생이 $1+2+5=8$(명)이므로 남학생이 여학생보다 더 많다.

ㄹ. 두 그래프의 계급의 크기와 도수의 총합이 같으므로 각각의 그래프와 가로축으로 둘러싸인 부분의 넓이는 서로 같다.

따라서 옳은 것은 ㄱ, ㄹ이다.

12 [단계 ❶] 수학 성적이 60점 미만인 학생 수를 x명이라 하면 60점 이상인 학생 수는 $\dfrac{1}{3}x$명이다.

[단계 ❷] 전체 학생 수가 36명이므로

$x+\dfrac{1}{3}x=36$ $\therefore x=27$

[단계 ❸] 이때 수학 성적이 50점 이상 60점 미만인 학생 수는

$27-(4+10)=13$(명)

채점 기준	배점
❶ 수학 성적이 60점 미만인 학생 수를 x명이라 하고 60점 이상인 학생 수를 x로 나타내기	20 %
❷ 수학 성적이 60점 미만인 학생 수 구하기	50 %
❸ 수학 성적이 50점 이상 60점 미만인 학생 수 구하기	30 %

13 영어 성적이 80점 미만인 학생 수는

$2+3+4=9$(명)   ······ ❶

이 도수는 전체의 36 %이므로

$\dfrac{9}{(전체 학생 수)} \times 100=36$에서 (전체 학생 수)$=25$(명)   ······ ❷

따라서 영어 성적이 80점 이상 90점 미만인 학생 수는

$25-(2+3+4+6)=10$(명)   ······ ❸

채점 기준	배점
❶ 영어 성적이 80점 미만인 학생 수 구하기	20 %
❷ 전체 학생 수 구하기	40 %
❸ 80점 이상 90점 미만인 학생 수 구하기	40 %

18. 상대도수

01 (1) 12   (2) 0.1, 0.4, 0.3, 0.2, 1
     (3) 4만 원 이상 6만 원 미만
02 (1) 0.14   (2) 8, 14, 7, 15, 6, 1   (3) 21명
03 (1) $A=0.18$, $B=1$ (2) 풀이 참조
04 (1) 4개   (2) 0.24   (3) 10명   (4) 12 %

01 (1) $x=40-(4+16+8)=12$
     (3) 도수가 가장 큰 계급은 상대도수도 가장 크므로 4만 원 이상
     6만 원 미만이다.

02 (1) 상대도수의 총합은 항상 1이므로
     $A=1-(0.16+0.28+0.3+0.12)=0.14$
     (3) 턱걸이 횟수가 6회 이상인 학생 수는 $15+6=21$(명)

03 (1) 상대도수의 총합은 항상 1이므로 $B=1$
     $A=1-(0.04+0.16+0.34+0.22+0.06)=0.18$
     (2)

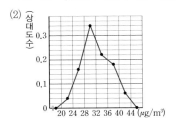

04 (3) $0.4 \times 25=10$(명)
     (4) $0.12 \times 100=12$(%)

핵심유형 1 $A=10$, $B=0.15$, $C=1$ **1-1** 0.2
     1-2 ③   **1-3** (1) 40명 (2) 0.25
     1-4 (1) 남학생 (2) 7회 이상 9회 미만   **1-5** 25 %
핵심유형 2 ③   **2-1** (1) 40쪽 이상 60쪽 미만 (2) 60 % (3) 10명
     2-2 (1) 4명 (2) 80점 이상 90점 미만   **2-3** (1) 40명 (2) 0.25
     2-4 ⑤   **2-5** ②

핵심유형 1 $A=40-(6+20+4)=10$, $B=\dfrac{6}{40}=0.15$, $C=1$

1-1 전체 학생 수는 $3+7+10+8+7+5=40$(명)이고,
     8편 이상 10편 미만인 계급의 도수는 8명이므로 상대도수는
     $\dfrac{8}{40}=0.2$

1-2 ③ (어떤 계급의 도수)=(도수의 총합)×(그 계급의 상대도수)

1-3 (1) (전체 학생 수)$=\dfrac{12}{0.3}=40$(명)
     (2) $A=\dfrac{10}{40}=0.25$

1-4 (1) 보낸 횟수가 5회 이상 7회 미만인 학생의 상대도수는
     남학생이 $\dfrac{9}{40}=0.225$, 여학생이 $\dfrac{9}{50}=0.18$이므로
     남학생이 더 높다.
     (2) 보낸 횟수가 7회 이상 9회 미만인 학생의 상대도수는
     남학생이 $\dfrac{4}{40}=0.1$, 여학생이 $\dfrac{5}{50}=0.1$이므로 서로 같다.

1-5 6시간 이상인 계급의 상대도수의 합이
     $1-(0.15+0.35+0.25)=0.25$이므로
     전체의 $0.25 \times 100=25$(%)이다.

핵심유형 2 허리 둘레가 28인치 이상인 계급의 상대도수는
     $0.25+0.1=0.35$이므로 학생 수는 $40 \times 0.35=14$(명)

2-1 (1) 도수가 가장 큰 계급은 상대도수도 가장 크므로 40쪽 이상
     60쪽 미만이다.
     (2) 40쪽 이상 80쪽 미만인 계급의 상대도수는
     $0.4+0.2=0.6$이므로 전체의 $0.6 \times 100=60$(%)이다.
     (3) 상대도수가 가장 작은 계급의 상대도수는 0.05이므로
     도수는 $200 \times 0.05=10$(명)

2-2 (1) 수학 성적이 70점 미만인 계급의 상대도수는
     $0.05+0.15=0.2$이므로 학생 수는 $20 \times 0.2=4$(명)
     (2) 학생 수가 4명인 계급의 상대도수는 $\dfrac{4}{20}=0.2$이므로
     상대도수가 0.2인 계급은 80점 이상 90점 미만이다.

2-3 (1) 도수가 가장 큰 계급은 상대도수가 0.3인 계급이고 이 계
     급에 속하는 학생이 12명이므로 전체 학생 수는
     $\dfrac{12}{0.3}=40$(명)
     (2) 한 달 통신비가 4만 원 이상인 학생 수는
     $40 \times (0.25+0.1)=14$(명)이므로 통신비가 많은 쪽에서
     10번째인 학생이 속하는 계급은 4만 원 이상 5만 원 미만
     이고, 이 계급의 상대도수는 0.25이다.

2-4 체육 성적이 70점 이상 80점 미만인 계급의 상대도수는
$1-(0.15+0.35+0.1)=0.4$이므로 학생 수는
$200 \times 0.4 = 80$(명)

2-5 A반의 상대도수가 B반의 상대도수보다 높은 계급은
35 kg 이상 40 kg 미만의 1개이다.

기출문제로 **실·력·다·지·기**　　110~111쪽

01 ⑤	**02** ②	**03** ④	**04** ⑤
05 ③	**06** 12명	**07** 16명	**08** ④
09 ④	**10** ③	**11** ④	
12 1학년 : 250명, 2학년 : 300명	**13** 50명		**14** 8회

02 (도수)=(전체 도수)×(상대도수)=$40 \times 0.15 = 6$

03 ② 학생 2명에 대한 상대도수가 0.05이므로 전체 학생 수는
$\dfrac{2}{0.05}=40$(명)
① $A=40 \times 0.5 = 20$
③ $C=\dfrac{4}{40}=0.1$
④ $D=\dfrac{6}{40}=0.15$
⑤ $E=1$

04 인터넷 사용 시간이 6시간 이상인 계급의 상대도수의 합은
$0.2+0.5=0.7$이므로 전체의 $0.7 \times 100 = 70(\%)$이다.

05 인터넷 사용 시간이 6시간 미만인 계급의 도수는
$2+4+6=12$(명)
따라서 인터넷 사용 시간이 적은 쪽에서 10번째인 학생이 속하는
계급은 4시간 이상 6시간 미만이고 이 계급의 상대도수는 0.15
이다.

06 전체 학생 수는 $\dfrac{3}{0.05}=60$(명)이므로 50 m 이상 60 m 미만인
계급의 학생 수는 $60 \times 0.2 = 12$(명)

07 수학 성적이 80점 이상 90점 미만인 계급의 상대도수는
$1-(0.04+0.2+0.28+0.16)=0.32$
따라서 도수가 가장 큰 계급은 80점 이상 90점 미만으로 이 계급
의 도수는 $50 \times 0.32 = 16$(명)

08 전체 도수를 각각 $6a$, $5a$라 하고, 어떤 계급의 도수를 각각 $3b$,
$4b$라 하면 이 계급의 상대도수의 비는

$\dfrac{3b}{6a} : \dfrac{4b}{5a} = \dfrac{3}{6} : \dfrac{4}{5} = 5 : 8$

09 10회 이상 15회 미만인 계급의 상대도수는 0.12이고, 도수가 24
명이므로 전체 학생 수는 $\dfrac{24}{0.12}=200$(명)

10 줄넘기 기록이 25회 이상인 계급의 상대도수의 합은
$0.18+0.12=0.3$이므로 학생 수는 $200 \times 0.3 = 60$(명)

11 줄넘기 기록이 15회 이상 25회 미만인 계급의 상대도수의 합은
$0.22+0.3=0.52$이므로 전체의 $0.52 \times 100 = 52(\%)$이다.

12 주말 동안의 라디오 청취 시간이 5시간 이상인 계급의 상대도
수의 합은 1학년이 $0.14+0.14=0.28$, 2학년이 $0.2+0.1=0.3$
이다.
따라서 전체 학생 수는 1학년이 $\dfrac{70}{0.28}=250$(명),
2학년이 $\dfrac{90}{0.3}=300$(명)이다.

13 [단계 ❶] 달리기 기록이 17초 미만인 학생이 전체의 26 %이므
로 17초 미만인 계급의 상대도수의 합은 0.26이다.
$A+0.1=0.26$　　∴ $A=0.16$
[단계 ❷] $B=1-(0.16+0.1+0.22+0.2)=0.32$
[단계 ❸] 도수가 가장 큰 계급은 상대도수가 가장 큰 계급으로
18초 이상 19초 미만이고 이 계급의 상대도수는 0.32,
도수가 16명이므로 전체 학생 수는 $\dfrac{16}{0.32}=50$(명)

채점 기준	배점
❶ A의 값 구하기	30 %
❷ B의 값 구하기	20 %
❸ 전체 학생 수 구하기	50 %

14 규모가 3.2 M 이상인 계급의 상대도수의 합은
$0.05+0.05=0.1$이므로 이 계급의 도수의 합은
$40 \times 0.1 = 4$(회)　　　　　　…… ❶
규모가 2.9 M 이상 3.2 M 미만인 계급의 상대도수는 0.2이므로
이 계급의 도수는 $40 \times 0.2 = 8$(회)　　…… ❷
따라서 규모가 큰 쪽에서 6번째인 지진이 속한 계급은 2.9 M 이
상 3.2 M 미만이고 이 계급의 도수는 8회이다.　　…… ❸

채점 기준	배점
❶ 규모가 3.2 M 이상인 계급의 도수의 합 구하기	40 %
❷ 규모가 2.9 M 이상 3.2 M 미만인 계급의 도수 구하기	40 %
❸ 해당하는 계급의 도수 구하기	20 %

내신만점 도전편 정답 및 풀이

정답 및 풀이

01. 점, 선, 면
114~115쪽

01 ④	02 ④, ⑤	03 ④	04 ③
05 ④	06 ⑤	07 ④	08 ②
09 ③	10 ②	11 ②	12 10
13 20 cm			

01 교점의 개수는 입체도형의 꼭짓점의 개수와 같으므로 $a=6$
교선의 개수는 입체도형의 모서리의 개수와 같으므로 $b=10$
$\therefore a+b=6+10=16$

02 ④ 교점은 선과 선, 면과 선이 만날 때에 생긴다.
⑤ 반직선은 시작점과 방향이 모두 같을 때에만 같다.

03 ④ $\overrightarrow{CA}$, $\overrightarrow{BA}$는 방향은 같으나 시작점이 다르므로 서로 다른 반직선이다.

04 반직선은 시작점과 방향이 같아야 같은 반직선이므로 $\overrightarrow{AD}$와 같은 것은 ③ $\overrightarrow{AB}$이다.

05 서로 다른 직선은
$\overrightarrow{DA}$, $\overrightarrow{DB}$, $\overrightarrow{DC}$, $\overrightarrow{DE}$, $\overrightarrow{EA}$, $\overrightarrow{EB}$, $\overrightarrow{EC}$, $\overrightarrow{AC}$
의 8개이다.

06 서로 다른 반직선은
$\overrightarrow{AB}$, $\overrightarrow{AD}$, $\overrightarrow{BA}$, $\overrightarrow{BC}$, $\overrightarrow{BD}$, $\overrightarrow{CB}$, $\overrightarrow{CD}$, $\overrightarrow{DA}$, $\overrightarrow{DB}$, $\overrightarrow{DC}$의 10개이므로 $a=10$
서로 다른 선분은
$\overline{AB}$, $\overline{AC}$, $\overline{AD}$, $\overline{BC}$, $\overline{BD}$, $\overline{CD}$의 6개이므로 $b=6$
$\therefore a+b=10+6=16$

07 $a=9$, $b=8$, $c=12$이므로 $a+c-b=9+12-8=13$

08 $\overline{AM}=\overline{MN}=\overline{NB}=\dfrac{1}{3}\overline{AB}$이므로

$\overline{AN}=\overline{MB}=\dfrac{2}{3}\overline{AB}$

09 $2x=5x-12$이므로 $3x=12$ $\therefore x=4$
$\therefore \overline{AM}=2\times4=8$

10 $\overline{CD}=\overline{CP}+\overline{PD}=\dfrac{1}{2}\overline{AB}=\dfrac{1}{2}\times14=7(\text{cm})$

11 $\overline{PB}=3\overline{MN}=3\times3=9(\text{cm})$
$\overline{AP}=\overline{PB}=9(\text{cm})$
점 Q가 $\overline{AP}$의 중점이므로
$\overline{QP}=\dfrac{1}{2}\overline{AP}=\dfrac{1}{2}\times9=4.5(\text{cm})$
$\therefore \overline{QM}=\overline{QP}+\overline{PM}=4.5+3=7.5(\text{cm})$

12 서로 다른 반직선은 $\overrightarrow{AB}$, $\overrightarrow{AC}$, $\overrightarrow{AD}$, $\overrightarrow{AE}$, $\overrightarrow{BA}$, $\overrightarrow{BC}$, $\overrightarrow{BD}$, $\overrightarrow{BE}$, $\overrightarrow{CA}$, $\overrightarrow{CB}$, $\overrightarrow{CD}$, $\overrightarrow{CE}$, $\overrightarrow{DA}$, $\overrightarrow{DB}$, $\overrightarrow{DC}$, $\overrightarrow{DE}$, $\overrightarrow{EA}$, $\overrightarrow{EB}$, $\overrightarrow{EC}$, $\overrightarrow{ED}$
의 20개이므로 $a=20$ ······❶
서로 다른 직선의 개수는 $\overleftrightarrow{AB}$, $\overleftrightarrow{AC}$, $\overleftrightarrow{AD}$, $\overleftrightarrow{AE}$, $\overleftrightarrow{BC}$, $\overleftrightarrow{BD}$, $\overleftrightarrow{BE}$, $\overleftrightarrow{CD}$, $\overleftrightarrow{CE}$, $\overleftrightarrow{DE}$의 10개이므로 $b=10$ ······❷
$\therefore a-b=20-10=10$ ······❸

채점 기준	배점
❶ a의 값 구하기	40 %
❷ b의 값 구하기	40 %
❸ $a-b$의 값 구하기	20 %

13 점 M은 $\overline{AB}$의 중점이므로
$\overline{AB}=2\times5=10(\text{cm})$ ······❶
$\overline{AB}=\dfrac{1}{3}\overline{BC}$이므로
$\overline{BC}=3\times10=30(\text{cm})$ ······❷
점 N이 $\overline{BC}$의 중점이므로
$\overline{BN}=\dfrac{1}{2}\times30=15(\text{cm})$ ······❸
$\therefore \overline{MN}=\overline{MB}+\overline{BN}=5+15=20(\text{cm})$ ······❹

채점 기준	배점
❶ $\overline{AB}$의 길이 구하기	30 %
❷ $\overline{BC}$의 길이 구하기	30 %
❸ $\overline{BN}$의 길이 구하기	30 %
❹ $\overline{MN}$의 길이 구하기	10 %

02. 각
116~117쪽

01 ②	02 ③	03 ④	04 ⑤
05 ⑤	06 ③	07 ③	08 ⑤
09 ④	10 ③	11 ③, ⑤	12 ①
13 230°	14 14°		

01 예각은 $30°, 52°, 62.5°$이므로 $a=3$
   둔각은 $94°, 140°$이므로 $b=2$
   $\therefore a-b=3-2=1$

02 $(\angle x+25°)+(4\angle x+35°)=180°$이므로
   $5\angle x=120°$ $\therefore \angle x=24°$

03 $\angle AOC+\angle BOD=90°$, $\angle BOD=\dfrac{1}{2}\angle AOC$이므로
   $\dfrac{3}{2}\angle AOC=90°$ $\therefore \angle AOC=90°\times\dfrac{2}{3}=60°$

04 $\angle BOC=\angle x$, $\angle COD=\angle y$라 하면
   $\angle AOB=5\angle x$, $\angle DOE=5\angle y$이므로
   $5\angle x+\angle x+\angle y+5\angle y=180°$, $6\angle x+6\angle y=180°$
   $6(\angle x+\angle y)=180°$ $\therefore \angle x+\angle y=30°$

05 ⑤ $\angle AOC=\angle BOD$(맞꼭지각)이므로
   $\angle EOC=\angle AOE+\angle DOB=\dfrac{5}{10}\times180°=90°$

06 $2\angle x+\angle x=180°$이므로 $3\angle x=180°$ $\therefore \angle x=60°$
   $\angle y+30°=2\times60°$, $\angle y+30°=120°$ $\therefore \angle y=90°$
   $\therefore \angle y-\angle x=90°-60°=30°$

07 $(4\angle x-10°)+(3\angle x+10°)+2\angle x=180°$이므로
   $9\angle x=180°$ $\therefore \angle x=20°$

08 $\angle x=180°-(90°+40°)=50°$

09 $16°+\angle a+\angle b+26°+\angle c=180°$이므로
   $\angle a+\angle b+\angle c=180°-(16°+26°)=138°$

10 세 직선이 한 점 A에서 만날 때 생기는 맞꼭지각의 쌍의 개수는
   $3\times(3-1)=6$(쌍), 두 직선이 한 점 B에서 만날 때 생기는 맞꼭
   지각의 쌍의 개수는 2쌍, 마찬가지로 두 직선이 점 C, 점 D에서
   만날 때 생기는 맞꼭지각의 쌍의 개수는 각각 2쌍이다.
   $\therefore 6+2+2+2=12$(쌍)

11 ① 점 E에서 $\overline{BC}$에 내린 수선의 발은 점 F이다.
   ② 점 D에서 $\overline{AB}$에 내린 수선의 발은 점 A이다.
   ④ 점 D와 $\overline{AB}$ 사이의 거리는 $\overline{DA}$이다.

12 점 A와 $\overline{BC}$ 사이의 거리는 4.8이므로 $a=4.8$

점 B와 $\overline{AC}$ 사이의 거리는 6이므로 $b=6$
   $\therefore a+b=4.8+6=10.8$

13 [단계 ❶] 분침은 1분에 6°씩 움직이므로 분침이 숫자 12와 이루
   는 각의 크기는 $6°\times40=240°$
   [단계 ❷] 시침은 1시간에 30°, 1분에 0.5°씩 움직이므로 시침이
   숫자 12와 이루는 각의 크기는
   $30°\times3+0.5°\times40=110°$
   [단계 ❸] 따라서 시침과 분침이 이루는 각 중에서 작은 쪽의 각
   의 크기는 $240°-110°=130°$이므로 큰 쪽의 각의 크
   기는 $360°-130°=230°$이다.

채점 기준	배점
❶ 분침이 숫자 12와 이루는 각의 크기 구하기	40 %
❷ 시침이 숫자 12와 이루는 각의 크기 구하기	40 %
❸ 시침과 분침이 이루는 각 중에서 큰 쪽의 각의 크기 구하기	20 %

14 $(\angle x+15°)+90°=122°$이므로 $\angle x=17°$ …… ❶
   $122°+(\angle y+27°)=180°$이므로 $\angle y=31°$ …… ❷
   $\therefore \angle y-\angle x=31°-17°=14°$ …… ❸

채점 기준	배점
❶ $\angle x$의 크기 구하기	40 %
❷ $\angle y$의 크기 구하기	40 %
❸ $\angle y-\angle x$의 크기 구하기	20 %

03. 위치 관계

118~119쪽

01 ②	02 ③	03 ②	04 ④
05 ④	06 ④	07 ③	08 ③
09 ②	10 ④	11 ②	

12 모서리 VD, 모서리 EF 13 8

01 두 직선 l과 m이 만나는 점은 점 B이다.

02 ③ $\overrightarrow{AD}$와 $\overrightarrow{DC}$는 한 점에서 만나지만 수직으로 만나지는 않는다.

03 ④ $l\perp m$, $m/\!/n$이면 $l\perp n$이다.

04 모서리 BC와 꼬인 위치에 있는 모서리는 모서리 AD, 모서리
   AE이다.

05 ①, ②, ③, ⑤ 한 점에서 만난다.
④ 평행하다.

06 모서리 AG와 평행한 모서리는
모서리 BH, CI, DJ, EK, FL의 5개이므로 $a=5$
모서리 AG와 꼬인 위치에 있는 모서리는
모서리 BC, CD, DE, EF, HI, IJ, JK, KL의 8개이므로
$b=8$
∴ $a+b=5+8=13$

07 점 C와 면 ADEB 사이의 거리는 $\overline{CB}$의 길이와 같으므로 8 cm
이다.

08 모서리 AD를 포함하는 면은 면 ADFC, 면 ADEB의 2개이므
로 $a=2$
면 EBCF와 수직인 면은 면 DEF, 면 ABC, 면 ADFC의 3개
이므로 $b=3$
∴ $a+b=2+3=5$

09 ① 만나는 모서리는 모서리 AD, BC, AE, BF의 4개이다.
② 평행한 모서리는 모서리 CD, EF, GH의 3개이다.
③ 꼬인 위치에 있는 모서리는 모서리 CG, DH, FG, EH의 4
개이다.
④ 평행한 면은 면 CGHD, 면 EFGH의 2개이다.
⑤ 수직인 면은 면 AEHD, 면 BFGC의 2개이다.
따라서 옳지 않은 것은 ②이다.

10 ④ 모서리 BE와 꼬인 위치에 있는 모서리는 모서리 AD, CG,
AC, DG, FG의 5개이다.

11 ② $P /\!/ l$, $P /\!/ m$이면 두 직선 l, m은 서로 만나거나 평행하거
나 꼬인 위치에 있을 수 있다.

12 [단계 ❶] 모서리 BC와 꼬인 위치에 있는 모서리는
모서리 VA, VD, AE, DH, EF, GH이다.
[단계 ❷] 모서리 CG와 꼬인 위치에 있는 모서리는
모서리 VB, VD, AB, AD, EF, EH이다.
[단계 ❸] 따라서 모서리 BC, 모서리 CG와 동시에 꼬인 위치에
있는 모서리는 모서리 VD, 모서리 EF이다.

채점 기준	배점
❶ 모서리 BC와 꼬인 위치에 있는 모서리 찾기	40 %
❷ 모서리 CG와 꼬인 위치에 있는 모서리 찾기	40 %
❸ 모서리 BC, 모서리 CG와 동시에 꼬인 위치에 있는 모서리 찾기	20 %

13 주어진 전개도를 접어 정육면체를 만들
면 오른쪽 그림과 같다.
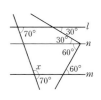
면 ABCN과 수직으로 만나는 모서리는
모서리 AJ, BE, CD, NK의 4개이므
로 $a=4$ ······❶
모서리 AB와 꼬인 위치에 있는 모서리는
모서리 CD, NK, ED, JK의 4개이므로 $b=4$ ······❷
∴ $a+b=4+4=8$ ······❸

채점 기준	배점
❶ a의 값 구하기	40 %
❷ b의 값 구하기	50 %
❸ $a+b$의 값 구하기	10 %

---

04. 평행선의 성질   120～121쪽

01 ②	02 ⑤	03 ⑤	04 ④
05 ③	06 ③	07 ④	08 ⑤
09 ④	10 ②	11 ②	12 95
13 45°	14 130°		

01 ∠e의 동위각은 ∠a이고, ∠c의 엇각은 ∠d이다.

02 ∠x의 동위각인 각들의 크기의 합은
$92°+(180°-46°)=226°$

03 $l /\!/ m$이므로 ∠$x=40°$
$r /\!/ s$이므로 ∠$y=40°$
∴ ∠$x+$∠$y=40°+40°=80°$

04 ∠$x+80°=120°$이므로 ∠$x=40°$
∠$y=180°-80°=100°$
∴ ∠$x+$∠$y=40°+100°=140°$

05 $l /\!/ m$이므로 ∠$y=80°$, ∠$x=180°-(45°+100°)=35°$
∴ ∠$x+$∠$y=35°+80°=115°$

06 오른쪽 그림과 같이 $l /\!/ n /\!/ m$이 되도록
보조선 n을 그으면
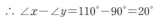
∠$x=180°-70°=110°$
∠$y=30°+60°=90°$
∴ ∠$x-$∠$y=110°-90°=20°$

07 오른쪽 그림과 같이 $l /\!/ n /\!/ m$이 되
도록 보조선 n을 긋고
$\angle ABC = \angle x$, $\angle CDE = \angle y$라
하면

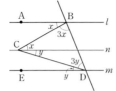

$\angle CBD = 3\angle x$, $\angle CDB = 3\angle y$,
$\angle BCD = \angle x + \angle y$이므로
$3\angle x + 3\angle y + (\angle x + \angle y) = 180°$, $4(\angle x + \angle y) = 180°$
$\therefore \angle x + \angle y = 45°$
$\therefore \angle BCD = \angle x + \angle y = 45°$

08 오른쪽 그림과 같이 $l /\!/ p /\!/ q /\!/ m$이 되
도록 보조선 p, q를 그으면

$\angle x - 10° = 35° + 10°$이므로
$\angle x - 10° = 45°$ $\therefore \angle x = 55°$

09 ④ $\angle a = \angle b$(접은 각), $\angle a = \angle e$(엇각)이므로 $\angle b = \angle e$

10 ② 동측내각의 크기의 합이 $180°$가 아니므로 두 직선 l, m은 평
행하지 않다.

11 서로 평행한 직선은 l과 n, p와 q의 2쌍이다.

12 오른쪽 그림과 같이 두 직선 l, m과
평행한 직선을 그어 생각하면
$30° + x° + 55° = 180°$
$\therefore x = 95$

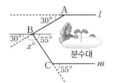

13 [단계 ❶] $\angle AOE + \angle BOE = 180°$이므로
$\qquad \angle BOE = 180° \times \dfrac{3}{4} = 135°$

[단계 ❷] $\angle BOP = 180° - \angle BOE = 180° - 135° = 45°$

[단계 ❸] $l /\!/ m$이므로 $\angle DPF = \angle BOP = 45°$

채점 기준	배점
❶ $\angle BOE$의 크기 구하기	40 %
❷ $\angle BOP$의 크기 구하기	30 %
❸ $\angle DPF$의 크기 구하기	30 %

14 오른쪽 그림과 같이 점 D
를 지나면서 $\overline{AB}$와 평행한
직선을 그어 $\overline{BC}$와 만나는
점을 P라 하면 ⋯⋯ ❶

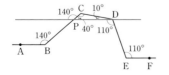

$\angle CPD = 180° - 140° = 40°$
$\angle CDP = 120° - 110° = 10°$ ⋯⋯ ❷
따라서 삼각형 CPD에서
$\angle PCD = 180° - (40° + 10°) = 130°$
$\therefore \angle BCD = 130°$ ⋯⋯ ❸

채점 기준	배점
❶ 보조선을 그어 삼각형 CPD 만들기	30 %
❷ $\angle CPD$, $\angle CDP$의 크기 구하기	40 %
❸ $\angle BCD$의 크기 구하기	30 %

V-1. 기본 도형 내·신·만·점·도·전·하·기	122~125쪽

01 ⑤	02 ③	03 ①	04 ⑤
05 ①, ⑤	06 ③	07 ③	08 ③
09 ①, ④	10 ②	11 ③, ④	12 ⑤
13 ③	14 63	15 30 cm	16 $\dfrac{360}{11}$ 분
17 30°	18 19	19 25°	20 150°
21 108°			

01 $a = 12$, $b = 18$이므로 $b - a = 18 - 12 = 6$

02 ③ $\overrightarrow{BA}$

03 $\overrightarrow{AB}$, $\overrightarrow{AC}$, $\overrightarrow{AD}$, $\overrightarrow{AE}$, $\overrightarrow{BC}$, $\overrightarrow{BD}$, $\overrightarrow{BE}$, $\overrightarrow{BO}$, $\overrightarrow{CD}$, $\overrightarrow{CE}$, $\overrightarrow{CO}$, $\overrightarrow{DE}$,
$\overrightarrow{DO}$의 13개이다.

04 $\overline{AC} = 2\overline{MN} = 2 \times 15 = 30\,(cm)$
$\overline{AB} = 4\overline{BC}$이므로 $\overline{AB} = \dfrac{4}{5} \times 30 = 24\,(cm)$
$\therefore \overline{MB} = \dfrac{1}{2}\overline{AB} = \dfrac{1}{2} \times 24 = 12\,(cm)$

05 ① (평각) - (둔각) = (예각)
②, ③은 예각, 직각, 둔각 모두 될 수 있다.
④ (평각) - (예각) = (둔각)
⑤ (둔각) - (직각) = (예각)
따라서 항상 예각인 것은 ①, ⑤이다.

06 $2\angle x + (5\angle x + 6°) = 90°$이므로
$7\angle x = 84°$ $\therefore \angle x = 12°$
$\therefore \angle BOC = 5 \times 12° + 6° = 66°$

07 $3\angle x + 30° = 30° + 90°$이므로
$3\angle x = 90°$ $\therefore \angle x = 30°$
$4\angle y = 180° - (30° + 90°)$, $4\angle y = 60°$ $\therefore \angle y = 15°$
$\therefore \angle x - \angle y = 30° - 15° = 15°$

08 오른쪽 그림과 같이 점 A에서 $\overline{BD}$에 내린 수선의 발을 점 H라 하면 삼각형 ABD의 넓이는 직사각형 ABCD의 넓이의 $\frac{1}{2}$이므로 9 cm²이고, 점 A와 $\overline{BD}$ 사이의 거리는 $\overline{AH}$의 길이와 같으므로

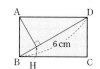

$\frac{1}{2} \times 6 \times \overline{AH} = 9$

$\therefore \overline{AH} = 3 \text{(cm)}$

09 오른쪽 그림의 삼각기둥에서 모서리 ID와 꼬인 위치에 있는 모서리는 모서리 JH, 모서리 CE이다.

10 ①, ③, ④ 두 직선은 만나거나 평행하거나 꼬인 위치에 있다.
② 한 평면에 수직인 두 직선은 항상 평행하다.
⑤ 두 직선은 서로 수직이거나 꼬인 위치에 있다.

11 ① $l /\!/ m$이면 $\angle c + \angle d = 180°$이다.
② $\angle a = \angle b$인 것은 $l /\!/ m$과 상관없다.
③ $\angle b = \angle d$이면 엇각의 성질에 의해 $l /\!/ m$이다.
④ $l /\!/ m$이면 $\angle a = \angle d$이므로 맞꼭지각의 성질에 의해 $\angle a = \angle e$이다.
⑤ $\angle b + \angle e = 180°$인 것은 $l /\!/ m$과 상관없다.

12 $\angle ABC = \angle BCD$이면 $l /\!/ m$이므로
$(\angle x + 25°) + (3\angle x - 45°) = 180°$
$4\angle x = 200°$ $\therefore \angle x = 50°$

13 오른쪽 그림과 같이 $l /\!/ p /\!/ q /\!/ m$이 되도록 보조선 p, q를 그으면
$(\angle x - 55°) + (\angle y - 25°) = 180°$
$\therefore \angle x + \angle y = 260°$

14 두 점을 선택하여 만들 수 있는 서로 다른 선분은
$\overline{A_1A_2}, \overline{A_1A_3}, \cdots, \overline{A_1A_{10}}$: 9개
$\overline{A_2A_3}, \overline{A_2A_4}, \cdots, \overline{A_2A_{10}}$: 8개
$\overline{A_3A_4}, \overline{A_3A_5}, \cdots, \overline{A_3A_{10}}$: 7개
$\vdots$
$\overline{A_9A_{10}}$: 1개
이므로 $9+8+7+6+5+4+3+2+1 = 45$(개) $\therefore a = 45$
또한 두 점을 선택하여 만들 수 있는 서로 다른 반직선은
시작점이 A_1인 반직선 : $\overrightarrow{A_1A_2}$의 1개

시작점이 $A_2, A_3, \cdots, A_9$인 반직선 : 각각 2개씩
시작점이 A_{10}인 반직선 : $\overrightarrow{A_{10}A_9}$의 1개
이므로 $1 + 2 \times 8 + 1 = 18$(개) $\therefore b = 18$
$\therefore a + b = 45 + 18 = 63$

15

$\overline{CD} = x$라 하면 $\overline{AB} = 4x$, $\overline{BC} = 2x$이다. ······ ❶

$\overline{MN} = \overline{MC} + \overline{CN} = x + \frac{1}{2}x = 9 \text{ cm}$

$\frac{3}{2}x = 9 \text{ cm}$ $\therefore x = 6 \text{ cm}$ ······ ❷

$\therefore \overline{AM} = 4x + x = 5x = 5 \times 6 = 30 \text{(cm)}$ ······ ❸

채점 기준	배점
❶ 주어진 조건을 그림으로 나타내고 비를 이용하여 $\overline{AB}$, $\overline{BC}$, $\overline{CD}$의 길이 나타내기	30 %
❷ $\overline{CD}$의 길이 구하기	40 %
❸ $\overline{AM}$의 길이 구하기	30 %

16 3시 x분에 시침이 숫자 12와 이루는 각의 크기는 $3 \times 30° + x \times 0.5°$이고, 분침이 숫자 12시와 이루는 각의 크기는 $x \times 6°$이다.
이때 분침과 시침이 이루는 각의 크기가 90°이므로
$6x - (90 + 0.5x) = 90$

$5.5x = 180$ $\therefore x = \frac{180}{5.5} = \frac{360}{11}$

따라서 시침과 분침이 이루는 각의 크기가 90°인 시각은 3시 $\frac{360}{11}$분이다.

17 면 BFEA와 $\overline{FG}$가 서로 수직으로 만나고 있으므로 면 BFEA에 포함된 $\overline{AF}$와 $\overline{FG}$가 이루는 각도 직각이다.
$\therefore \angle AFG = 90°$
또한 삼각형 AFH는 정삼각형이므로 $\angle AFH = 60°$
$\therefore \angle AFG - \angle AFH = 90° - 60° = 30°$

18 면 DGJE와 평행한 모서리는 모서리 AF, BC, HI, LM, KN, AK, BL, CH, IM, FN이므로 $a = 10$
모서리 IJ와 꼬인 위치에 있는 모서리는 모서리 CH, DG, DE, AK, BL, AF, BC, LM, KN이므로 $b = 9$
$\therefore a + b = 10 + 9 = 19$

19 $\angle AFC = 5\angle x + 20°$이고 $\angle FBC = 90°$이므로
$(5\angle x + 20°) + (4\angle x - 20°) = 90°$
$9\angle x = 90°$ $\therefore \angle x = 10°$ ······ ❶

△ABE에서

$\angle BAE = 180° - (5 \times 10° + 20°) = 110°$ ...... ❷

$\angle ABE = \dfrac{1}{2} \times 90° = 45°$이므로

$\angle AEB = 180° - (110° + 45°) = 25°$ ...... ❸

채점 기준	배점
❶ $\angle x$의 크기 구하기	30 %
❷ $\angle BAE$의 크기 구하기	30 %
❸ $\angle AEB$의 크기 구하기	40 %

20 오른쪽 그림과 같이 두 직선 l, m에 평행한 보조선을 그어 동위각을 찾아 보면

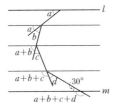

$\angle a + \angle b + \angle c + \angle d$
$= 180° - 30° = 150°$

21 $l /\!/ m$, $\overline{BC} /\!/ \overline{ED}$이므로

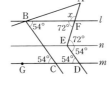

$\angle EDC = \angle BCG = \angle FBC = 54°$

$\angle EDC : \angle FED = 3 : 7$이므로

$54° : \angle FED = 3 : 7$

$\therefore \angle FED = 126°$

점 E를 지나고 $l /\!/ n /\!/ m$인 보조선 n을 그으면

$\angle BFE = 126° - 54° = 72°$

$\therefore \angle x = 180° - 72° = 108°$

05. 삼각형의 작도   126〜127쪽

01 ①, ②	02 ㉡-㉠-㉢	03 ②	04 ④
05 ③, ④	06 ①	07 3개	08 ③
09 ⑤	10 ③, ④	11 ①	12 2개

13 작도 순서 : ㉠-㉣-㉡-㉺-㉢-㉥

'두 직선이 다른 한 직선과 만날 때, 동위각의 크기가 같으면 두 직선은 서로 평행하다.'

01 컴퍼스는 ① 원을 그리거나 ② 선분의 길이를 옮길 때 사용한다.

03 작도 순서는 ㉺-㉠-㉢-㉡-㉣-㉤이므로 ㉠을 작도한 다음에 작도해야 할 것은 ㉢이다.

04 ④ $\overline{AB} \neq \overline{PD}$

05 ③ $6 + 5 < 12$이므로 삼각형이 될 수 없다.

④ $14 = 7 + 7$이므로 삼각형이 될 수 없다.

06 (i) $x + 1$이 가장 긴 변의 길이일 때$(x \geq 5)$,

$x + 1 < (x - 1) + 6$이 항상 성립한다. $\therefore x \geq 5$

(ii) 6이 가장 긴 변의 길이일 때$(x \leq 5)$,

$6 < (x + 1) + (x - 1)$, $2x > 6$, $x > 3$ $\therefore 3 < x \leq 5$

따라서 $x > 3$이므로 x의 값이 될 수 없는 것은 ① 3이다.

07 삼각형의 세 변이 될 수 있는 경우는

(5 cm, 9 cm, 10 cm), (5 cm, 10 cm, 14 cm),

(9 cm, 10 cm, 14 cm)이다.

08 조건에 맞게 작도한 후 $\overline{AC}$를 긋는 것이 마지막 차례이다.

09 ㄱ. 두 변의 길이와 그 끼인각의 크기가 주어진다.

ㄴ, ㄹ. 한 변의 길이와 그 양 끝각의 크기가 주어진다.

10 ③ 그릴 수 있는 삼각형은 무수히 많다.

④ 두 변의 길이와 그 끼인각이 아닌 다른 한 각의 크기가 주어졌으므로 삼각형이 하나로 정해지지 않는다.

11 오른쪽 그림과 같이 삼각형을 그릴 수 없다.

12 [단계 ❶] 세 수의 합이 10인 경우는

(1, 1, 8), (1, 2, 7), (1, 3, 6), (1, 4, 5),

(2, 2, 6), (2, 3, 5), (2, 4, 4), (3, 3, 4)이다.

[단계 ❷] 삼각형의 세 변은 (가장 긴 변의 길이)<(나머지 두 변의 길이의 합)을 만족해야 한다.

[단계 ❸] 따라서 삼각형이 되는 경우는 (2, 4, 4), (3, 3, 4)이므로 조건을 만족하는 삼각형은 2개이다.

채점 기준	배점
❶ 합이 10이 되는 세 자연수의 경우 찾기	40 %
❷ 삼각형이 될 수 있는 조건 알기	30 %
❸ 서로 다른 삼각형의 개수 구하기	30 %

13 작도 순서는 ㉠-㉣-㉡-㉺-㉢-㉥이다. ...... ❶

위의 작도 과정은 '두 직선이 다른 한 직선과 만날 때, 동위각의 크기가 같으면 두 직선은 서로 평행하다.' 는 성질을 이용한 것이다. ...... ❷

채점 기준	배점
❶ 작도 순서 나열하기	50 %
❷ 평행선의 작도에 이용된 성질 설명하기	50 %

06. 삼각형의 합동 조건

128~129쪽

01 ③	02 ①	03 ②	04 ③
05 ④	06 ㄷ	07 ③	08 ②
09 ④	10 ③		

11 △AMD≡△EMC, ASA 합동

12 (1) △EDC, SAS 합동　(2) 150°

01 ③ 한 변의 길이가 같은 정사각형이 서로 합동이다.

02 ∠D의 대응각은 ∠C이므로 ∠D=∠C=30°

03 ② ∠B=∠E=50°이면
　　△ABC≡△DEF (ASA 합동)

04 ① SSS 합동　②, ④ SAS 합동　⑤ ASA 합동

05 ①, ② ASA 합동　③ SAS 합동　⑤ SSS 합동
　　④ 두 변의 길이와 그 끼인각이 아닌 다른 한 각의 크기가 주어졌
　　으므로 합동이 되지 않는다.

06 △AEF와 △DEC에서
　　$\overline{AE}=\overline{DE}$, ∠AEF=∠DEC(맞꼭지각),
　　$\overline{AB}\,/\!/\,\overline{CD}$이므로 ∠EAF=∠EDC(엇각)
　　∴ △AEF≡△DEC (ASA 합동)

07 △DBC와 △ECB에서
　　$\overline{DB}=\overline{EC}$, $\overline{BC}$는 공통, ∠B=∠C이므로
　　△DBC≡△ECB (SAS 합동)

08 △ABC와 △DBE에서
　　$\overline{AB}=\overline{DB}$, $\overline{BC}=\overline{BE}$, ∠B는 공통이므로
　　△ABC≡△DBE (SAS 합동)　　　　……④
　　따라서 ① ∠BAC=∠BDE, ③ ∠BCA=∠BED이다.
　　한편, △AFE와 △DFC에서
　　$\overline{AE}=\overline{DC}$, ∠FAE=∠FDC,
　　∠AFE=∠DFC(맞꼭지각)이므로 ∠AEF=∠DCF
　　∴ △AFE≡△DFC (ASA 합동)　　　　……⑤

09 △OAB≡△OCD, △ABD≡△CDB,
　　△OAD≡△OCB, △DAC≡△BCA

10 △ABD와 △CBE에서
　　$\overline{AB}=\overline{CB}$, ∠ABD=∠CBE, $\overline{BD}=\overline{BE}$이므로

△ABD≡△CBE (SAS 합동)
∴ ∠ADC=180°−∠ADB
　　　=180°−∠CEB
　　　=180°−(60°+20°)=100°

11 [단계 ❶] △AMD와 △EMC에서
　　$\overline{AM}=\overline{EM}$, ∠AMD=∠EMC(맞꼭지각)
　　$\overline{AD}\,/\!/\,\overline{BE}$이므로 ∠DAM=∠CEM(엇각)
　　∴ △AMD≡△EMC
[단계 ❷] 대응하는 한 변의 길이가 같고 그 양 끝각의 크기가 각
　　각 같으므로 ASA 합동이다.

채점 기준	배점
❶ 합동인 삼각형 찾기	70 %
❷ 합동 조건 설명하기	30 %

12 (1) △EAB와 △EDC에서
　　$\overline{AB}=\overline{DC}$, $\overline{EB}=\overline{EC}$, ∠ABE=∠DCE=90°−60°=30°
　　∴ △EAB≡△EDC (SAS 합동)　　　　……❶
　　(2) ∠AEB=∠DEC=$\frac{1}{2}$×(180°−30°)=75°　……❷
　　∴ ∠AED=360°−(75°+60°+75°)=150°　……❸

채점 기준	배점
❶ △EAB와 합동인 삼각형 찾기	50 %
❷ ∠AEB와 ∠DEC의 크기 구하기	30 %
❸ ∠AED의 크기 구하기	20 %

V-2. 작도와 합동　내·신·만·점·도·전·하·기

130~133쪽

01 ②	02 ⑤	03 ⑤	04 ③
05 ②	06 ㄹ, ㅁ	07 ③	08 ②
09 ④	10 ㄴ	11 ④	12 ③
13 8	14 ㄷ	15 7개	16 5
17 △BCG, △CDH, △DAE	18 풀이 참조	19 7 cm	
20 63°			

01 정삼각형의 작도 순서는 다음과 같다.
　　① 컴퍼스로 $\overline{AB}$의 길이를 재어 점 A, 점 B를 중심으로 하고 반지
　　름의 길이가 $\overline{AB}$인 원을 각각 그려 두 원의 교점을 C라 하자.
　　② 두 점 A, B와 점 C를 각각 연결한다.
　　따라서 이용된 작도 방법은 ② 길이가 같은 선분의 작도이다.

02 $\overline{OC}=\overline{OD}=\overline{AP}=\overline{AQ}$

03 ⑤ 동위각의 크기가 같으면 두 직선은 서로 평행하다는 성질을
이용한 것이다.

04 삼각형의 두 변의 길이의 합은 나머지 한 변의 길이보다 크므로
$x<4+6$에서 $x<10$
한편 x는 가장 긴 변의 길이이므로 $x>6$
∴ $6<x<10$

05 두 변의 길이와 그 끼인각의 크기가 주어진 경우 삼각형의 작도
는 다음과 같은 순서로 한다.
(i) 한 변의 길이 옮기기 → 끼인각의 크기 옮기기 → 다른 한 변
의 길이 옮기기 (①, ③)
(ii) 끼인각의 크기 옮기기 → 한 변의 길이 옮기기 → 다른 한 변
의 길이 옮기기 (④, ⑤)

06 ㄹ. 두 변의 길이 a, c와 그 끼인각이 아닌 ∠A가 주어졌으므로
삼각형을 하나로 작도할 수 없다.
ㅁ. 세 각의 크기가 주어지면 무수히 많은 삼각형을 작도할 수 있
다.

07 ③ 한 변의 길이와 그 양 끝각의 크기가 주어졌으므로 삼각형이
하나로 정해진다.
⑤ 가장 긴 변의 길이가 나머지 두 변의 길이의 합과 같으므로 삼
각형이 하나로 정해지지 않는다.

08 ② 세 각의 크기가 주어지면 모양은 같고 크기가 다른 삼각형을
무수히 많이 작도할 수 있으므로 삼각형이 하나로 정해지지
않는다.

09 $\overline{AB}$에 대응하는 변은 $\overline{EF}$이므로 $x=6$
∠F=∠B=45°이므로 △EFD에서
$y=180-(45+55)=80$
∴ $x+y=6+80=86$

10 ㄴ. 두 변의 길이만 주어졌으므로 합동인지 아닌지 알 수 없다.

11 △ABD와 △CAE에서 $\overline{AB}=\overline{CA}$, ∠D=∠E=90°,
∠DBA=90°−∠DAB=∠EAC이므로
∠DAB=∠ECA
∴ △ABD≡△CAE (ASA 합동)
∴ $\overline{DE}=\overline{DA}+\overline{AE}=\overline{CE}+\overline{BD}=5+12=17(cm)$

12 △BOH와 △COI에서 $\overline{OB}=\overline{OC}$, ∠OBH=∠OCI=45°,

∠BOH=90°−∠COH=∠COI이므로
△BOH≡△COI (ASA 합동)
따라서 두 정사각형의 겹쳐진 부분의 넓이는 △OBC의 넓이와
같으므로
$\dfrac{1}{4}\times10\times10=25(cm^2)$

13 크기가 같은 각의 작도와 평행선의 작도에서 컴퍼스는 다음과 같
이 사용한다.

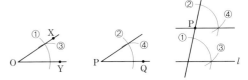

따라서 크기가 같은 각을 작도할 때 컴퍼스는 4회 사용하므로
$a=4$, 평행선을 작도할 때 컴퍼스는 4회 사용하므로 $b=4$
∴ $a+b=4+4=8$

14 ∠PAB와 크기가 같은 ∠APQ를 작도한 것이다.
ㄷ. $\overline{AQ}$와 $\overline{PQ}$는 항상 같지는 않다.

15 가장 긴 변의 길이는 나머지 두 변의 길이의 합보다 작아야 한다.
⋯⋯❶
삼각형의 세 변의 길이가 될 수 있는 경우는
(3 cm, 5 cm, 7 cm), (3 cm, 7 cm, 9 cm),
(3 cm, 9 cm, 11 cm), (5 cm, 7 cm, 9 cm),
(5 cm, 7 cm, 11 cm), (5 cm, 9 cm, 11 cm),
(7 cm, 9 cm, 11 cm)
이므로 만들 수 있는 삼각형은 7개이다. ⋯⋯❷

채점 기준	배점
❶ 삼각형이 될 수 있는 조건 이해하기	30 %
❷ 만들 수 있는 삼각형의 개수 구하기	70 %

16 $\overline{AB}=12$ cm, $\overline{AC}=10$ cm,
∠B=30°인 조건으로 작도하면 오른
쪽 그림과 같이 △ABC, △ABC′의
2개의 삼각형이 그려진다.
∴ $a=2$

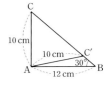

한 변의 길이가 8 cm, 두 각의 크기가 30°, 70°인 조건으로 작도
하면 다음 그림과 같이 3개의 삼각형이 그려진다.
∴ $b=3$

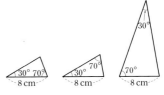

$$\therefore a+b=2+3=5$$

17 △ABQ≡△BCR≡△CDS≡△DAP (SAS 합동)이므로
∠BAQ=∠CBR=∠DCS=∠ADP　　　…… ㉠
∠ABF=90°−∠CBR, ∠BCG=90°−∠DCS,
∠CDH=90°−∠ADP, ∠DAE=90°−∠BAQ
㉠에 의해 ∠ABF=∠BCG=∠CDH=∠DAE
△ABF와 △BCG에서
$\overline{AB}=\overline{BC}$, ∠BAF=∠CBG, ∠ABF=∠BCG이므로
△ABF≡△BCG (ASA 합동)
마찬가지로 △ABF≡△BCG≡△CDH≡△DAE이다.

18 (1) ∠BCA=∠ECD=60°이므로
∠ACD=∠ACE+∠ECD
　　　=∠ACE+∠BCA
　　　=∠BCE　　　…… ❶
(2) △ACD와 △BCE에서
$\overline{AC}=\overline{BC}$, $\overline{CD}=\overline{CE}$, ∠ACD=∠BCE
∴ △ACD≡△BCE　　　…… ❷
대응하는 두 변의 길이가 같고 그 끼인각의 크기가 같으므로
SAS 합동이다.　　　…… ❸

채점 기준	배점
❶ ∠ACD=∠BCE임을 설명하기	40 %
❷ △ACD와 △BCE가 합동임을 설명하기	40 %
❸ 합동 조건 말하기	20 %

19 △ABD와 △ACE에서
$\overline{AB}=\overline{AC}$, $\overline{AD}=\overline{AE}$,
∠BAD=60°+∠CAD=∠CAE이므로
△ABD≡△ACE (SAS 합동)
∴ $\overline{CE}=\overline{BD}=3+4=7$(cm)

20 오른쪽 그림과 같이 $\overline{CD}$의 연장선 위에
△ABE와 △ADG가 합동이 되도록
점 G를 잡으면
∠BAE+∠DAF=45°이므로
∠DAG+∠DAF=45°
즉, ∠GAF=45°
△AEF와 △AGF에서
$\overline{AE}=\overline{AG}$, $\overline{AF}$는 공통,
∠EAF=∠GAF=45°이므로
△AEF≡△AGF (SAS 합동)
따라서 ∠AFE=180°−(45°+72°)=63°이므로
∠x=∠AFE=63°

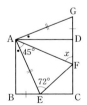

07. 다각형의 내각, 외각과 대각선　134~135쪽

01 ②, ④	02 ①	03 ④	04 ③
05 ③	06 ⑤	07 ②	08 ①
09 ④	10 ④	11 ⑤	12 ③
13 ④	14 45	15 10번	

01 ① 선분으로 둘러싸여 있지 않으므로 다각형이 아니다.
③ 부채꼴의 호는 곡선이므로 다각형이 아니다.
⑤ 입체도형이므로 다각형이 아니다.

02 다각형의 한 꼭짓점에서 (내각의 크기)+(외각의 크기)=180°이
므로 ∠A의 외각의 크기는 180°−120°=60°

03 ④ 오른쪽 그림과 같이 정육각형에서 대각선의
길이가 모두 같지는 않다.

04 다각형의 한 꼭짓점에서 (내각의 크기)+(외각의 크기)=180°
∴ $a+b=180$

05 n각형의 한 꼭짓점에서 그을 수 있는 대각선의 개수는
$(n-3)$개이므로 십각형의 한 꼭짓점에서 그을 수 있는 대각선
의 개수는 10−3=7(개)

06 (가)에서 구하는 다각형은 정다각형이다.
(나) n각형의 한 꼭짓점에서 그을 수 있는 대각선의 개수는
$(n-3)$개이므로 $n-3=5$　　　∴ $n=8$
따라서 구하는 다각형은 정팔각형이다.

07 n각형의 한 꼭짓점에서 대각선을 그을 때 생기는 삼각형의 개수
는 $(n-2)$개이므로 육각형은 6−2=4(개)의 삼각형으로 나누
어진다.

08 n각형의 내부의 한 점에서 각 꼭짓점에 선분을 그어 생기는 삼각
형의 개수는 n개이므로 꼭짓점의 개수는 7개이다.

09 팔각형의 한 꼭짓점에서 그을 수 있는 대각선의 개수는
8−3=5(개)이므로 $m=5$
이때 생기는 삼각형의 개수는 8−2=6(개)이므로 $n=6$
∴ $m+n=5+6=11$

10 십각형의 대각선의 총 개수는
$$\frac{10\times(10-3)}{2}=\frac{10\times7}{2}=35\text{(개)}$$

11 한 꼭짓점에서 그을 수 있는 대각선의 개수가 8개인 다각형을
  n각형이라 하면 $n-3=8$에서 $n=11$
  따라서 십일각형의 대각선의 총 개수는
  $$\frac{11 \times (11-3)}{2} = 44(개)$$

12 한 꼭짓점에서 대각선을 모두 그을 때 생기는 삼각형의 개수가
  7개인 다각형을 n각형이라 하면 $n-2=7$에서 $n=9$
  따라서 구각형의 대각선의 총 개수는
  $$\frac{9 \times (9-3)}{2} = 27(개)$$

13 대각선의 총 개수가 65개인 다각형을 n각형이라 하면
  $$\frac{n(n-3)}{2} = 65$$에서 $n(n-3)=130$
  $n(n-3)=13 \times 10$ ∴ $n=13$
  따라서 대각선의 총 개수가 65개인 다각형은 십삼각형이다.

14 [단계 ❶] 다각형에서 꼭짓점의 개수와 변의 개수는 같으므로
  $x=y$
  $2x=24$에서 $x=12$
  [단계 ❷] 따라서 십이각형의 한 꼭짓점에서 그을 수 있는 대각선
  의 개수는 $12-3=9$이므로 $m=9$
  대각선의 총 개수는 $\dfrac{12 \times (12-3)}{2} = \dfrac{12 \times 9}{2} = 54(개)$
  이므로 $n=54$
  [단계 ❸] ∴ $n-m=54-9=45$

채점 기준	배점
❶ x, y의 값 구하기	30 %
❷ m, n의 값 구하기	50 %
❸ $n-m$의 값 구하기	20 %

15 5명이 서로 한 번씩 악수를 하는 횟수는
  오각형의 변의 개수와 대각선의 총 개수의 합과 같다. …… ❶
  따라서 악수를 하는 총 횟수는
  $5 + \dfrac{5 \times (5-3)}{2} = 5+5 = 10(번)$이다. …… ❷

채점 기준	배점
❶ 악수하는 횟수를 오각형의 변의 개수와 대각선의 총 개수와 관련짓기	40 %
❷ 악수를 하는 총 횟수 구하기	60 %

01 ⑤	02 ②	03 ③	04 ⑤
05 ③	06 ①	07 ②	08 ②
09 ①	10 ③	11 ③	12 ①
13 ②	14 24°	15 105°	

01 삼각형 내각의 크기의 합은 180°이므로
  $(\angle x+10°) + \angle x + (2\angle x - 30°) = 180°$, $4\angle x - 20° = 180°$
  $4\angle x = 200°$ ∴ $\angle x = 50°$

02 삼각형의 세 내각의 크기를 각각 $7\angle x, 2\angle x, 9\angle x$라 하면
  $7\angle x + 2\angle x + 9\angle x = 180°$ ∴ $\angle x = 10°$
  따라서 삼각형의 세 내각의 크기는 각각
  $7\angle x = 7 \times 10° = 70°$, $2\angle x = 2 \times 10° = 20°$,
  $9\angle x = 9 \times 10° = 90°$
  이므로 직각삼각형이다.

03 삼각형의 세 내각의 크기를 각각 $4\angle x, 5\angle x, 3\angle x$라 하면
  $4\angle x + 5\angle x + 3\angle x = 180°$ ∴ $\angle x = 15°$
  가장 작은 내각의 크기는 $3\angle x = 3 \times 15° = 45°$
  따라서 가장 큰 외각은 가장 작은 내각과 이웃하고, 내각과 외각
  의 크기의 합은 180°이므로 $180° - 45° = 135°$

04 $(2\angle x + 15°) + (2\angle x - 10°) = 125°$, $4\angle x + 5° = 125°$
  $4\angle x = 120°$ ∴ $\angle x = 30°$

05 △ABC에서 $\angle x = 180° - (50° + 70°) = 60°$
  $\angle CDF = 180° - 140° = 40°$이므로 △CDF에서
  $\angle y + 40° = 70°$ ∴ $\angle y = 30°$
  ∴ $\angle x + \angle y = 60° + 30° = 90°$

06 $\angle IBC + \angle ICB = 180° - 110° = 70°$
  $\angle B + \angle C = 2(\angle IBC + \angle ICB) = 2 \times 70° = 140°$
  ∴ $\angle x = 180° - (\angle B + \angle C) = 180° - 140° = 40°$

07 오른쪽 그림의 △ECD에서
  $\angle AEB = \angle b + \angle d$
  따라서 △ABE에서
  $\angle x = \angle BAE + \angle AEB$
  $= \angle a + \angle b + \angle d$

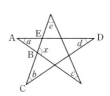

08 대각선의 총 개수가 35개인 다각형을 n각형이라 하면
  $$\frac{n(n-3)}{2} = 35$$에서 $n(n-3)=70$

$n(n-3)=10\times7$ $\quad$ $\therefore n=10$
따라서 십각형의 내각의 크기의 합은
$180°\times(10-2)=1440°$

09 내각의 크기의 합이 $1080°$인 다각형을 n각형이라 하면
$180°\times(n-2)=1080°$에서 $n-2=6$ $\quad$ $\therefore n=8$
따라서 팔각형의 꼭짓점의 개수는 8개이다.

10 외각의 크기의 합이 $360°$이므로
$55°+(180°-105°)+65°+\angle y+\angle x=360°$
$195°+\angle x+\angle y=360°$
$\therefore \angle x+\angle y=165°$

11 오른쪽 그림과 같이 보조선을 그으면
$\angle g+\angle h=30°+40°=70°$
육각형의 내각의 크기의 합은
$180°\times(6-2)=720°$이므로
$\angle a+\angle b+\angle c+\angle g+\angle h+\angle d+\angle e+\angle f=720°$
$\angle a+\angle b+\angle c+70°+\angle d+\angle e+\angle f=720°$
$\therefore \angle a+\angle b+\angle c+\angle d+\angle e+\angle f=650°$

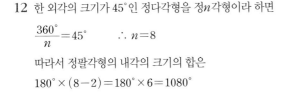

12 한 외각의 크기가 $45°$인 정다각형을 정n각형이라 하면
$\dfrac{360°}{n}=45°$ $\quad$ $\therefore n=8$
따라서 정팔각형의 내각의 크기의 합은
$180°\times(8-2)=180°\times6=1080°$

13 ① 정오각형의 내각의 크기의 합은
$180°\times(5-2)=180°\times3=540°$
② 정육각형의 한 외각의 크기는 $\dfrac{360°}{6}=60°$
③ 정팔각형의 한 내각의 크기는
$\dfrac{180°\times(8-2)}{8}=\dfrac{180°\times6}{8}=135°$
④ 내각의 크기의 합이 $1260°$인 다각형을 n각형이라 하면
$180°\times(n-2)=1260°$에서 $n-2=7$ $\quad$ $\therefore n=9$
따라서 구하는 다각형은 구각형이다.
⑤ 한 외각의 크기가 $36°$인 정다각형을 정n각형이라 하면
$\dfrac{360°}{n}=36°$ $\quad$ $\therefore n=10$
따라서 구하는 다각형은 정십각형이다.

14 [단계 ❶] $\triangle ABC$에서 $\overline{AB}=\overline{AC}$이므로
$\angle ACB=\angle ABC=\angle x$
$\therefore \angle CAD=\angle ABC+\angle ACB$
$\qquad =\angle x+\angle x=2\angle x$

[단계 ❷] $\triangle ACD$에서 $\overline{AC}=\overline{CD}$이므로
$\angle CDA=\angle CAD=2\angle x$
$\triangle DCE$에서 $\overline{CD}=\overline{DE}$이므로
$\angle DEC=\angle DCE$
$\qquad =\angle B+\angle BDC$
$\qquad =\angle x+2\angle x=3\angle x$

[단계 ❸] $\triangle DBE$에서 $\angle DBE+\angle DEB=96°$이므로
$\angle x+3\angle x=96°, 4\angle x=96°$
$\therefore \angle x=24°$

채점 기준	배점
❶ $\angle CAD$의 크기를 $\angle x$로 나타내기	30 %
❷ $\angle DEC$의 크기를 $\angle x$로 나타내기	40 %
❸ $\angle x$의 크기 구하기	30 %

15 $\angle ABP=90°-60°=30°$
$\triangle ABP$는 $\overline{AB}=\overline{BP}$인 이등변삼각형이므로
$\angle y=\angle BAP=\dfrac{1}{2}\times(180°-30°)=75°$ $\qquad\cdots$ ❶
$\triangle ABC$는 직각이등변삼각형이므로
$\angle BAC=\dfrac{1}{2}\times(180°-90°)=45°$
$\therefore \angle x=\angle BAP-\angle BAC$
$\qquad =75°-45°=30°$ $\qquad\cdots$ ❷
$\therefore \angle x+\angle y=30°+75°=105°$ $\qquad\cdots$ ❸

채점 기준	배점
❶ $\angle y$의 크기 구하기	40 %
❷ $\angle x$의 크기 구하기	40 %
❸ $\angle x+\angle y$의 크기 구하기	20 %

Ⅵ-1. 다각형의 성질 내·신·만·점·도·전·하·기 138~141쪽

01 ③	**02** ②	**03** ④	**04** ①
05 ⑤	**06** ⑤	**07** ④	**08** ②
09 ⑤	**10** ③	**11** ④	**12** ⑤
13 ②	**14** ④	**15** ③	**16** 30개
17 720°	**18** 35개	**19** 360°	**20** 100°
21 50°	**22** 45°	**23** 18°	

01 다각형은 ㄱ. 삼각형, ㄷ. 육각형, ㅁ. 마름모의 3개이다.

02 ② 세 개 이상의 선분으로 둘러싸인 평면도형을 다각형이라 한다.

03 (가), (나)에서 구하는 다각형은 정다각형이다.
(다)에서 다각형에서 꼭짓점의 개수와 변의 개수는 같으므로 꼭짓점의 개수와 변의 개수의 합이 12개인 다각형은 육각형이다.
따라서 조건을 모두 만족하는 다각형은 정육각형이다.

04 다각형의 한 꼭짓점에서 그을 수 있는 대각선의 수는 $(n-3)$개이고, 이때 생기는 삼각형의 개수는 대각선의 개수보다 하나 많은 $(n-2)$개이다.
따라서 구하는 다각형을 n각형이라 하면
$a=n-3, b=n-2$이므로
$b-a=(n-2)-(n-3)=1$

05 (구각형의 대각선의 총 개수)
$$=\frac{9\times(9-3)}{2}=27(\text{개})$$
(십각형의 대각선의 총 개수)
$$=\frac{10\times(10-3)}{2}=35(\text{개})$$
따라서 구각형의 대각선의 총 개수와 십각형의 대각선의 총 개수의 합은 $27+35=62$(개)

06 십이각형의 한 꼭짓점에서 그을 수 있는 대각선의 개수는
$12-3=9$(개)이므로 $a=9$
십이각형의 내부의 한 점에서 각 꼭짓점에 선분을 그었을 때 생기는 삼각형의 개수는 12개이므로 $b=12$
$\therefore a+b=9+12=21$

07 △ABC에서 $\angle\text{ACD}=40\degree+70\degree=110\degree$
△FCD에서
$3\angle x+40\degree=110\degree+\angle x, 2\angle x=70\degree$
$\therefore \angle x=35\degree$

08 △BCD는 이등변삼각형이므로
$\angle\text{DCB}=\angle\text{DBC}=\angle x$
$\angle\text{ADC}=\angle\text{DCB}+\angle\text{DBC}=2\angle x$
△CAD는 이등변삼각형이므로
$\angle\text{CDA}=\angle\text{CAD}=70\degree$
$2\angle x=70\degree$ $\therefore \angle x=35\degree$

09 외각의 크기의 합이 360°이므로

$80\degree+75\degree+70\degree+(180\degree-\angle x)+85\degree=360\degree$
$490\degree-\angle x=360\degree$ $\therefore \angle x=130\degree$

10 오른쪽 그림에서 삼각형의 세 외각의 크기의 합이 360°이므로
$\angle a+\angle b+\angle c+\angle d+\angle e+\angle f$
$=360\degree$

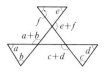

11 삼각형의 세 내각의 크기를 각각 $\angle\text{A}$, $\angle\text{B}$, $\angle\text{C}$, 세 외각의 크기를 각각 $\angle a$, $\angle b$, $\angle c$라 하면
$\angle a : \angle b : \angle c=2:3:4$이므로
$\angle a=360\degree\times\frac{2}{2+3+4}=360\degree\times\frac{2}{9}=80\degree$
마찬가지로
$\angle b=360\degree\times\frac{3}{9}=120\degree$
$\angle c=360\degree\times\frac{4}{9}=160\degree$
$\therefore \angle\text{A}=180\degree-\angle a=180\degree-80\degree=100\degree$
마찬가지로 $\angle\text{B}=60\degree$, $\angle\text{C}=20\degree$
$\therefore \angle\text{A} : \angle\text{B} : \angle\text{C}=100\degree:60\degree:20\degree$
$=5:3:1$

12 $\angle\text{ECD}=\angle a$, $\angle\text{EDC}=\angle b$라 하면
$\angle\text{A}+\angle\text{B}+\angle\text{C}+\angle\text{D}=360\degree$이므로
$120\degree+80\degree+2\angle a+2\angle b=360\degree$
$2(\angle a+\angle b)=160\degree$ $\therefore \angle a+\angle b=80\degree$
따라서 △DEC에서
$\angle x=180\degree-(\angle a+\angle b)=180\degree-80\degree=100\degree$

13 ② 점 O에 모인 각의 크기의 총합은 360°이다.

14 구하는 다각형을 n각형이라 하면
$1500\degree<180\degree\times(n-2)<1700\degree$
$n=10$이면 $180\degree\times(10-2)=1440\degree$
$n=11$이면 $180\degree\times(11-2)=1620\degree$
$n=12$이면 $180\degree\times(12-2)=1800\degree$
따라서 조건을 만족하는 다각형은 십일각형이다.

15 내각의 크기의 합이 1440°인 정다각형을 정n각형이라 하면
$180\degree\times(n-2)=1440\degree$에서 $n-2=8$ $\therefore n=10$
따라서 정십각형의 한 외각의 크기는
$\frac{360\degree}{10}=36\degree$

16 주어진 도형에서 찾을 수 있는 정다각형에는 정삼각형과 정육각형

이 있다.

정삼각형의 개수는 한 변에 놓인 막대의 개수에 따라

1개짜리 : 16개,
2개짜리 : 7개,
3개짜리 : 3개,
4개짜리 : 1개

27개

정육각형의 개수는 3개

따라서 정다각형의 개수는 $27+3=30$(개)이다.

17 오른쪽 그림과 같이 보조선을 그으면
$\angle m+\angle n=\angle i+\angle k$

따라서 구하는 각은 오각형의 내각의 크기의
합과 삼각형의 내각의 크기의 합을 더한 것
과 같다.

∴ $\angle a+\angle b+\angle c+\angle d+\angle e+\angle f+\angle g+\angle h$
$=540°+180°=720°$

18 한 내각의 크기가 $144°$인 정다각형을 정n각형이라 하면

$\dfrac{180°\times(n-2)}{n}=144°$ ...... ❶

$180°\times(n-2)=144°\times n$

$180°\times n-360°=144°\times n$

$36°\times n=360°$ ∴ $n=10$ ...... ❷

따라서 정십각형이므로 대각선의 총 개수는

$\dfrac{10\times(10-3)}{2}=35$(개)이다. ...... ❸

채점 기준	배점
❶ 한 내각의 크기를 구하는 식 세우기	40 %
❷ 정다각형 구하기	30 %
❸ 대각선의 총 개수 구하기	30 %

19 (△ADG의 내각의 크기의 합)+(△BED의 내각의 크기의 합)
$\quad$+(△CGF의 내각의 크기의 합)
$=180°\times 3=540°$

$\angle A+\angle B+\angle C+\angle a+\angle b+\angle c+\angle d+\angle e+\angle f=540°$

$\angle A+\angle B+\angle C=180°$이므로

$\angle a+\angle b+\angle c+\angle d+\angle e+\angle f=540°-180°=360°$

20 △ABC에서 $\angle ABC+\angle BAC=135°$

$30°+\angle BAC=135°$ ∴ $\angle BAC=105°$ ...... ❶

∴ $\angle EAC=\dfrac{1}{3}\times\angle BAC=\dfrac{1}{3}\times 105°=35°$ ...... ❷

△AEC에서

$\angle EAC+\angle x=135°$

$35°+\angle x=135°$ ∴ $\angle x=100°$ ...... ❸

채점 기준	배점
❶ $\angle BAC$의 크기 구하기	40 %
❷ $\angle EAC$의 크기 구하기	20 %
❸ $\angle x$의 크기 구하기	40 %

21 △ABC에서

$\angle A$의 외각의 크기는 $180°-80°=100°$이므로

$100°+\angle DBC+\angle ECB=360°$

$\angle DBC+\angle ECB=260°$

∴ $\angle OBC+\angle OCB=\dfrac{1}{2}(\angle DBC+\angle ECB)$

$=\dfrac{1}{2}\times 260°=130°$

∴ $\angle x=180°-(\angle OBC+\angle OCB)$

$=180°-130°=50°$

22 $\angle C=\dfrac{180°\times(8-2)}{8}=135°$ ...... ❶

△BCD는 $\overline{BC}=\overline{CD}$인 이등변삼각형이므로

$\angle BDC=\dfrac{1}{2}\times(180°-135°)=22.5°$

$\angle D=135°$이고 △CDE는 $\overline{CD}=\overline{DE}$인 이등변삼각형이므로

$\angle ECD=\dfrac{1}{2}\times(180°-135°)=22.5°$ ...... ❷

따라서 △PCD에서

$\angle EPD=\angle PCD+\angle PDC=22.5°+22.5°=45°$ ...... ❸

채점 기준	배점
❶ $\angle C$의 크기 구하기	30 %
❷ $\angle BDC$, $\angle ECD$의 크기 구하기	40 %
❸ $\angle EPD$의 크기 구하기	30 %

23 정오각형의 한 내각의 크기는

$\dfrac{180°\times(5-2)}{5}=108°$

오른쪽 그림과 같이 $l\;/\!/\;n\;/\!/\;m$이 되도
록 보조선 n을 그으면

$\angle AED=3\angle x+(72°-\angle x)=108°$

$2\angle x=36°$ ∴ $\angle x=18°$

01 ④	02 ②	03 ④	04 ③
05 ⑤	06 ②	07 ④	08 ③
09 ②	10 ⑤	11 ①	12 ③
13 ④	14 80°	15 1 : 3	

01 ④ $\overline{OA}=\overline{OE}$인 이등변삼각형

02 부채꼴의 호의 길이와 넓이는 각각 중심각의 크기에 정비례하므로 $\angle AOB$의 크기가 2배로 될 때 ㄱ. 호 AB의 길이, ㄷ. 부채꼴 OAB의 넓이도 각각 2배로 된다.

03 $\overset{\frown}{PQ}=\overset{\frown}{PR}$이므로 $\angle POQ=\angle POR$이다.
같은 크기의 중심각에 대한 현의 길이는 같으므로
$\overline{PR}=\overline{PQ}=7\,cm$
한 원의 반지름의 길이는 같으므로
$\overline{OR}=\overline{OQ}=4\,cm$
따라서 색칠한 부분의 둘레의 길이는
$\overline{PQ}+\overline{PR}+\overline{OR}+\overline{OQ}=7+7+4+4=22\,(cm)$

04 부채꼴의 호의 길이는 중심각의 크기에 정비례하므로
$30°:80°=6:x$, $3:8=6:x$, $3x=48$
$\therefore x=16$

05 부채꼴의 호의 길이는 중심각의 크기에 정비례하므로
$6:2=(2x+10):(x-10)$
$3:1=(2x+10):(x-10)$
$2x+10=3(x-10)$, $2x+10=3x-30$
$\therefore x=40$

06 $\overset{\frown}{AB}:\overset{\frown}{BC}:\overset{\frown}{CA}=2:3:4$이므로
$\angle AOB:\angle BOC:\angle COA=2:3:4$
$\therefore \angle BOC=360°\times\dfrac{3}{2+3+4}=120°$

07 $\overset{\frown}{AB}=3\overset{\frown}{BC}$이므로 $\overset{\frown}{AB}:\overset{\frown}{BC}=3:1$
$\therefore \angle AOB=180°\times\dfrac{3}{3+1}=135°$

08 $\overset{\frown}{BC}:\overset{\frown}{AC}=2:10=1:5$이므로
$\angle BOC:\angle AOC=1:5$
$\therefore \angle BOC=180°\times\dfrac{1}{1+5}=30°$

09 $\overline{AC}/\!/\overline{OD}$이므로 $\angle CAO=\angle DOB=20°$(동위각)
오른쪽 그림과 같이 $\overline{OC}$를 그으면
$\overline{OA}=\overline{OC}$(반지름)이므로
$\angle OCA=\angle OAC=20°$ 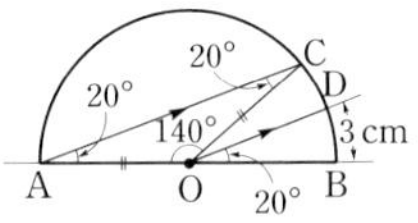
$\therefore \angle AOC=180°-(20°+20°)=140°$
$\therefore \angle AOC:\angle BOD=140°:20°=7:1$
즉, $\overset{\frown}{AC}:\overset{\frown}{BD}=7:1$이므로 $\overset{\frown}{AC}:3=7:1$
$\therefore \overset{\frown}{AC}=21\,(cm)$

10 $\triangle OBA$는 $\overline{OA}=\overline{OB}$인 이등변삼각형이므로
$\angle OAB=\angle OBA=\dfrac{1}{2}\times(180°-120°)=30°$
$\overline{AB}/\!/\overline{CD}$이므로 $\angle AOC=\angle OAB=30°$(엇각)
$\overset{\frown}{AC}:\overset{\frown}{AB}=\angle AOC:\angle AOB$에서
$\overset{\frown}{AC}:\overset{\frown}{AB}=30°:120°=1:4$ $\therefore \overset{\frown}{AB}=4\overset{\frown}{AC}$
따라서 $\overset{\frown}{AB}$의 길이는 $\overset{\frown}{AC}$의 길이의 4배이다.

11 $\overset{\frown}{AB}:\overset{\frown}{BC}=3:2$이므로 $\angle AOB:\angle BOC=3:2$
$\therefore \angle AOB=180°\times\dfrac{3}{3+2}=108°$
$\triangle AOB$는 $\overline{OA}=\overline{OB}$인 이등변삼각형이므로
$\angle OAB=\dfrac{1}{2}\times(180°-108°)=36°$

12 부채꼴의 넓이는 중심각의 크기에 정비례하므로
$8:12=60°:\angle x$, $2:3=60°:\angle x$, $2\angle x=180°$
$\therefore \angle x=90°$

13 ④ 중심각의 크기와 현의 길이는 정비례하지 않는다.

14 [단계 ❶] $\overline{CE}$가 지름이고 $\overset{\frown}{CD}:\overset{\frown}{DE}=7:2$이므로
$\angle COD:\angle DOE=7:2$
$\therefore \angle DOE=180°\times\dfrac{2}{7+2}=40°$
[단계 ❷] $\overset{\frown}{AB}:\overset{\frown}{DE}=3:2$이므로
$\angle AOB:\angle DOE=3:2$
즉, $\angle AOB:40°=3:2$이므로
$2\angle AOB=120°$ $\therefore \angle AOB=60°$
[단계 ❸] $\therefore \angle AOE=180°-(\angle AOB+\angle EOD)$
$=180°-(60°+40°)=80°$

[다른 풀이]
$\overset{\frown}{AB}:\overset{\frown}{CD}:\overset{\frown}{DE}=3:7:2$이므로
$\overset{\frown}{AB}=3k$라 하면 $\overset{\frown}{CD}=7k$, $\overset{\frown}{DE}=2k$
이때 반원의 호인 $\overset{\frown}{CDE}=7k+2k=9k$이므로 $\overset{\frown}{BAD}=9k$이다.
즉, $\overset{\frown}{AE}=9k-(\overset{\frown}{AB}+\overset{\frown}{DE})=9k-(3k+2k)=4k$
따라서 $\overset{\frown}{AB}:\overset{\frown}{AE}:\overset{\frown}{DE}=3k:4k:2k=3:4:2$이므로
$\angle AOE=180°\times\dfrac{4}{3+4+2}=80°$

채점 기준	배점
❶ ∠DOE의 크기 구하기	40 %
❷ ∠AOB의 크기 구하기	40 %
❸ ∠AOE의 크기 구하기	20 %

15 $\triangle$PCO는 $\overline{PC}=\overline{CO}$인 이등변삼각형이므로

$\angle COP=\angle CPO=25°$

$\angle OCD=\angle CPO+\angle COP=25°+25°=50°$

$\triangle$OCD는 $\overline{OC}=\overline{OD}$(반지름)인 이등변삼각형이므로

$\angle ODC=\angle OCD=50°$ ...... ❶

$\triangle$OPD에서

$\angle BOD=\angle OPD+\angle ODP=25°+50°=75°$ ...... ❷

$\therefore \widehat{AC}:\widehat{BD}=\angle AOC:\angle BOD$

$=25°:75°=1:3$ ...... ❸

채점 기준	배점
❶ ∠ODC의 크기 구하기	40 %
❷ ∠BOD의 크기 구하기	40 %
❸ $\widehat{AC}:\widehat{BD}$ 구하기	20 %

---

10. 부채꼴의 호의 길이와 넓이

144〜145쪽

01 ⑤	02 ②	03 ②	04 ③
05 ②	06 ④	07 ③	08 ③
09 ①	10 ②	11 ③	12 ②
13 ④	14 12π cm²	15 $(16\pi+180)$ cm²	

01 (색칠한 부분의 둘레의 길이)

= (지름의 길이가 8 cm인 원의 둘레의 길이)

+ (지름의 길이가 5 cm인 원의 둘레의 길이)

+ (지름의 길이가 3 cm인 원의 둘레의 길이)

$=2\pi\times 4+2\pi\times\dfrac{5}{2}+2\pi\times\dfrac{3}{2}$

$=8\pi+5\pi+3\pi=16\pi(\text{cm})$

02 3개의 작은 원의 넓이의 합이 12π cm²이므로 작은 원 한 개의

넓이는 $12\pi\times\dfrac{1}{3}=4\pi(\text{cm}^2)$ 이다.

작은 원의 반지름의 길이를 r cm라 하면

$\pi\times r^2=4\pi$, $r^2=4$ $\therefore r=2(\text{cm})$

큰 원의 반지름의 길이는 $3r$ cm이므로 $3r=3\times 2=6(\text{cm})$

$\therefore$ (색칠한 부분의 넓이)$=\pi\times 6^2-12\pi$

$=36\pi-12\pi=24(\text{cm}^2)$

03 (색칠한 부분의 넓이)

= (지름의 길이가 10 cm인 반원의 넓이)

+ (지름의 길이가 6 cm인 반원의 넓이)

− (지름의 길이가 4 cm인 반원의 넓이)

$=\dfrac{1}{2}\times\pi\times 5^2+\dfrac{1}{2}\times\pi\times 3^2-\dfrac{1}{2}\times\pi\times 2^2$

$=\dfrac{25}{2}\pi+\dfrac{9}{2}\pi-2\pi=\dfrac{30}{2}\pi=15\pi(\text{cm}^2)$

04 (색칠한 부분의 둘레의 길이)

= (지름의 길이가 20 cm인 원의 둘레의 길이)

+ (지름의 길이가 10 cm인 원의 둘레의 길이)

$=2\pi\times 10+2\pi\times 5$

$=20\pi+10\pi=30\pi(\text{cm})$

(색칠한 부분의 넓이)

= (지름의 길이가 20 cm인 원의 넓이)

− (지름의 길이가 10 cm인 원의 넓이)

$=\pi\times 10^2-\pi\times 5^2$

$=100\pi-25\pi=75\pi(\text{cm}^2)$

05 $2\pi\times 12\times\dfrac{120}{360}=8\pi(\text{cm})$

06 $\pi\times 6^2\times\dfrac{60}{360}=6\pi(\text{cm}^2)$

07 $2\pi\times 9\times\dfrac{x}{360}=6\pi$

$\therefore x=6\times 20=120$

08 $2\pi\times 5\times\dfrac{108}{360}+5\times 2=3\pi+10(\text{cm})$

09 (색칠한 부분의 둘레의 길이)

$=2\pi\times 4\times\dfrac{30}{360}+2\pi\times 2\times\dfrac{30}{360}+2\times 2$

$=\pi+4(\text{cm})$

10 오른쪽 그림의 $\triangle$AOO′에서

$\overline{AO}=\overline{OO'}=\overline{O'A}=3$ cm이므로

$\triangle$AOO′은 정삼각형이다.

$\therefore \angle AOO'=60°$

마찬가지로 $\triangle$BOO′도 정삼각형이므로

$\angle BOO'=60°$

따라서 $\angle AOB=120°$이므로

(색칠한 부분의 둘레의 길이)

$=2\widehat{AB}=2\times\left(2\pi\times 3\times\dfrac{120}{360}\right)=4\pi(\text{cm})$

11 부채꼴의 중심각의 크기를 $x°$라 하면

$$2\pi \times 6 \times \frac{x}{360} = 3\pi \qquad \therefore x = 90(°)$$

$\therefore$ (색칠한 부분의 넓이)

$$= \pi \times 6^2 \times \frac{90}{360} - \pi \times 4^2 \times \frac{90}{360}$$

$$= 9\pi - 4\pi = 5\pi\,(\text{cm}^2)$$

12 오른쪽 그림과 같이 이동하면 색칠한 부분의 넓이는 두 변의 길이가 8 cm인 직각이등변삼각형의 넓이와 같으므로

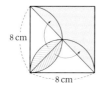

$$\frac{1}{2} \times 8 \times 8 = 32\,(\text{cm}^2)$$

13 오른쪽 그림과 같이 이동하면 반지름의 길이가 4 cm, 중심각의 크기가 90°인 부채꼴 2개가 생긴다.

$\therefore$ (색칠한 부분의 넓이)

$$= \left(\pi \times 4^2 \times \frac{1}{4}\right) \times 2$$

$$= 8\pi\,(\text{cm}^2)$$

14 [단계 ❶] $\overline{OA}$를 그으면 $\triangle AO'C$와 $\triangle AOB$의 넓이가 같으므로 오른쪽 그림과 같이 이동하면 색칠한 부분의 넓이는 부채꼴 AOB의 넓이와 같다.

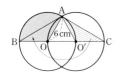

[단계 ❷] $\triangle AOO'$은 정삼각형이므로 $\angle AOO' = 60°$

$\therefore \angle AOB = 180° - 60° = 120°$

[단계 ❸] $\therefore$ (색칠한 부분의 넓이)

$$= \pi \times 6^2 \times \frac{120}{360} = 12\pi\,(\text{cm}^2)$$

채점 기준	배점
❶ 색칠한 부분을 모아 부채꼴 만들기	40 %
❷ 부채꼴의 중심각의 크기 구하기	30 %
❸ 색칠한 부분의 넓이 구하기	30 %

15 원이 지나간 부분은 오른쪽 그림과 같다. $\cdots\cdots$ ❶

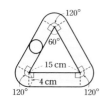

$\therefore$ (원이 지나간 부분의 넓이)

$$= (\text{직사각형의 넓이}) \times 3$$

$$\quad + (\text{반지름의 길이가 4 cm인 원의}$$

$$\quad\quad\text{넓이}) \qquad\qquad\qquad \cdots\cdots ❷$$

$$= (15 \times 4) \times 3 + \pi \times 4^2$$

$$= 16\pi + 180\,(\text{cm}^2) \qquad\qquad \cdots\cdots ❸$$

채점 기준	배점
❶ 원이 지나간 부분을 그림으로 나타내기	30 %
❷ 원이 지나간 부분의 넓이 구하는 식 세우기	30 %
❸ 원이 지나간 부분의 넓이 구하기	40 %

Ⅵ-2. 부채꼴의 성질 내·신·만·점·도·전·하·기 146~149쪽

01 ③	**02** ③	**03** ④	**04** ②
05 ④	**06** ②	**07** ②	**08** ①
09 ④	**10** ②	**11** ①	**12** ⑤
13 ④	**14** ⑤	**15** ⑤	

16 둘레의 길이 : $(6\pi + 20)$ cm, 넓이 : 30π cm²

17 [내]의 끈이 6 cm 더 길다. **18** 128 cm²

19 $(4\pi + 8)$ cm² **20** 4π cm **21** $\dfrac{113}{4}\pi$ m²

22 $(36\pi - 72)$ cm² **23** 12π cm

01 ③ 현과 호로 이루어진 도형은 활꼴이다.

02 $\angle AOB = 3\angle BOC$이므로

① $\overline{AB} < 3\overline{BC}$

② $\angle AOC = 4\angle BOC$이므로 $\widehat{AC} = 4\widehat{BC}$

③ $\triangle OAB$는 정삼각형이므로 $\overline{OA} = \overline{AB}$

④ $\widehat{AB} = 3\widehat{BC}$

⑤ $\triangle AOB$의 넓이와 $\triangle BOC$의 넓이는 중심각의 크기에 정비례하지 않는다.

03 부채꼴의 호의 길이는 중심각의 크기에 정비례하므로

$30 : 150 = 2 : x$, $1 : 5 = 2 : x$ $\qquad \therefore x = 10$

$30 : y = 2 : 4$, $30 : y = 1 : 2$ $\qquad \therefore y = 60$

$\therefore x + y = 10 + 60 = 70$

04 $\widehat{AB} : \widehat{BC} : \widehat{CA} = 3 : 5 : 7$이므로

$\angle AOB : \angle BOC : \angle COA = 3 : 5 : 7$

$\therefore \angle AOB = 360° \times \dfrac{3}{3+5+7} = 360° \times \dfrac{1}{5} = 72°$

05 부채꼴의 호의 길이는 중심각의 크기에 정비례하므로

$3 : 12 = \angle AOC : \angle BOC$

$1 : 4 = \angle AOC : \angle BOC$

$\angle AOB = 180°$이므로

$\angle AOC = 180° \times \dfrac{1}{1+4} = 36°$

$\triangle OCA$는 $\overline{OA} = \overline{OC}$인 이등변삼각형이므로

$\angle ACO = \dfrac{1}{2} \times (180° - 36°) = \dfrac{1}{2} \times 144° = 72°$

06 $\triangle ODA$에서 $\overline{OA} = \overline{OD}$이므로 $\angle OAD = \angle ODA = 30°$

$\angle COD = \angle ODA = 30°$(엇각)

$\angle AOB = \angle OAD + \angle ODA = 30° + 30° = 60°$

$\overset{\frown}{AB} : \overset{\frown}{CD} = \angle AOB : \angle COD$이므로

$\overset{\frown}{AB} : 3 = 60° : 30°, \ \overset{\frown}{AB} : 3 = 2 : 1$

$\therefore \overset{\frown}{AB} = 6(cm)$

07 $\triangle DCO$에서 $\overline{OD} = \overline{CD}$이므로 $\angle DOB = \angle x$라 하면

$\angle DCO = \angle DOB = \angle x$

$\angle EDO = \angle DCO + \angle DOB = \angle x + \angle x = 2\angle x$

$\overline{OD} = \overline{OE}$이므로 $\angle OED = \angle ODE = 2\angle x$

$\triangle ECO$에서

$\angle EOA = \angle ECO + \angle OEC = \angle x + 2\angle x = 3\angle x$

$\therefore \overset{\frown}{BD} : \overset{\frown}{AE} = \angle BOD : \angle EOA = \angle x : 3\angle x = 1 : 3$

08 작은 원 한 개의 넓이는 $36\pi \times \dfrac{1}{4} = 9\pi(cm^2)$이므로

작은 원의 반지름의 길이를 r cm라 하면

$\pi \times r^2 = 9\pi, \ r^2 = 9 \qquad \therefore r = 3(cm)$

4개의 작은 원의 둘레의 길이의 합은

$(2\pi \times 3) \times 4 = 24\pi(cm)$

큰 원의 반지름의 길이는 $4r$ cm이므로 $4r = 4 \times 3 = 12(cm)$

큰 원의 둘레의 길이는 $2\pi \times 12 = 24\pi(cm)$

따라서 큰 원의 둘레의 길이는 작은 원의 둘레의 길이의 합의 1배이다.

09 $\overset{\frown}{AB} : \overset{\frown}{BC} : \overset{\frown}{CA} = 3 : 4 : 5$이므로

$\angle AOB : \angle BOC : \angle AOC = 3 : 4 : 5$

위 세 각의 크기의 합이 360°이므로

$\angle AOB = 360° \times \dfrac{3}{3+4+5} = 90°$

$\therefore$ (부채꼴 AOB의 넓이) $= \pi \times 6^2 \times \dfrac{90}{360} = 9\pi(cm^2)$

10 (부채꼴의 넓이) $= \dfrac{1}{2} \times$ (반지름의 길이) $\times$ (호의 길이)

$= \dfrac{1}{2} \times 5 \times 6 = 15(cm^2)$

11 작은 부채꼴 OAB의 넓이가 $12\pi \ cm^2$이므로 $\angle AOB$의 크기를 $x°$라 하면

$\pi \times 6^2 \times \dfrac{x}{360} = 12\pi \qquad \therefore x = 120(°)$

따라서 색칠한 부분의 넓이는

$\pi \times 3^2 \times \dfrac{120}{360} + \pi \times 6^2 \times \dfrac{240}{360} - \pi \times 3^2 \times \dfrac{240}{360}$

$= 3\pi + 24\pi - 6\pi = 21\pi(cm^2)$

12 오른쪽 그림에서

(색칠한 부분의 넓이)

$= (\triangle EBF$의 넓이$)$

$\quad + ($부채꼴 EFC의 넓이$)$

$= \dfrac{1}{2} \times 6 \times 6 + \pi \times 6^2 \times \dfrac{90}{360}$

$= 9\pi + 18(cm^2)$

13 구하는 넓이는 오른쪽 그림의 색칠한 부분의 넓이의 8배이므로

$\left(\pi \times 4^2 \times \dfrac{90}{360} - \dfrac{1}{2} \times 4 \times 4\right) \times 8$

$= (4\pi - 8) \times 8 = 32\pi - 64(cm^2)$

14 오른쪽 그림과 같이 이동하면 구하는 넓이는 가로의 길이가 10 cm, 세로의 길이가 5 cm인 직사각형의 넓이와 같으므로 $10 \times 5 = 50(cm^2)$

15 오른쪽 그림과 같이 $\overline{AC}$, $\overline{BC}$를 그어 호 AC와 현 AC로 이루어진 활꼴 부분을 이동하면 색칠한 부분은 $\triangle ABC$와 같게 된다. 따라서 색칠한 부분의 넓이는

$\dfrac{1}{2} \times \overline{AB} \times \overline{CO} = \dfrac{1}{2} \times 20 \times 10 = 100(cm^2)$

16 (정오각형의 한 내각의 크기)

$= \dfrac{180° \times (5-2)}{5} = 108°$ ······ ❶

(색칠한 부채꼴의 둘레의 길이)

$= \left(2\pi \times 10 \times \dfrac{108}{360}\right) + 10 \times 2 = 6\pi + 20(cm)$ ······ ❷

(색칠한 부채꼴의 넓이)

$= \pi \times 10^2 \times \dfrac{108}{360} = 30\pi(cm^2)$ ······ ❸

채점 기준	배점
❶ 정오각형의 한 내각의 크기 구하기	20 %
❷ 색칠한 부채꼴의 둘레의 길이 구하기	40 %
❸ 색칠한 부채꼴의 넓이 구하기	40 %

17 오른쪽 그림에서

[가]에 사용된 끈의 길이는

$2\pi \times 3 + 6 \times 3 = 6\pi + 18\,(\text{cm})$

[나]에 사용된 끈의 길이는

$2\pi \times 3 + 12 \times 2$

$= 6\pi + 24\,(\text{cm})$

따라서 [나]에 사용된 끈이 [가]에 사용된 끈보다

$6\pi + 24 - (6\pi + 18) = 6\,(\text{cm})$ 더 길다.

18 오른쪽 그림과 같이 색칠한 부분 중 반원
인 부분을 이동하면 색칠한 부분은 가로
의 길이가 $8\,\text{cm}$, 세로의 길이가
$16\,\text{cm}$인 직사각형이 된다.

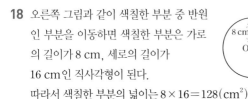

따라서 색칠한 부분의 넓이는 $8 \times 16 = 128\,(\text{cm}^2)$

19 (부채꼴 AOM의 넓이)

$= \pi \times 4^2 \times \dfrac{90}{360} = 4\pi\,(\text{cm}^2)$ ······ ❶

(사각형 ABNO의 넓이) $= 8 \times 4 = 32\,(\text{cm}^2)$ ······ ❷

($\triangle$BNM의 넓이) $= \dfrac{1}{2} \times 4 \times 12 = 24\,(\text{cm}^2)$ ······ ❸

∴ (색칠한 부분의 넓이)

$\quad =$ (부채꼴 AOM의 넓이) $+$ (사각형 ABNO의 넓이)

$\qquad -$ ($\triangle$BNM의 넓이)

$\quad = 4\pi + 32 - 24 = 4\pi + 8\,(\text{cm}^2)$ ······ ❹

채점 기준	배점
❶ 부채꼴 AOM의 넓이 구하기	30 %
❷ 사각형 ABNO의 넓이 구하기	20 %
❸ △BNM의 넓이 구하기	30 %
❹ 색칠한 부분의 넓이 구하기	20 %

20 오른쪽 그림에서

$\triangle$ABF와 $\triangle$EBC는 정삼각형이므로

$\angle$ABF $= 60°$이고

$\angle$FBC $= 90° - 60° = 30°$

$\angle$EBC $= 60°$이고

$\angle$ABE $= 90° - 60° = 30°$

$\angle$EBF $= 90° - (30° + 30°) = 30°$이므로

$\widehat{\text{EF}} = 2\pi \times 6 \times \dfrac{30}{360} = \pi\,(\text{cm})$

따라서 색칠한 부분의 둘레의 길이는 $\widehat{\text{EF}}$의 길이의 4배이므로

$\pi \times 4 = 4\pi\,(\text{cm})$

21 강아지가 움직일 수 있는 부분은 오
른쪽 그림의 색칠한 부분과 같으므
로 구하는 넓이는

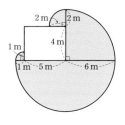

$\pi \times 6^2 \times \dfrac{3}{4} + \pi \times 2^2 \times \dfrac{1}{4}$

$\quad + \pi \times 1^2 \times \dfrac{1}{4}$

$= 27\pi + \pi + \dfrac{1}{4}\pi = \dfrac{113}{4}\pi\,(\text{m}^2)$

22 구하는 넓이는 오른쪽 그림의 색칠한 부분의
넓이의 4배이므로

(색칠한 부분의 넓이)

$\quad = \{$(반지름의 길이가 $6\,\text{cm}$, 중심각의 크기

$\qquad$가 $90°$인 부채꼴의 넓이) $-$ (대각선의 길이가 $6\,\text{cm}$인 정사

$\qquad$각형의 넓이)$\} \times 4$

$\quad = \left(\pi \times 6^2 \times \dfrac{90}{360} - \dfrac{1}{2} \times 6 \times 6\right) \times 4$

$\quad = (9\pi - 18) \times 4 = 36\pi - 72\,(\text{cm}^2)$

23 점 A는 다음 그림과 같이 화살표를 따라 움직인다.

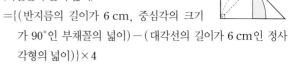 ······ ❶

∴ (점 A가 움직인 거리)

$\quad = 2\pi \times 6 \times \dfrac{90}{360} + 2\pi \times 10 \times \dfrac{90}{360} + 2\pi \times 8 \times \dfrac{90}{360}$ ······ ❷

$\quad = 3\pi + 5\pi + 4\pi = 12\pi\,(\text{cm})$ ······ ❸

채점 기준	배점
❶ 점 A가 움직인 모양 그리기	40 %
❷ 식 세우기	40 %
❸ 점 A가 움직인 거리 구하기	20 %

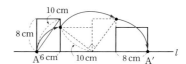

11. 다면체   150~151쪽

01 ②	02 ⑤	03 ⑤	04 ③
05 ①	06 ④	07 ③	08 ②
09 ③	10 ②	11 ①	12 ③
13 ⑤	14 20	15 11개	

01 다각형으로만 둘러싸인 도형을 다면체라 한다.

다면체는 ㄴ. 삼각뿔, ㄷ. 직육면체, ㅂ. 정사면체로 3개이다.

02 면의 개수를 구해 보면
　① 4개 ② 6개 ③ 6개 ④ 5개 ⑤ 7개
　따라서 면의 개수가 가장 많은 입체도형은 ⑤ 오각뿔대이다.

03 ⑤ 육각뿔 : $6+1=7$(개) $\Rightarrow$ 칠면체

04 각기둥은 옆면의 모양이 직사각형, 각뿔대는 옆면의 모양이 사다
　리꼴이고, 각뿔은 옆면의 모양이 삼각형이다.
　따라서 옆면의 모양이 사각형이 아닌 것은 ③ 사각뿔이다.

05 각기둥은 옆면의 모양이 직사각형, 각뿔은 옆면의 모양이 삼각
　형, 각뿔대는 옆면의 모양이 사다리꼴이다.
　따라서 다면체와 그 옆면의 모양을 바르게 짝지은 것은
　① 삼각기둥 − 직사각형이다.

06 모서리의 개수를 구해 보면
　① 8개 ② 15개 ③ 10개 ④ 18개 ⑤ 16개
　따라서 모서리의 개수가 가장 많은 입체도형은 ④ 육각뿔대이다.

07 ③ 육각뿔대 − 12개

08 주어진 입체도형은 사각뿔이므로
　면의 개수 $a=4+1=5$(개)
　모서리의 개수 $b=2\times4=8$(개)
　꼭짓점의 개수 $c=4+1=5$(개)
　$\therefore a+b+c=5+8+5=18$

09 꼭짓점의 개수가 12개인 각기둥을 n각기둥이라 하면 n각기둥의
　꼭짓점의 개수는 $2n$개이므로
　$2n=12$에서 $n=6$
　따라서 육각기둥의 모서리의 개수는 $3\times6=18$(개)이다.

10 ② 옆면과 밑면이 수직으로 만나는 입체도형은 각기둥이다.

11 (가), (나)를 만족하는 입체도형은 정사면체, 정팔면체, 정이십면
　체이고, 이 중에서 (다)를 만족하는 것은 정사면체이다.

12 오른쪽 그림과 같이 정육면체의 각 면의 한가운
　데에 있는 점을 연결하면 정팔면체가 된다.

13 ⑤ 정다면체는 면 개수에 따라 이름이 결정된다.

14 모서리의 개수가 18개인 각뿔대를 n각뿔대라 하면
　n각뿔대의 모서리의 개수는 $3n$개이므로

$3n=18$에서 $n=6$
따라서 육각뿔대의 면의 개수 $a=6+2=8$(개) $\cdots\cdots$ ❶
육각뿔대의 꼭짓점의 개수 $b=2\times6=12$(개) $\cdots\cdots$ ❷
$\therefore a+b=8+12=20$ $\cdots\cdots$ ❸

채점 기준	배점
❶ a의 값 구하기	40 %
❷ b의 값 구하기	40 %
❸ $a+b$의 값 구하기	20 %

15 나누어지는 두 입체도형 중에서 작은 입체도형은
사면체 E−AFH이므로 면의 개수는 4개이다. $\cdots\cdots$ ❶
또, 큰 입체도형은 칠면체이므로 면의 개수는 7개이다. $\cdots\cdots$ ❷
따라서 두 입체도형의 면의 개수의 합은
$4+7=11$(개)이다. $\cdots\cdots$ ❸

채점 기준	배점
❶ 작은 입체도형의 면 개수 구하기	40 %
❷ 큰 입체도형의 면 개수 구하기	40 %
❸ 두 입체도형의 면의 개수의 합 구하기	20 %

12. 회전체　　　　　　　　152~153쪽

01 ②, ⑤	02 ④	03 ③	04 ⑤
05 ②	06 ④	07 ⑤	08 ③
09 ⑤	10 ④	11 1 : 1	12 30π cm^2

01 ① 원기둥, ③ 원뿔, ④ 원뿔대는 회전체이고,
　② 오각기둥, ⑤ 정십이면체는 다면체이다.

02 주어진 평면도형을 직선 l을 축으로 하여 1
　회전시킬 때 생기는 입체도형은 오른쪽 그
　림과 같은 원뿔대이고, 이때 모선은 $\overline{AB}$이
　다.

03 직각삼각형 ABC를 $\overline{AB}$를 축으로 하여 1회전시킬 때 생기는 회
　전체는 다음과 같다.

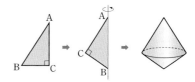

04 오른쪽 그림에서 ⑤를 회전시키면 주어진 회전체가 생기는 것을 알 수 있다.

05 원뿔을 회전축을 포함하는 평면으로 자른 단면의 모양은 이등변삼각형이고, 밑면과 평행한 평면으로 자른 단면의 모양은 원이다.

06 주어진 전개도로 만들어지는 회전체는 원기둥이다.
① 회전체의 이름은 원기둥이다.
② 회전축을 포함하는 평면으로 자른 단면의 모양은 직사각형이다.
③ 회전축에 수직인 평면으로 자른 단면의 모양은 원이다.
⑤ 두 밑면은 평행하고 합동이다.

07 $\overline{AB}=\overline{AC}$인 이등변삼각형 ABC를 직선 BC를 축으로 하여 1회전시킬 때 생기는 회전체는 오른쪽 그림과 같다.
이 회전체를 회전축을 포함하는 평면으로 자를 때 생기는 단면의 모양은 마름모이다.

08 주어진 전개도로 만들어지는 입체도형은 원뿔대이고, 원뿔대를 회전축을 포함하는 평면으로 자를 때 생기는 단면의 모양은 사다리꼴이다.

09 ⑤ 회전체를 회전축에 수직인 평면으로 자를 때 생기는 단면은 모두 원이지만 그 크기는 다를 수 있으므로 항상 합동인 것은 아니다.

10 회전체를 회전축을 포함하는 평면으로 자른 단면의 모양은 오른쪽 그림과 같은 직사각형이다.
따라서 단면의 넓이는
$8\times7=56\,(\text{cm}^2)$

11 [단계 ❶] $\overline{AC}$를 축으로 하여 1회전시켜 얻은 회전체를 회전축을 포함하는 평면으로 자른 단면의 모양은 오른쪽 그림과 같은 이등변삼각형이므로 단면의 넓이는
$\dfrac{1}{2}\times6\times4=12\,(\text{cm}^2)$

[단계 ❷] $\overline{BC}$를 축으로 하여 1회전시켜 얻은 회전체를 회전축을 포함하는 평면으로 자른 단면의 모양은 오른쪽 그림과 같은 이등변삼각형이므로 단

면의 넓이는 $\dfrac{1}{2}\times8\times3=12\,(\text{cm}^2)$

[단계 ❸] 따라서 두 단면의 넓이의 비는 $12:12=1:1$

채점 기준	배점
❶ $\overline{AC}$가 회전축인 회전체의 단면의 넓이 구하기	40 %
❷ $\overline{BC}$가 회전축인 회전체의 단면의 넓이 구하기	40 %
❸ 두 단면의 넓이의 비 구하기	20 %

12 회전체의 전개도는 오른쪽 그림과 같다. 옆면이 되는 직사각형의 가로의 길이는 밑면인 원의 둘레의 길이와 같으므로
(가로의 길이)$=2\pi\times3=6\pi\,(\text{cm})$ ······ ❶
세로의 길이는 높이와 같으므로
(세로의 길이)$=5\,(\text{cm})$ ······ ❷
∴ (직사각형의 넓이)$=6\pi\times5=30\pi\,(\text{cm}^2)$ ······ ❸

채점 기준	배점
❶ 옆면이 되는 직사각형의 가로의 길이 구하기	40 %
❷ 옆면이 되는 직사각형의 세로의 길이 구하기	20 %
❸ 직사각형의 넓이 구하기	40 %

Ⅶ-1. 입체도형의 성질	내·신·만·점·도·전·하·기		154~157쪽
01 ③	**02** ⑤	**03** ④	**04** ③
05 ⑤	**06** ③	**07** ①	**08** ②
09 ④	**10** ③	**11** ⑤	**12** ①
13 ⑤	**14** ④	**15** 28	**16** $7n+2$
17 ㅁ	**18** 67	**19** 정팔면체	
20 $(16\pi+8)$ cm		**21** 70 cm²	**22** 84π cm²

01 ① 5개 ② 5개 ③ 4개 ④ 5개 ⑤ 6개
따라서 면의 개수가 가장 적은 다면체는 ③ 사면체이다.

02 ⑤ 팔각뿔의 모서리의 개수는 $2\times8=16$(개)이다.

03 ① 6개 ② 8개 ③ 6개 ④ 12개 ⑤ 8개
따라서 꼭짓점의 개수가 가장 많은 것은 ④ 육각기둥이다.

04 꼭짓점의 개수가 24개인 각기둥을 n각기둥이라 하면 n각기둥의 꼭짓점의 개수는 $2n$개이므로
$2n=24$에서 $n=12$
따라서 십이각기둥의 면의 개수는 $12+2=14$(개)이므로 십사면체이다.

05 ① 면의 개수가 $6+2=8$(개)이므로 팔면체이다.

② 모서리의 개수는 $3\times6=18$(개)이다.

③ 옆면의 모양은 사다리꼴이다.

④ 밑면에 평행한 평면으로 자른 단면의 모양은 육각형이다.

06 옆면이 사다리꼴이므로 각뿔대이고, 두 밑면이 삼각형이므로 삼각뿔대의 전개도이다.

07 정사면체는 어느 모서리도 서로 평행하지 않다.

08 정십이면체는 한 꼭짓점에 정오각형이 3개씩 모이고,

모서리의 개수는 30개, 꼭짓점의 개수는 20개이므로

$a=3$, $b=30$, $c=20$ ∴ $a+b+c=53$

09

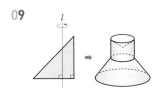

10

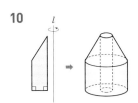

11 평면 ⑤로 잘랐을 때 생기는 단면은 타원이다.

12 ① 어느 방향으로 자르더라도 직사각형 모양의 단면은 얻을 수 없다.

② ③ ④ ⑤

13 원뿔대의 밑면인 원의 둘레의 길이는 $\overset{\frown}{CD}$의 길이와 같다.

14 ④ 구는 어떤 평면으로 잘라도 그 단면은 항상 원이지만 그 크기는 다를 수 있으므로 항상 합동인 것은 아니다.

15 두 사각뿔의 합동인 옆면을 붙여 하나의 다면체를 만들면 각 사각뿔에서 면이 1개씩 없어진다.

또, 각 사각뿔의 모서리와 꼭짓점은 3개씩 겹쳐진다.

각 사각뿔의 면의 개수가 $4+1=5$(개), 꼭짓점의 개수가 $4+1=5$(개), 모서리의 개수가 $2\times4=8$(개)이므로 만들어진 다면체의

면의 개수 $a=5\times2-2=8$, 꼭짓점의 개수 $b=5\times2-3=7$,

모서리의 개수 $c=8\times2-3=13$

∴ $a+b+c=8+7+13=28$

16 n각뿔의 면의 개수는 $(n+1)$개   ∴ $a=n+1$

n각뿔대의 모서리의 개수는 $3n$개   ∴ $b=3n$

n각기둥의 꼭짓점의 개수는 $2n$개   ∴ $c=2n$

n각뿔의 꼭짓점의 개수는 $(n+1)$개   ∴ $d=n+1$

∴ $a+b+c+d=(n+1)+3n+2n+(n+1)=7n+2$

17

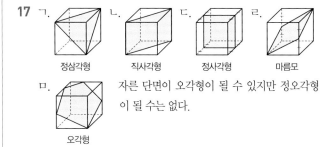

ㄱ. 정삼각형   ㄴ. 직사각형   ㄷ. 정사각형   ㄹ. 마름모

ㅁ. 자른 단면이 오각형이 될 수 있지만 정오각형이 될 수는 없다.

18 주어진 전개도로 만들어지는 정다면체는 정이십면체이다. …… ❶

정이십면체의

면의 개수 $a=20$,

꼭짓점의 개수 $b=12$,

모서리의 개수 $c=30$,

한 꼭짓점에 모이는 면의 개수 $d=5$ …… ❷

∴ $a+b+c+d=20+12+30+5=67$ …… ❸

채점 기준	배점
❶ 정다면체 구하기	40 %
❷ a, b, c, d의 값 각각 구하기	40 %
❸ $a+b+c+d$의 값 구하기	20 %

19 $3f=2e$에서 $f=\dfrac{2}{3}e$이고, $2v=e$에서 $v=\dfrac{1}{2}e$이므로

$v-e+f=2$에 $f=\dfrac{2}{3}e$, $v=\dfrac{1}{2}e$를 대입하면

$\dfrac{1}{2}e-e+\dfrac{2}{3}e=2$, $\dfrac{1}{6}e=2$ ∴ $e=12$

이때 $f=\dfrac{2}{3}e=\dfrac{2}{3}\times12=8$

즉, 주어진 정다면체는 면의 개수가 8개이므로 정팔면체이다.

20 주어진 원뿔대의 전개도는 오른쪽 그림과 같다.

이때 옆면이 되는 도형에서 위쪽 곡선의 길이는 반지름의 길이가 3 cm인 원의 둘레의 길이와 같으므로

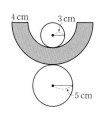

$2\pi \times 3 = 6\pi\,(\text{cm})$

또, 아래쪽 곡선의 길이는 반지름의 길이가 5 cm인 원의 둘레의 길이와 같으므로 $2\pi \times 5 = 10\pi\,(\text{cm})$

따라서 옆면이 되는 도형의 둘레의 길이는

$6\pi + 4 + 10\pi + 4 = 16\pi + 8\,(\text{cm})$

21 회전체를 회전축을 포함하는 평면으로 잘
랐을 때 생기는 단면의 모양은 오른쪽 그림
과 같다.

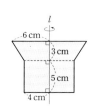

(사다리꼴의 넓이)

$= \dfrac{1}{2} \times (12+8) \times 3 = 30\,(\text{cm}^2)$ ······ ❶

(직사각형의 넓이) $= 8 \times 5 = 40\,(\text{cm}^2)$ ······ ❷

∴ (단면의 넓이)

$=$ (사다리꼴의 넓이) $+$ (직사각형의 넓이)

$= 30 + 40 = 70\,(\text{cm}^2)$ ······ ❸

채점 기준	배점
❶ 사다리꼴의 넓이 구하기	50 %
❷ 직사각형의 넓이 구하기	30 %
❸ 단면의 넓이 구하기	20 %

22 회전체를 회전축에 수직인 평면으로 자를 때,
점 B를 지나도록 자른 단면의 넓이가 최대가
된다.

점 B에서 $\overline{\text{AC}}$에 내린 수선의 발을 D라 하면

$\angle \text{A} = \angle \text{C} = \dfrac{1}{2} \times 90° = 45°,$

$\angle \text{BDA} = \angle \text{BDC} = 90°$

이므로 $\angle \text{ABD} = \angle \text{CBD} = \dfrac{1}{2} \times 90° = 45°$

즉, $\triangle \text{ABD}$와 $\triangle \text{BCD}$는 직각이등변삼각형이므로

$\overline{\text{BD}} = \overline{\text{AD}} = \overline{\text{CD}} = \dfrac{1}{2}\overline{\text{AC}} = \dfrac{1}{2} \times 12 = 6\,(\text{cm})$

따라서 단면의 모양은 오른쪽 그림과 같으
므로 단면의 넓이는

$\pi \times 10^2 - \pi \times 4^2 = 100\pi - 16\pi$

$= 84\pi\,(\text{cm}^2)$

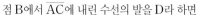

13. 기둥의 겉넓이와 부피 158~159쪽

01 ③	**02** ⑤	**03** ③	**04** ②
05 ④	**06** ②	**07** ①	**08** ①
09 ③	**10** ⑤	**11** ④	**12** ⑤
13 ③	**14** $(32\pi+312)$ cm²		**15** 360π cm³

01 (밑넓이) $= \dfrac{1}{2} \times 8 \times 3 = 12\,(\text{cm}^2)$

(옆넓이) $= (5+5+8) \times 9 = 162\,(\text{cm}^2)$

∴ (겉넓이) $=$ (밑넓이) $\times 2 +$ (옆넓이)

$= 12 \times 2 + 162 = 186\,(\text{cm}^2)$

02 (밑넓이) $= 5 \times 3 = 15\,(\text{cm}^2)$

(옆넓이) $= (5+3+5+3) \times 7 = 112\,(\text{cm}^2)$

∴ (겉넓이) $=$ (밑넓이) $\times 2 +$ (옆넓이)

$= 15 \times 2 + 112 = 142\,(\text{cm}^2)$

03 (각기둥의 겉넓이) $=$ (밑넓이) $\times 2 +$ (옆넓이)이므로

$\left\{ \dfrac{1}{2} \times (2+6) \times 3 \right\} \times 2 + (2+3+6+5) \times h = 184$

$24 + 16h = 184, \ 16h = 160$ ∴ $h = 10$

04 처음 정육면체의 한 모서리의 길이를 a cm라 하면 처음 정육면체의 겉넓이는 $6 \times a^2 = 6a^2\,(\text{cm}^2)$

각 모서리의 길이를 2배로 늘여 만든 정육면체의 한 모서리의 길이는 $2a$ cm이므로 만들어진 정육면체의 겉넓이는

$6 \times (2a)^2 = 24a^2\,(\text{cm}^2)$

이때 $6a^2 : 24a^2 = 1 : 4$이므로 만들어진 정육면체의 겉넓이는 처음 정육면체의 겉넓이의 4배이다.

05 (밑넓이) $= \pi \times 5^2 = 25\pi\,(\text{cm}^2)$

(옆넓이) $= (2\pi \times 5) \times 10 = 100\pi\,(\text{cm}^2)$

∴ (겉넓이) $=$ (밑넓이) $\times 2 +$ (옆넓이)

$= 25\pi \times 2 + 100\pi = 150\pi\,(\text{cm}^2)$

06 밑면인 원의 반지름의 길이를 r cm라 하면 이 원기둥의 높이는 $2r$ cm이므로

(원기둥의 겉넓이) $=$ (밑넓이) $\times 2 +$ (옆넓이)

$= \pi r^2 \times 2 + 2\pi r \times 2r = 6\pi r^2\,(\text{cm}^2)$

이때 주어진 조건에서 $6\pi r^2 = 96\pi$이므로

$r^2 = 16$ ∴ $r = 4\,(\text{cm})$

07 주어진 입체도형은 크기가 다른 두 원기둥의 밑면을 서로 붙여서 만든 것으로, 이 입체도형의 겉넓이는 (중간에 있는 ◎ 모양의 면을 위쪽에 있는 면에 붙여서 생각하면) 큰 원 모양의 밑넓이의 2배, 큰 원기둥의 옆넓이, 작은 원기둥의 옆넓이의 합과 같음을 알 수 있다. 따라서

(밑넓이) $= \pi \times 5^2 = 25\pi\,(\text{cm}^2)$

(큰 원기둥의 옆넓이) $= (2\pi \times 5) \times 4 = 40\pi\,(\text{cm}^2)$

(작은 원기둥의 옆넓이) $= (2\pi \times 2) \times 4 = 16\pi\,(\text{cm}^2)$

∴ (겉넓이) $=$ (밑넓이) $\times 2 +$ (큰 원기둥의 옆넓이)

$+$ (작은 원기둥의 옆넓이)

$= 25\pi \times 2 + 40\pi + 16\pi = 106\pi\,(\text{cm}^2)$

08 $\text{(부피)} = \text{(밑넓이)} \times \text{(높이)}$

$$= \left(\frac{1}{2} \times 5 \times 3 \right) \times 8 = 60 \, (\text{cm}^3)$$

09 $\text{(밑넓이)} = \text{(삼각형의 넓이)} + \text{(사다리꼴의 넓이)}$

$$= \frac{1}{2} \times 6 \times 3 + \frac{1}{2} \times (6+4) \times 2$$

$$= 9 + 10 = 19 \, (\text{cm}^2)$$

이므로 오각기둥의 높이를 h cm라 하면

$\text{(부피)} = \text{(밑넓이)} \times \text{(높이)} = 19h \, (\text{cm}^3)$

이때 주어진 조건에서 $19h = 133$이므로 $h = 7 \, (\text{cm})$

10 주어진 입체도형을 2개의 사각기둥으로 나누어 생각할 수 있으므로

$$\text{(부피)} = (4 \times 5) \times 8 + (6 \times 5) \times 2$$

$$= 160 + 60 = 220 \, (\text{cm}^3)$$

[다른 풀이]

주어진 입체도형은 큰 사각기둥에서 작은 사각기둥을 잘라낸 것이므로

$$\text{(부피)} = (10 \times 5) \times 8 - (6 \times 5) \times 6$$

$$= 400 - 180 = 220 \, (\text{cm}^3)$$

11 $\text{(부피)} = \text{(밑넓이)} \times \text{(높이)}$

$$= (\pi \times 3^2) \times 8 = 72\pi \, (\text{cm}^3)$$

12 주어진 입체도형은 큰 원기둥에서 작은 원기둥 모양의 구멍을 뚫은 것이므로

$\text{(부피)} = \text{(큰 원기둥의 부피)} - \text{(작은 원기둥의 부피)}$

$$= (\pi \times 5^2) \times 6 - (\pi \times 2^2) \times 6$$

$$= 150\pi - 24\pi = 126\pi \, (\text{cm}^3)$$

[다른 풀이]

주어진 입체도형은 밑면이 도넛 모양인 기둥으로 볼 수 있으므로

$\text{(밑넓이)} = \text{(큰 원의 넓이)} - \text{(작은 원의 넓이)}$

$$= \pi \times 5^2 - \pi \times 2^2 = 25\pi - 4\pi = 21\pi \, (\text{cm}^2)$$

$\therefore \text{(부피)} = \text{(밑넓이)} \times \text{(높이)} = 21\pi \times 6 = 126\pi \, (\text{cm}^3)$

13 주어진 평면도형을 직선 l을 축으로 하여 1회전시킬 때 생기는 회전체는 오른쪽 그림과 같다.

$\therefore \text{(부피)} = \text{(작은 원기둥의 부피)}$
$\qquad\qquad + \text{(큰 원기둥의 부피)}$

$$= (\pi \times 1^2) \times 3 + (\pi \times 5^2) \times 5$$

$$= 3\pi + 125\pi = 128\pi \, (\text{cm}^3)$$

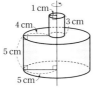

14 [단계 ❶] 주어진 입체도형은 사각기둥에 원기둥 모양의 구멍을 뚫은 것으로 사각형에서 작은 원을 제거한 모양의 밑면 2개, 바깥쪽에 있는 큰 옆면, 안쪽에 있는 작은 옆면으로 둘러싸여 있다. 따라서

$\text{(밑넓이)} = \text{(사각형의 넓이)} - \text{(원의 넓이)}$

$$= 6 \times 6 - \pi \times 2^2 = 36 - 4\pi \, (\text{cm}^2)$$

[단계 ❷] $\text{(바깥쪽 큰 옆면의 넓이)} = (6 \times 4) \times 10$

$$= 240 \, (\text{cm}^2)$$

$\text{(안쪽 작은 옆면의 넓이)} = (2\pi \times 2) \times 10$

$$= 40\pi \, (\text{cm}^2)$$

[단계 ❸] $\therefore \text{(겉넓이)} = (36 - 4\pi) \times 2 + 240 + 40\pi$

$$= 72 - 8\pi + 240 + 40\pi$$

$$= 32\pi + 312 \, (\text{cm}^2)$$

채점 기준	배점
❶ 밑넓이 구하기	30 %
❷ 바깥쪽과 안쪽의 옆넓이 구하기	50 %
❸ 겉넓이 구하기	20 %

15 주어진 직사각형을 직선 l을 축으로 하여 1회전시킬 때 생기는 회전체는 오른쪽 그림과 같이 큰 원기둥에서 작은 원기둥 모양의 구멍을 뚫은 것이므로

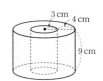

(큰 원기둥의 부피)

$$= (\pi \times 7^2) \times 9 = 441\pi \, (\text{cm}^3) \qquad \cdots\cdots \text{❶}$$

(작은 원기둥의 부피)

$$= (\pi \times 3^2) \times 9 = 81\pi \, (\text{cm}^3) \qquad \cdots\cdots \text{❷}$$

$\therefore \text{(입체도형의 부피)} = 441\pi - 81\pi = 360\pi \, (\text{cm}^3) \qquad \cdots\cdots \text{❸}$

채점 기준	배점
❶ 큰 원기둥의 부피 구하기	40 %
❷ 작은 원기둥의 부피 구하기	40 %
❸ 입체도형의 부피 구하기	20 %

01 (밑넓이)$=4\times4=16(\text{cm}^2)$

(옆넓이)$=\left(\dfrac{1}{2}\times4\times6\right)\times4=48(\text{cm}^2)$

$\therefore$ (겉넓이)$=$(밑넓이)$+$(옆넓이)

$\qquad\qquad\quad=16+48=64(\text{cm}^2)$

02 (밑넓이)$=5\times5=25(\text{cm}^2)$

(옆넓이)$=\left(\dfrac{1}{2}\times5\times7\right)\times4=70(\text{cm}^2)$

$\therefore$ (겉넓이)$=25+70=95(\text{cm}^2)$

03 주어진 입체도형은 밑면의 모양이 같은 사각기둥과 사각뿔을 붙여 만든 것으로 사각형 모양의 밑면 1개, 사각기둥의 옆면, 사각뿔의 옆면으로 이루어져 있다. 따라서

(밑넓이)$=3\times3=9(\text{cm}^2)$

(사각기둥의 옆넓이)$=(3\times4)\times6=72(\text{cm}^2)$

(사각뿔의 옆넓이)$=\left(\dfrac{1}{2}\times3\times4\right)\times4=24(\text{cm}^2)$

$\therefore$ (겉넓이)$=9+72+24=105(\text{cm}^2)$

04 (작은 밑면의 넓이)$=2\times2=4(\text{cm}^2)$

(큰 밑면의 넓이)$=4\times4=16(\text{cm}^2)$

(옆넓이)$=\left\{\dfrac{1}{2}\times(2+4)\times3\right\}\times4=9\times4=36(\text{cm}^2)$

$\therefore$ (겉넓이)$=4+16+36=56(\text{cm}^2)$

05 (밑넓이)$=\pi\times3^2=9\pi(\text{cm}^2)$

(옆넓이)$=\pi\times3\times8=24\pi(\text{cm}^2)$

$\therefore$ (겉넓이)$=9\pi+24\pi=33\pi(\text{cm}^2)$

06 (작은 밑면의 넓이)$=\pi\times4^2=16\pi(\text{cm}^2)$

(큰 밑면의 넓이)$=\pi\times8^2=64\pi(\text{cm}^2)$

(옆넓이)$=$(큰 부채꼴의 넓이)$-$(작은 부채꼴의 넓이)

$\qquad\quad=\pi\times8\times(6+6)-\pi\times4\times6=72\pi(\text{cm}^2)$

$\therefore$ (겉넓이)$=16\pi+64\pi+72\pi=152\pi(\text{cm}^2)$

07 주어진 원뿔의 모선의 길이를 $l\ \text{cm}$라 할 때, 원 O의 둘레의 길이는 원뿔의 밑면인 원의 둘레의 길이의 5배와 같으므로

$(2\pi\times2)\times5=2\pi l$ $\qquad\therefore\ l=10(\text{cm})$

$\therefore$ (원뿔의 겉넓이)$=$(밑넓이)$+$(옆넓이)

$\qquad\qquad\qquad\quad=\pi\times2^2+\pi\times2\times10$

$\qquad\qquad\qquad\quad=4\pi+20\pi=24\pi(\text{cm}^2)$

08 밑넓이가 $24\ \text{cm}^2$인 삼각뿔의 높이를 $h\ \text{cm}$라 할 때, 이 삼각뿔의 부피가 $72\ \text{cm}^3$이므로

$\dfrac{1}{3}\times24\times h=72$ $\qquad\therefore\ h=9(\text{cm})$

09 (주어진 입체도형의 부피)

$=$(정육면체의 부피)$-$(잘라낸 삼각뿔의 부피)

$=6\times6\times6-\dfrac{1}{3}\times\left(\dfrac{1}{2}\times3\times3\right)\times4$

$=216-6=210(\text{cm}^3)$

10 (물의 부피)$=\dfrac{1}{3}\times\left(\dfrac{1}{2}\times6\times4\right)\times x=4x(\text{cm}^3)$

이때 주어진 조건에서 $4x=8$

$\therefore\ x=2$

11 밑면인 원의 반지름의 길이가 $5\ \text{cm}$이므로

(원뿔의 부피)$=\dfrac{1}{3}\times$(밑넓이)$\times$(높이)

$\qquad\qquad\quad=\dfrac{1}{3}\times(\pi\times5^2)\times12=100\pi(\text{cm}^3)$

12 각기둥과 원뿔의 높이를 h라 할 때, 각기둥의 밑넓이를 $2S$라 하면 원뿔의 밑넓이는 $3S$이므로

(각기둥의 부피)$=2S\times h=2Sh$

(원뿔의 부피)$=\dfrac{1}{3}\times3S\times h=Sh$

$\therefore$ (각기둥의 부피) : (원뿔의 부피)$=2Sh:Sh=2:1$

13 (사각뿔대의 부피)$=$(큰 사각뿔의 부피)$-$(작은 사각뿔의 부피)

$\qquad\qquad\qquad\quad=\dfrac{1}{3}\times(6\times6)\times8-\dfrac{1}{3}\times(3\times3)\times4$

$\qquad\qquad\qquad\quad=96-12=84(\text{cm}^3)$

14 [단계 ❶] 정육면체의 한 모서리의 길이를 $2a\ \text{cm}$라 하면

$\overline{\text{BP}}=\overline{\text{BQ}}=a(\text{cm})$이므로

(작은 입체도형의 부피)$=$(삼각뿔 F $-$ PBQ의 부피)

$\qquad\qquad\qquad\qquad=\dfrac{1}{3}\times\triangle\text{PBQ}\times\overline{\text{BF}}$

$\qquad\qquad\qquad\qquad=\dfrac{1}{3}\times\left(\dfrac{1}{2}\times a\times a\right)\times2a$

$\qquad\qquad\qquad\qquad=\dfrac{a^3}{3}(\text{cm}^3)$

[단계 ❷] (정육면체의 부피)$=2a\times2a\times2a=8a^3(\text{cm}^3)$이므로

(큰 입체도형의 부피)$=$(정육면체의 부피)

$\qquad\qquad\qquad\qquad\quad-$(작은 입체도형의 부피)

$\qquad\qquad\qquad\quad=8a^3-\dfrac{a^3}{3}=\dfrac{23}{3}a^3(\text{cm}^3)$

[단계 ❸] 두 도형의 부피의 비는 $\dfrac{a^3}{3}:\dfrac{23}{3}a^3=1:23$이므로

면 PFQ에 의해 나누어지는 큰 입체도형의 부피는 작은 입체도형의 부피의 23배이다.

채점 기준	배점
❶ 작은 입체도형의 부피 구하기	40 %
❷ 큰 입체도형의 부피 구하기	40 %
❸ 큰 입체도형의 부피가 작은 입체도형의 부피의 몇 배인지 구하기	20 %

15 원뿔의 밑면인 원의 반지름의 길이를 r cm라 하면 이 원뿔의 높이가 12 cm이므로

$$(원뿔의 부피)=\frac{1}{3}\times\pi r^2\times12=4\pi r^2(cm^3)$$

이때 주어진 조건에서 $4\pi r^2=100\pi$이므로

$r^2=25$ $\quad\therefore r=5(cm)$ ...... ❶

또, 이 원뿔의 모선의 길이를 l cm라 하면

$$(옆넓이)=\pi\times5\times l=5\pi l(cm^2)$$

이때 주어진 조건에서 $5\pi l=60\pi$이므로

$l=12(cm)$ ...... ❷

따라서 이 원뿔의 전개도에서 부채꼴의 중심각의 크기를 $x°$라 하면

$$2\pi\times12\times\frac{x}{360}=2\pi\times5$$

$\therefore x=150(°)$ ...... ❸

채점 기준	배점
❶ 밑면인 원의 반지름의 길이 구하기	30 %
❷ 모선의 길이 구하기	30 %
❸ 부채꼴의 중심각의 크기 구하기	40 %

---

15. 구의 겉넓이와 부피 162~163쪽

01 ②	02 ③	03 ④	04 ③
05 ⑤	06 ⑤	07 ②	08 ①
09 ④	10 ①	11 ③	12 ③
13 $\pi:1$	14 216π cm³		

01 (반지름의 길이가 r인 구의 겉넓이)$=4\pi r^2$

(반지름의 길이가 $2r$인 구의 겉넓이)$=4\pi\times(2r)^2$
$\qquad\qquad=16\pi r^2$

따라서 두 구의 겉넓이의 비는 $4\pi r^2:16\pi r^2=1:4$

02 구의 반지름의 길이를 r cm라 하면

$(구의 겉넓이)=4\pi r^2(cm^2)$

이때 주어진 조건에서 $4\pi r^2=196\pi$이므로

$r^2=49$ $\quad\therefore r=7(cm)$

03 회전체는 반지름의 길이가 4 cm인 구이므로

$$(겉넓이)=4\pi\times4^2=64\pi(cm^2)$$

04 $(반구의 겉넓이)=(구의 겉넓이)\times\frac{1}{2}+(원의 넓이)$

$$=(4\pi\times5^2)\times\frac{1}{2}+\pi\times5^2$$

$$=50\pi+25\pi=75\pi(cm^2)$$

05 주어진 입체도형은 구의 겉면의 $\frac{3}{4}$과 반원 2개로 둘러싸여 있으므로

$$(겉넓이)=(구의 겉넓이)\times\frac{3}{4}+(원의 넓이)$$

$$=(4\pi\times8^2)\times\frac{3}{4}+\pi\times8^2$$

$$=192\pi+64\pi=256\pi(cm^2)$$

06 $(부피)=(구의 부피)\times\frac{7}{8}$

$$=\left(\frac{4}{3}\pi\times4^3\right)\times\frac{7}{8}=\frac{224}{3}\pi(cm^3)$$

07 반구는 구의 겉면의 $\frac{1}{2}$과 원 1개로 둘러싸여 있으므로 반구의 반지름의 길이를 r cm라 하면

$$(겉넓이)=(구의 겉넓이)\times\frac{1}{2}+(원의 넓이)$$

$$=4\pi r^2\times\frac{1}{2}+\pi r^2=3\pi r^2(cm^2)$$

이때 주어진 조건에서 $3\pi r^2=108\pi$이므로

$r^2=36$ $\quad\therefore r=6(cm)$

따라서 반지름의 길이가 6 cm인 구의 부피는

$$\frac{4}{3}\pi\times6^3=288\pi(cm^3)$$

08 만들어지는 입체도형은 큰 구 안에 작은 구가 비어 있는 모양이므로

$(부피)=(큰 구의 부피)-(작은 구의 부피)$

$$=\frac{4}{3}\pi\times6^3-\frac{4}{3}\pi\times3^3$$

$$=288\pi-36\pi=252\pi(cm^3)$$

09 $(부피)=(원뿔의 부피)+(원기둥의 부피)+(반구의 부피)$

$$=\frac{1}{3}\times(\pi\times3^2)\times4+(\pi\times3^2)\times4+\left(\frac{4}{3}\pi\times3^3\right)\times\frac{1}{2}$$

$$=12\pi+36\pi+18\pi=66\pi(cm^3)$$

10 $(구의 부피)=\frac{4}{3}\pi\times3^3=36\pi(cm^3)$

원뿔의 높이를 h cm라 하면

(원뿔의 부피)$=\dfrac{1}{3}\times(\pi\times 3^2)\times h=3\pi h(\text{cm}^3)$

이때 주어진 조건에서 $36\pi=\dfrac{4}{3}\times 3\pi h$

$\therefore h=9(\text{cm})$

11 (원기둥의 부피)$=\pi\times 1^2\times 2=2\pi(\text{cm}^3)$

(구의 부피)$=\dfrac{4}{3}\pi\times 1^3=\dfrac{4}{3}\pi(\text{cm}^3)$

(원뿔의 부피)$=\dfrac{1}{3}\times\pi\times 1^2\times 2=\dfrac{2}{3}\pi(\text{cm}^3)$

ㄱ. 구의 부피는 원기둥의 부피의 $\dfrac{2}{3}$이다.

ㄴ. 원뿔의 부피는 구의 부피의 $\dfrac{1}{2}$이다.

ㄷ. 원기둥의 부피는 원뿔의 부피의 3배이다.

ㄹ. (원기둥의 부피) : (구의 부피) : (원뿔의 부피)

　　$=2\pi:\dfrac{4}{3}\pi:\dfrac{2}{3}\pi=3:2:1$

12 원기둥의 높이는 $2\times 6=12(\text{cm})$이므로

(빈 공간의 부피)$=$(원기둥의 부피)$-$(구의 부피)$\times 3$

　　$=(\pi\times 2^2)\times 12-\left(\dfrac{4}{3}\pi\times 2^3\right)\times 3$

　　$=48\pi-32\pi=16\pi(\text{cm}^3)$

13 [단계 ❶] (구의 부피)$=\dfrac{4}{3}\pi\times 6^3=288\pi(\text{cm}^3)$

[단계 ❷] 정팔면체는 사각뿔 2개로 나누어 생각할 수 있으므로

(사각뿔의 밑넓이)$=\dfrac{1}{2}\times 12\times 12$

　　$=72(\text{cm}^2)$

$\therefore$ (정팔면체의 부피)$=$(사각뿔의 부피)$\times 2$

　　$=\left(\dfrac{1}{3}\times 72\times 6\right)\times 2$

　　$=288(\text{cm}^3)$

[단계 ❸] 따라서 구와 정팔면체의 부피의 비는

$288\pi:288=\pi:1$

채점 기준	배점
❶ 구의 부피 구하기	40 %
❷ 정팔면체의 부피 구하기	40 %
❸ 구와 정팔면체의 부피의 비 구하기	20 %

14 만들어지는 입체도형은 큰 구 안에 작은 구 2개가 비어 있는 모양이므로

(큰 구의 부피)$=\dfrac{4}{3}\pi\times 6^3=288\pi(\text{cm}^3)$ ······ ❶

(작은 구의 부피)$=\dfrac{4}{3}\pi\times 3^3=36\pi(\text{cm}^3)$ ······ ❷

$\therefore$ (회전체의 부피)$=$(큰 구의 부피)$-$(작은 구의 부피)$\times 2$

　　$=288\pi-36\pi\times 2=216\pi(\text{cm}^3)$ ······ ❸

채점 기준	배점
❶ 큰 구의 부피 구하기	40 %
❷ 작은 구의 부피 구하기	40 %
❸ 회전체의 부피 구하기	20 %

Ⅶ-2. 입체도형의 겉넓이와 부피 내·신·만·점·도·전·하·기

164~167쪽

01 ⑤	**02** ③	**03** ④	**04** ①
05 ②	**06** ④	**07** ⑤	**08** ③
09 ④	**10** ②	**11** ②	**12** ①
13 ③	**14** ③	**15** ②	
16 $(40n+148)$ cm²		**17** 100π cm²	
18 $\dfrac{1856}{3}\pi$ cm³		**19** 320 cm³	**20** 288 cm²
21 $(36\pi-72)$ cm²		**22** 4 : 3	**23** 576π cm³

01 (밑넓이)$=\dfrac{1}{2}\times 5\times 12=30(\text{cm}^2)$

(옆넓이)$=(5+12+13)\times 10=300(\text{cm}^2)$

$\therefore$ (겉넓이)$=$(밑넓이)$\times 2+$(옆넓이)

　　$=30\times 2+300=360(\text{cm}^2)$

02 회전체의 모양은 오른쪽 그림과 같다.
바깥쪽 옆면의 넓이는
$2\pi\times 4\times 4=32\pi(\text{cm}^2)$,
안쪽 옆면의 넓이는 $2\pi\times 2\times 4=16\pi(\text{cm}^2)$
이므로 옆넓이는 $32\pi+16\pi=48\pi(\text{cm}^2)$

03 오른쪽 그림과 같이 밑면인 원의 반지름의 길이가 4 cm, 높이가 8 cm인 원기둥이므로
(겉넓이)$=(\pi\times 4^2)\times 2+(2\pi\times 4)\times 8$
　　$=32\pi+64\pi$
　　$=96\pi(\text{cm}^2)$

04 주어진 전개도로 만들어지는 입체도형은 오른쪽 그림과 같이 한 변의 길이가 4 cm인 정사각형을 밑면으로 하고 높이가 8 cm인 사각기둥이므로
(부피)$=(4\times 4)\times 8=128(\text{cm}^3)$

05 $(\text{부피})=\left(\pi\times6^2\times\dfrac{90}{360}\right)\times12=108\pi\,(\text{cm}^3)$

06 두 그릇에 들어 있는 물의 양이 같으므로
$(\text{삼각뿔의 부피})=(\text{삼각기둥의 부피})$이다.
$$\dfrac{1}{3}\times\left(\dfrac{1}{2}\times9\times5\right)\times4=\left(\dfrac{1}{2}\times5\times x\right)\times4$$
$30=10x$ $\therefore x=3\,(\text{cm})$

07 $(\text{부피})=(\text{원뿔의 부피})+(\text{원기둥의 부피})$
$$=\dfrac{1}{3}\times(\pi\times6^2)\times6+(\pi\times6^2)\times10$$
$$=72\pi+360\pi=432\pi\,(\text{cm}^3)$$

08 밑면인 원의 반지름의 길이를 r cm라 하면
밑면인 원의 둘레의 길이와 부채꼴의 호의 길이는 서로 같으므로
$2\pi r=2\pi\times5\times\dfrac{216}{360},\ 2\pi r=6$ $\therefore r=3\,(\text{cm})$
또, 이 원뿔의 높이를 h cm라 하면
$12\pi=\dfrac{1}{3}\times(\pi\times3^2)\times h$ $\therefore h=4\,(\text{cm})$

09 $(\text{그릇의 부피})=\dfrac{1}{3}\times(\pi\times6^2)\times h=12\pi h\,(\text{cm}^3)$

이때 1분에 20π cm³씩 물을 넣으면
그릇에 물을 가득 채우는 데 9분이 걸리므로
$12\pi h=20\pi\times9$ $\therefore h=15$

10 사각뿔대의 높이를 h cm라 하면
$(\text{사각뿔대의 부피})=(\text{큰 사각뿔의 부피})-(\text{작은 사각뿔의 부피})$
$$=\dfrac{1}{3}\times(5\times5)\times(h+4)-\dfrac{1}{3}\times(2\times2)\times4$$
$$=\dfrac{25}{3}h+\dfrac{100}{3}-\dfrac{16}{3}=\dfrac{25}{3}h+28\,(\text{cm}^3)$$
이때 주어진 조건에서 $\dfrac{25}{3}h+28=78$이므로
$\dfrac{25}{3}h=50$ $\therefore h=6\,(\text{cm})$

11 그릇 (가)와 그릇 (나)의 밑넓이를 S cm²라 하면
$(\text{그릇 (가)의 부피})=\dfrac{1}{3}\times S\times12=4S\,(\text{cm}^3)$
$(\text{그릇 (나)의 부피})=S\times12=12S\,(\text{cm}^3)$
따라서 $(\text{그릇 (가)의 부피}):(\text{그릇 (나)의 부피})=4S:12S=1:3$
이므로 그릇 (가)에 물을 담아 최소한 3번을 부어야 그릇 (나)를
가득 채울 수 있다.

12 회전체는 오른쪽 그림과 같다.

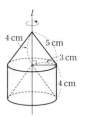

$\therefore(\text{회전체의 부피})$
$=(\text{원뿔의 부피})+(\text{원기둥의 부피})$
$-(\text{원뿔의 부피})$
$=(\text{원기둥의 부피})$
$=(\pi\times3^2)\times4=36\pi\,(\text{cm}^3)$

13 구의 반지름의 길이를 r라 하면 구의 겉넓이는 $4\pi r^2$
구의 중심을 지나는 평면으로 자른 단면의 넓이는 πr^2이므로
넓이의 비는 $4\pi r^2:\pi r^2=4:1$이다.

14 주어진 입체도형은 반구와 원기둥을 붙여 만든 것으로 구의 겉
면의 $\dfrac{1}{2}$과 원기둥의 옆면, 원기둥의 밑면 1개로 둘러싸여 있다.

$\therefore(\text{겉넓이})=(\text{구의 겉넓이})\times\dfrac{1}{2}+(\text{원기둥의 옆넓이})+(\text{밑넓이})$
$$=(4\pi\times3^2)\times\dfrac{1}{2}+(2\pi\times3\times7)+(\pi\times3^2)$$
$$=18\pi+42\pi+9\pi=69\pi\,(\text{cm}^2)$$

15 구 모양의 공 3개의 부피만큼 물의 높이가 올라가므로 올라간 물
의 높이를 h cm라 하면
$$3\times\left(\dfrac{4}{3}\pi\times2^3\right)=(\pi\times4^2)\times h$$
$32\pi=16\pi h$ $\therefore h=2\,(\text{cm})$
따라서 물의 높이는 $12+2=14\,(\text{cm})$이다.

16 주어진 직육면체를 한 번 자를 때마다 면 ABFE와 합동인 면이
나누어진 양쪽 직육면체에 1개씩 총 2개가 새로 생기게 된다. 즉,
n번 자르면 면 ABFE와 합동인 면이 $2n$개 생기면서 $(n+1)$
개의 직육면체로 나누어지게 되므로
$(\text{나누어진 직육면체들의 겉넓이의 총합})$
$=(\text{처음 직육면체의 겉넓이})+(\text{면 ABFE의 넓이})\times2n$
임을 알 수 있다.
(처음 직육면체의 겉넓이)
$=(6\times5)\times2+(6+5+6+5)\times4$
$=60+88=148\,(\text{cm}^2)$
$(\text{면 ABFE의 넓이})=5\times4=20\,(\text{cm}^2)$
$\therefore(\text{나누어진 직육면체들의 겉넓이의 총합})$
$=148+20\times2n=40n+148\,(\text{cm}^2)$

17 원뿔의 밑면인 원의 둘레의 길이는 $2\pi\times5=10\pi\,(\text{cm})$이므로
원 O의 둘레의 길이는 $10\pi\times3=30\pi\,(\text{cm})$이다. ……❶
따라서 원 O의 반지름의 길이를 r cm라 하면
$2\pi\times r=30\pi$ $\therefore r=15\,(\text{cm})$ ……❷
따라서 원뿔의 모선의 길이가 15 cm이므로

(원뿔의 겉넓이) $=$ (밑넓이) $+$ (옆넓이)

$\qquad = \pi \times 5^2 + \pi \times 5 \times 15$

$\qquad = 25\pi + 75\pi$

$\qquad = 100\pi\,(\mathrm{cm}^2)$ ...... ❸

채점 기준	배점
❶ 원 O의 둘레의 길이 구하기	30 %
❷ 원 O의 반지름의 길이 구하기	30 %
❸ 원뿔의 겉넓이 구하기	40 %

18 회전체는 오른쪽 그림과 같이 원기둥에서 원뿔을 잘라낸 모양이다.

(원기둥의 부피)

$= (\pi \times 8^2) \times 10 = 640\pi\,(\mathrm{cm}^3)$ ...... ❶

(원뿔의 부피)

$= \dfrac{1}{3} \times (\pi \times 4^2) \times 4 = \dfrac{64}{3}\pi\,(\mathrm{cm}^3)$ ...... ❷

$\therefore$ (입체도형의 부피) $=$ (원기둥의 부피) $-$ (원뿔의 부피)

$\qquad = 640\pi - \dfrac{64}{3}\pi = \dfrac{1856}{3}\pi\,(\mathrm{cm}^3)$ ...... ❸

채점 기준	배점
❶ 원기둥의 부피 구하기	30 %
❷ 원뿔의 부피 구하기	40 %
❸ 입체도형의 부피 구하기	30 %

19 기둥의 밑면인 부채꼴의 호의 길이를 l cm라 하면

(밑넓이) $= \dfrac{1}{2} \times 4 \times l = 2l\,(\mathrm{cm}^2)$ ...... ㉠

(옆넓이) $= (4+4+l) \times 10 = 80 + 10l\,(\mathrm{cm}^2)$

$\therefore$ (겉넓이) $= 2l \times 2 + (80 + 10l) = 80 + 14l\,(\mathrm{cm}^2)$

이때 주어진 조건에서 $80 + 14l = 304$이므로

$14l = 224$ $\qquad \therefore l = 16\,(\mathrm{cm})$

㉠에서 (밑넓이) $= 2 \times 16 = 32\,(\mathrm{cm}^2)$이므로

(부피) $= 32 \times 10 = 320\,(\mathrm{cm}^3)$

20 (바깥쪽 한 면의 넓이) $= 6 \times 6 - 2 \times 2 = 32\,(\mathrm{cm}^2)$

한편, 구멍 안쪽은 한 변의 길이가 2 cm인 정사각형

$4 \times 6 = 24$(개)로 이루어져 있으므로

(구멍 안쪽의 모든 면의 넓이) $= (2 \times 2) \times 24 = 96\,(\mathrm{cm}^2)$

$\therefore$ (입체도형의 겉넓이) $= 32 \times 6 + 96 = 288\,(\mathrm{cm}^2)$

21 가장 짧은 선은 오른쪽 그림과 같이 원뿔의 전개도에서 선분 $\mathrm{AA'}$으로 그려진다. 이때 부채꼴의 중심각의 크기를 $x°$라 하면

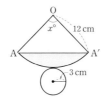

$2\pi \times 12 \times \dfrac{x}{360} = 2\pi \times 3$

$\therefore x = 90\,(°)$

$\therefore$ (구하는 아랫부분의 넓이)

$\quad = $ (부채꼴 $\mathrm{OAA'}$의 넓이) $-$ (삼각형 $\mathrm{OAA'}$의 넓이)

$\quad = \pi \times 12^2 \times \dfrac{90}{360} - \dfrac{1}{2} \times 12 \times 12$

$\quad = 36\pi - 72\,(\mathrm{cm}^2)$

22 $\overline{\mathrm{BC}}$를 축으로 하여 1회전시킬 때 생기는 회전체는 오른쪽 그림과 같이 밑면인 원의 반지름의 길이가 4 cm, 높이가 3 cm인 원뿔이므로

$V_1 = \dfrac{1}{3} \times (\pi \times 4^2) \times 3 = 16\pi\,(\mathrm{cm}^3)$ ...... ❶

$\overline{\mathrm{AC}}$를 축으로 하여 1회전시킬 때 생기는 회전체는 오른쪽 그림과 같이 밑면인 원의 반지름의 길이가 3 cm, 높이가 4 cm인 원뿔이므로

$V_2 = \dfrac{1}{3} \times (\pi \times 3^2) \times 4 = 12\pi\,(\mathrm{cm}^3)$ ...... ❷

$\therefore V_1 : V_2 = 16\pi : 12\pi = 4 : 3$ ...... ❸

채점 기준	배점
❶ V_1 구하기	40 %
❷ V_2 구하기	40 %
❸ $V_1 : V_2$ 구하기	20 %

23 구의 반지름의 길이를 r cm라 하면

(구의 부피) $= \dfrac{4}{3}\pi r^3\,(\mathrm{cm}^3)$

이때 주어진 조건에서 $\dfrac{4}{3}\pi r^3 = 288\pi$이므로

$r^3 = 216$ $\qquad \therefore r = 6\,(\mathrm{cm})$

따라서 원기둥과 원뿔은 모두 밑면인 원의 반지름의 길이가

6 cm, 높이가 12 cm이므로

(원기둥의 부피) $= (\pi \times 6^2) \times 12 = 432\pi\,(\mathrm{cm}^3)$

(원뿔의 부피) $= \dfrac{1}{3} \times (\pi \times 6^2) \times 12 = 144\pi\,(\mathrm{cm}^3)$

따라서 두 부피의 합은 $432\pi + 144\pi = 576\pi\,(\mathrm{cm}^3)$

[다른 풀이]

원기둥, 구, 원뿔의 부피의 비가 $3 : 2 : 1$이므로

원기둥의 부피를 a cm^3라 하면 $3 : 2 = a : 288\pi$에서

$2a = 864\pi$ $\qquad \therefore a = 432\pi\,(\mathrm{cm}^3)$

또, 원뿔의 부피를 b cm^3라 하면 $2 : 1 = 288\pi : b$에서

$2b = 288\pi$ $\qquad \therefore b = 144\pi\,(\mathrm{cm}^3)$

따라서 원기둥의 부피와 원뿔의 부피의 합은

$432\pi + 144\pi = 576\pi\,(\mathrm{cm}^3)$

16. 줄기와 잎 그림/도수분포표

01 ②	02 ②	03 ⑤	04 ③
05 ②, ④	06 ④	07 50 kg 이상 55 kg 미만	
08 30 %	09 ②, ⑤	10 13	11 12
12 24	13 6명		

01 3명의 학생이 11권을 읽었으므로 가장 많은 학생들이 읽은 책의 수는 11권이다.

02 읽은 책의 수가 15권 이상 25권 미만인 학생 수는 $2+3=5$(명)

03 책을 많이 읽은 쪽부터 변량을 차례대로 나열하면
38, 36, 32, 31, 27, 27, 24, 24, 21, …
따라서 6번째로 책을 많이 읽은 학생의 책의 수는 27권이다.

04 책을 20권 이상 읽은 학생 수는 $4+5=9$(명)이므로 전체의
$\frac{9}{20}\times100=45(\%)$이다.

05 ② 줄기와 잎 그림에서는 변량의 정확한 값을 알 수 있다.
④ 도수분포표에서 계급의 개수는 5~15개가 적당하다.

06 몸무게가 45 kg 이상 50 kg 미만인 학생 수는
$30-(9+5+2+2)=12$(명)
따라서 몸무게가 50 kg 미만인 학생 수는 $9+12=21$(명)

08 몸무게가 50 kg 이상인 학생 수는 $5+2+2=9$(명)이므로
전체의 $\frac{9}{30}\times100=30(\%)$이다.

09 ② 성적이 가장 우수한 학생의 성적은 정확히 알 수 없다.
⑤ 성적이 70점 미만인 학생 수는 $4+2=6$(명)이므로 전체의
$\frac{6}{20}\times100=30(\%)$이다.

10 국어 성적이 80점 이상 90점 미만인 학생이 전체의 45 %이므로
이 계급의 학생 수는 $40\times\frac{45}{100}=18$(명) $\therefore A=18$
$B=40-(4+10+3+18)=5$
$\therefore A-B=18-5=13$

11 몸무게가 65 kg 이상인 학생이 전체의 58 %이므로 몸무게가
65 kg 미만인 학생은 전체의 42 %이다.
따라서 몸무게가 65 kg 미만인 학생 수는
$50\times\frac{42}{100}=21$(명)
$\therefore x=21-9=12$

12 [단계 ❶] 수정이의 키가 잎이 가장 많은 줄기에 속하므로 수정이의 키는 줄기 14에 속한다.

[단계 ❷] 수정이보다 키가 작은 학생 수가 최소이려면 수정이의 키는 143 cm이다.
수정이의 키가 143 cm이면 수정이보다 키가 작은 학생 수는 $2+3+5=10$(명)이다. $\therefore a=10$
수정이보다 키가 작은 학생 수가 최대이려면 수정이의 키는 148 cm이다.
수정이의 키가 148 cm이면 수정이보다 키가 작은 학생 수는 $2+3+5+4=14$(명)이다. $\therefore b=14$

[단계 ❸] $\therefore a+b=10+14=24$

채점 기준	배점
❶ 수정이의 키가 속하는 줄기 찾기	20 %
❷ a, b의 값 각각 구하기	60 %
❸ $a+b$의 값 구하기	20 %

13 8회 미만인 학생 수는 $4+6+3=13$(명)이고 전체의 65 %이므
로 $\frac{13}{(\text{전체 학생 수})}\times100=65$에서
(전체 학생 수)$=20$(명)   ……❶
따라서 이용 횟수가 8회 이상 10회 미만인 학생 수는
$20-(4+6+3+1)=6$(명)   ……❷

채점 기준	배점
❶ 전체 학생 수 구하기	70 %
❷ 이용 횟수가 8회 이상 10회 미만인 학생 수	30 %

17. 히스토그램과 도수분포다각형

01 ⑤	02 ③	03 20 %	04 ④
05 ③	06 ③	07 ⑤	08 ③
09 ④	10 ㄱ, ㄴ	11 10일	12 12명

01 ⑤ 히스토그램으로는 정확한 변량을 알 수 없으므로 학생별 공부 시간을 알 수는 없다.

02 (전체 학생 수)$=2+4+13+8+2+1=30$(명)

03 공부 시간이 3시간 미만인 학생 수는 $2+4=6$(명)이므로
전체의 $\frac{6}{30}\times100=20(\%)$이다.

04 ④ 몸무게가 45 kg 이상 50 kg 미만인 학생 수는 12명이므로 전체의 $\frac{12}{48}\times100=25(\%)$이다.

계급의 크기는 5초이므로 $a=5$

기록이 18초인 학생이 속하는 계급은 15초 이상 20초 미만이므로 도수는 7명이다.　　∴ $b=7$

∴ $a+b=5+7=12$

06 계급이 25초 이상인 학생 수는 $6+4=10$(명)이므로 기록이 좋은 쪽에서 10번째인 학생이 속하는 계급은 25초 이상 30초 미만이고 그 도수는 6명이다.

07 (넓이)=(계급의 크기)×(전체 도수)

$\quad=5\times(1+13+18+9+3+1)$

$\quad=5\times45=225$

08 ③ 히스토그램의 직사각형의 넓이의 합과 도수분포다각형과 가로축으로 둘러싸인 부분의 넓이는 같다. 즉, 색칠한 부분의 넓이는 같다.

09 상위 10 % 이내에 해당하는 학생 수는 $30\times\dfrac{10}{100}=3$(명)이고, 80점 이상인 학생 수가 $2+1=3$(명)이므로 성적이 최소한 80점 이상인 학생이 상을 받게 된다.

10 ㄱ. 1반과 2반의 전체 학생 수는 32명으로 같다.

ㄴ. 전체 학생 수가 같으므로 각각의 그래프와 가로축으로 둘러싸인 부분의 넓이는 같다.

ㄷ. 2반의 성적 중 도수가 가장 큰 계급은 70점 이상 80점 미만이므로 이 계급의 도수는 10명이다.

ㄹ. 70점 이상인 학생 수는

1반 : $9+5+3=17$(명),

2반 : $10+8+4=22$(명)

즉, 70점 이상인 학생 수는 2반이 1반보다 더 많다.

따라서 옳은 것은 ㄱ, ㄴ이다.

11 [단계 ❶] 12°C 미만인 날의 수가 16°C 이상인 날의 수와 같으므로 16°C 이상 20°C 미만인 날의 수는

$2+8-1=9$(일)

[단계 ❷] 9월은 30일까지 있으므로 12°C 이상 16°C 미만인 날의 수는 $30-(2+8+9+1)=10$(일)이다.

채점 기준	배점
❶ 16°C 이상 20°C 미만인 날의 수 구하기	40 %
❷ 12°C 이상 16°C 미만인 날의 수 구하기	60 %

12 기다린 시간이 40분 이상인 학생이 전체의 16 %이므로

$50\times\dfrac{16}{100}=8$(명)　　……❶

따라서 기다린 시간이 30분 이상 40분 미만인 학생 수는

$50-(14+16+8)=12$(명)　　……❷

채점 기준	배점
❶ 기다린 시간이 40분 이상인 학생 수 구하기	50 %
❷ 기다린 시간이 30분 이상 40분 미만인 학생 수 구하기	50 %

18. 상대도수

172~173쪽

01 ①	02 ③	03 ②	04 ⑤
05 ④	06 ④	07 ③	08 ③
09 ⑤	10 40분 이상 50분 미만		11 ③
12 ③	13 42	14 90분 이상 120분 미만	

01 ① 상대도수는 전체 도수에 대한 각 계급의 도수의 비율이다.

02 (전체 도수)$=2+4+12+16+14+2=50$(게임)이므로 득점이 90점 이상 100점 미만인 계급의 상대도수는

$\dfrac{12}{50}=0.24$

03 (전체 학생 수)$=\dfrac{6}{0.12}=50$(명)

04 35세 이상 38세 미만인 계급의 학생 수가 4명, 상대도수가 0.1이므로 전체 학생 수는 $\dfrac{4}{0.1}=40$(명)

05 전체 학생 수는 $\dfrac{4}{0.1}=40$(명)

① $A=40\times0.25=10$

② $B=40\times0.3=12$

③ $C=\dfrac{8}{40}=0.2$

④ 47세 이상 50세 미만인 계급의 학생 수는

$40-(4+10+12+8)=6$(명)이므로 $D=\dfrac{6}{40}=0.15$

⑤ 상대도수의 총합은 1이므로 $E=1$

06 44세 이상인 계급의 상대도수는 $0.2+0.15=0.35$이므로 전체의 $0.35\times100=35(\%)$이다.

07 전체 도수를 각각 $5x$, $4x$라 하고, 어떤 계급의 도수를 a라 하면 이 계급의 상대도수의 비는 $\dfrac{a}{5x}:\dfrac{a}{4x}=\dfrac{1}{5}:\dfrac{1}{4}=4:5$

08 운동 시간이 50분 이상인 계급의 상대도수의 합은 $0.08+0.04=0.12$이므로 운동 시간이 50분 이상인 학생은 전체의 $0.12\times100=12(\%)$이다.

09 운동 시간이 20분 이상 40분 미만인 계급의 상대도수의 합은 $0.2+0.36=0.56$이므로 학생 수는 $50\times0.56=28(명)$

10 운동 시간이 50분 이상인 계급의 상대도수는 $0.08+0.04=0.12$이므로 학생 수는 $50\times0.12=6(명)$이고, 운동 시간이 40분 이상 50분 미만인 계급의 학생 수는 $50\times0.24=12(명)$이므로 운동 시간이 10번째로 많은 학생이 속하는 계급은 40분 이상 50분 미만이다.

11 40점 미만인 학생 수가 3명이므로 전체 학생 수는 $\dfrac{3}{0.1}=30(명)$

12 40점 이상 60점 미만인 계급의 상대도수는 $1-(0.1+0.3+0.2)=0.4$이므로 학생 수는 $30\times0.4=12(명)$

13 [단계 ❶] 전체 학생 수는 $\dfrac{7}{0.14}=50(명)$

[단계 ❷] 30회 이상 40회 미만인 계급의 상대도수는 $\dfrac{16}{50}=0.32$이므로 $a=0.32$

40회 이상 50회 미만인 계급의 학생 수는 $50\times0.2=10(명)$이므로 $b=10$

[단계 ❸] $\therefore 100a+b=100\times0.32+10=32+10=42$

채점 기준	배점
❶ 전체 학생 수 구하기	30 %
❷ a, b의 값 각각 구하기	50 %
❸ $100a+b$의 값 구하기	20 %

14 미주네 반에서

30분 이상 60분 미만인 계급의 학생 수는 $30\times0.3=9(명)$,

60분 이상 90분 미만인 계급의 학생 수는 $30\times0.4=12(명)$,

90분 이상 120분 미만인 계급의 학생 수는 $30\times0.2=6(명)$,

120분 이상 150분 미만인 계급의 학생 수는 $30\times0.1=3(명)$

…… ❶

정환이네 반에서

30분 이상 60분 미만인 계급의 학생 수는 $20\times0.15=3(명)$,

60분 이상 90분 미만인 계급의 학생 수는 $20\times0.35=7(명)$,

90분 이상 120분 미만인 계급의 학생 수는 $20\times0.3=6(명)$,

120분 이상 150분 미만인 계급의 학생 수는 $20\times0.2=4(명)$

…… ❷

따라서 두 반에서 학생 수가 서로 같은 계급은 90분 이상 120분 미만이다.

…… ❸

채점 기준	배점
❶ 미주네 반의 각 계급의 학생 수 구하기	40 %
❷ 정환이네 반의 각 계급의 학생 수 구하기	40 %
❸ 두 반에서 학생 수가 서로 같은 계급 구하기	20 %

Ⅷ. 자료의 정리와 해석	내·신·만·점·도·전·하·기	174~177쪽

01 ⑤　**02** ⑤　**03** ③　**04** ⑤

05 ⑤　**06** ④　**07** ③　**08** ⑤

09 ④　**10** ③　**11** ④　**12** ②

13 ⑤　**14** 18　**15** 52 %　**16** 26명

17 18명　**18** 0.3　**19** 15명　**20** 36 %

01 ⑤ 책을 가장 많이 읽은 학생의 권수는 24권이고, 가장 적게 읽은 학생의 권수는 3권이므로 차는 $24-3=21(권)$이다.

02 $\dfrac{3}{10}\times100=30(\%)$

03 집안일을 도운 시간이 17분인 학생이 속하는 계급은 10분 이상 20분 미만이므로 이 계급의 도수는 7명이다.

04 20분 미만 계급의 학생 수는 $5+7=12(명)$이므로 전체의 $\dfrac{12}{30}\times100=40(\%)$이다.

05 ⑤ 직사각형의 넓이의 합은 계급의 크기와 도수의 총합의 곱과 같다.

06 25초 이상인 계급의 도수는 $3+2=5(명)$이고, 20초 이상 25초 미만인 계급의 도수는 4명이므로 6번째로 오래 매달린 학생이 속하는 계급은 20초 이상 25초 미만이다.

07 (직사각형의 넓이의 합)$=5\times(12+8+7+4+3+2)=180$

08 ⑤ 40 m 이상 던진 학생 수는 $7+1=8(명)$이다.

09 (도수분포다각형과 가로축으로 둘러싸인 부분의 넓이) $=$(계급의 크기)$\times$(도수의 총합)$=1\times20=20$

10 3회 이상 5회 미만인 계급의 학생 수는

$40-(9+14+4+1)=12$(명)이므로 상대도수는 $\dfrac{12}{40}=0.3$

11 상대도수가 가장 큰 계급의 상대도수는 0.34이고 도수는 17명이

므로 (전체 사람 수)$=\dfrac{17}{0.34}=50$(명)

12 40세 이상 50세 미만인 계급의 상대도수는 0.18이므로

도수는 $50\times0.18=9$(명)

13 ⑤ 성적이 70점 이상 80점 미만인 학생 수는

A반 : $50\times0.4=20$(명), B반 : $40\times0.25=10$(명)

이므로 A반이 B반 보다 10명 더 많다.

14 ㈎ 잎이 ㉣인 학생의 키를 x cm라 하면

$(143+146+148)\times2=(174+176+175+x+173)$

이므로 $x=176$ $\therefore$ ㉣$=6$

㈏ (잎이 ㉠인 학생의 키) : (잎이 ㉣인 학생의 키)$=19:22$이므

로 (잎이 ㉠인 학생의 키) : $176=19:22$

따라서 잎이 ㉠인 학생의 키는 152 cm이므로 ㉠$=2$

㈐ 잎이 ㉡인 학생의 키와 잎이 ㉢인 학생의 키의 합은 320 cm

이고 두 학생의 키의 차는 4 cm이므로 두 학생의 키는

158 cm, 162 cm이다. $\therefore$ ㉡$=8$, ㉢$=2$

$\therefore$ ㉠$+$㉡$+$㉢$+$㉣$=2+8+2+6=18$

15 $A=x$라 하면 $B=2x$, $C=3x$이므로

$x+6+2x+3x+8=50$, $6x=36$ $\therefore x=6$

$\therefore A=6$, $B=12$, $C=18$ ······ ❶

몸무게가 50 kg 이상인 학생 수는 $18+8=26$(명)   ······ ❷

즉, 몸무게가 50 kg 이상인 학생은 전체의

$\dfrac{26}{50}\times100=52(\%)$ ······ ❸

채점 기준	배점
❶ A, B, C의 값 각각 구하기	50 %
❷ 몸무게가 50 kg 이상인 학생 수 구하기	20 %
❸ 몸무게가 50 kg 이상인 학생의 전체에서의 비율 구하기	30 %

16 계급의 크기가 10회이고, 직사각형의 넓이의 합이 540이므로 도

수의 총합은 $540\div10=54$(명)   ······ ❶

가장 작은 도수를 x명이라 하면 가장 큰 도수는 $4x$명이고,

$x+8+4x+12+10+x=54$

$6x=24$ $\therefore x=4$ ······ ❷

따라서 윗몸일으키기 횟수가 40회 이상인 학생 수는

$12+10+4=26$(명)   ······ ❸

채점 기준	배점
❶ 도수의 총합 구하기	30 %
❷ 가장 작은 도수 구하기	40 %
❸ 윗몸일으키기 횟수가 40회 이상인 학생 수 구하기	30 %

17 성적이 80점 이상인 학생 수는 4명이고 전체의 10 %이므로 전체

학생 수는 $\dfrac{4}{0.1}=40$(명)

성적이 50점 이상 60점 미만인 학생 수를 x명이라 하면 성적이

60점 이상 70점 미만인 학생 수는 $3x$명이므로

$4+x+3x+8+4=40$, $4x=24$ $\therefore x=6$

따라서 성적이 60점 이상 70점 미만인 학생 수는 $3\times6=18$(명)

18 전체 학생 수는 $\dfrac{5}{0.125}=40$(명)이므로

성적이 18점 미만인 학생 수는 $40\times\dfrac{3}{5}=24$(명)

따라서 16점 이상 18점 미만인 계급의 학생 수는

$24-(5+7)=12$(명)이므로 상대도수는 $\dfrac{12}{40}=0.3$

19 8잔 이상 10잔 미만인 계급의 상대도수는 0.18이고, 학생 수는 9

명이므로 전체 학생 수는 $\dfrac{9}{0.18}=50$(명)   ······ ❶

6잔 이상 8잔 미만인 계급의 상대도수는

$1-(0.12+0.26+0.18+0.14)=0.3$ ······ ❷

즉, 상대도수가 가장 큰 계급은 6잔 이상 8잔 미만이다.   ······ ❸

따라서 상대도수가 가장 큰 계급의 학생 수는

$50\times0.3=15$(명)이다.   ······ ❹

채점 기준	배점
❶ 전체 학생 수 구하기	40 %
❷ 6잔 이상 8잔 미만인 계급의 상대도수 구하기	20 %
❸ 상대도수가 가장 큰 계급 구하기	10 %
❹ 상대도수가 가장 큰 계급의 학생 수 구하기	30 %

20 160 cm 이상 170 cm 미만인 계급의 상대도수는

남학생 : $0.36+0.1=0.46$, 여학생 : $0.2+0.06=0.26$

이므로 이 계급에 속하는 학생 수는

남학생 : $0.46\times100=46$(명), 여학생 : $0.26\times100=26$(명)

따라서 남학생과 여학생을 모두 합하여 키가 160 cm 이상

170 cm 미만인 학생은 전체의

$\dfrac{46+26}{100+100}\times100=\dfrac{72}{200}\times100=36(\%)$이다.